Aleyandra Varfalvy

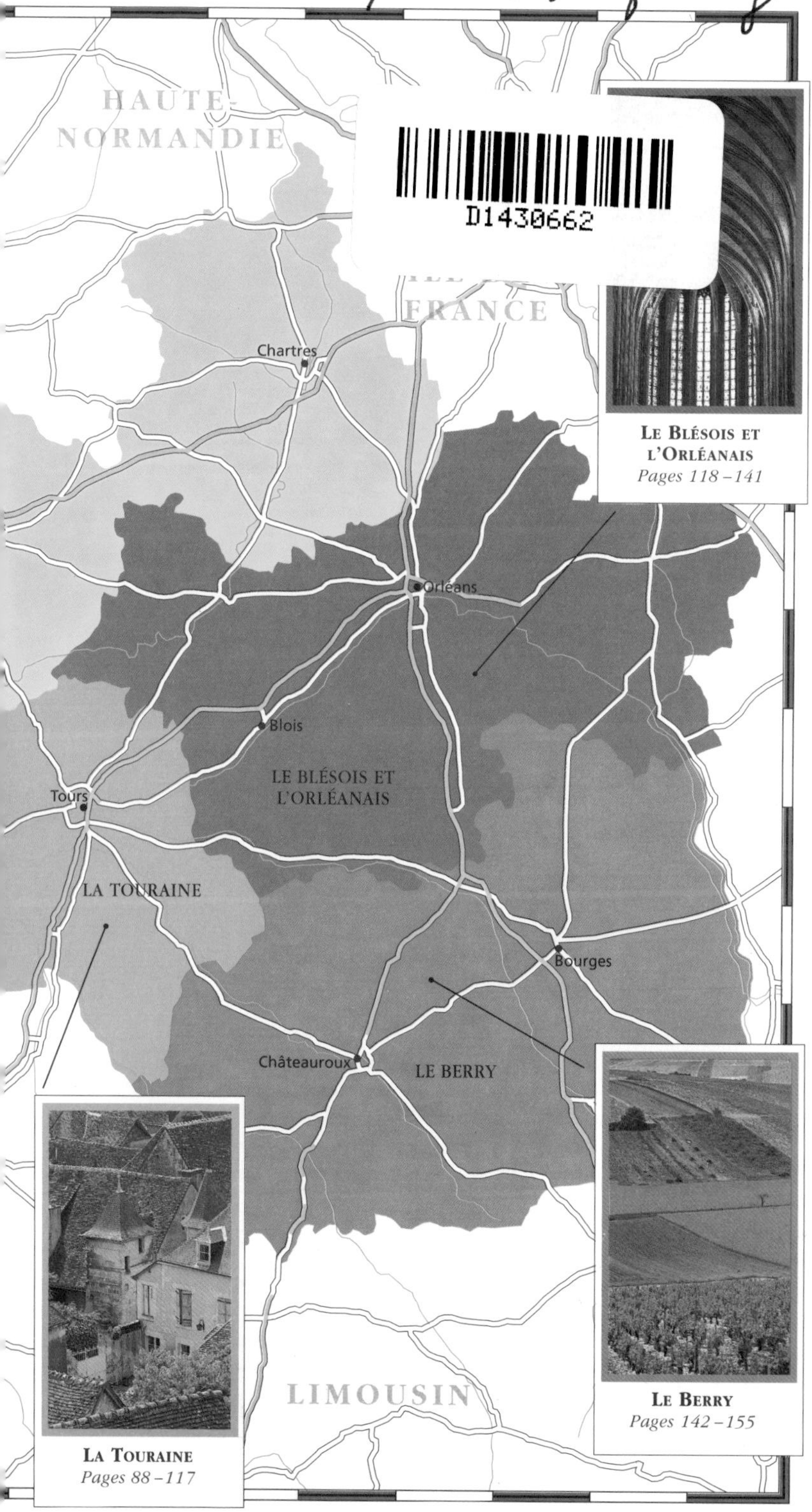

GUIDES VOIR

CHÂTEAUX DE LA LOIRE

VALLÉE DE LA LOIRE

GUIDES VOIR

CHÂTEAUX DE LA LOIRE

VALLÉE DE LA LOIRE

Libre Expression

Libre Expression

CE GUIDE VOIR A ÉTÉ ÉTABLI PAR
Jack Tresidder

DIRECTION :
Isabelle Jeuge-Maynart

ÉDITION :
Isabelle Jendron,
François Monmarché,
Hélène Gédouin

TRADUIT ET ADAPTÉ DE L'ANGLAIS PAR
Janine Lévy et Pascal Varejka

MISE EN PAGES (P.A.O.) :
Anne-Marie Le Fur

DK

Publié pour la première fois en Grande-Bretagne
en 1996, sous le titre :
Eyewitness Travel Guides : Loire Valley

DÉPÔT LÉGAL : 1er trimestre 1997
ISBN : 2-89111-699-2

SOMMAIRE

Statue du château de la Lorie

PRÉSENTATION DE LA VALLÉE DE LA LOIRE

Louis XIV en Jupiter, triomphant de la Fronde

Argenton-sur-Creuse

Voyages dans la vallée de la Loire

Manoir du Grand-Martigny

Vitrail représentant Agnès Sorel

Les bonnes adresses

Renseignements pratiques

Jeunes pêcheurs à Pornichet, en Loire-Atlantique

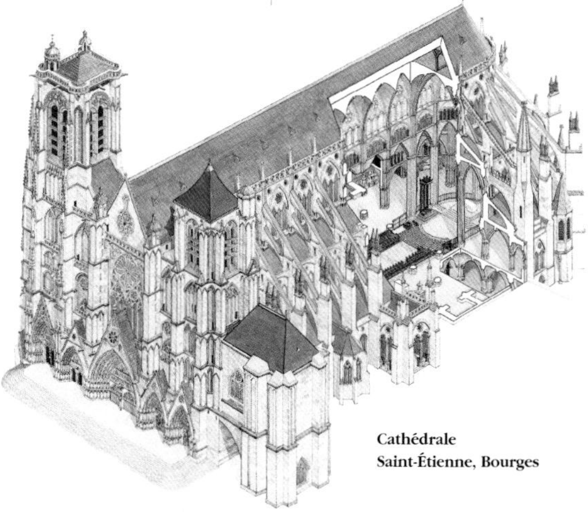

Cathédrale Saint-Étienne, Bourges

Comment utiliser ce guide

Ce guide a pour but de vous aider à profiter au mieux de votre séjour dans la vallée de la Loire. L'introduction, *Présentation de la vallée de la Loire,* situe la région dans son contexte historique et culturel. Dans *Voyages dans la vallée de la Loire,* plans, textes et illustrations présentent en détail les principaux sites et monuments. *Les bonnes adresses* vous fourniront sur les hôtels, les restaurants, les boutiques, les marchés, les spectacles et les distractions. *Les informations pratiques* vous donneront des conseils utiles pour tous les domaines de la vie quotidienne.

Voyages dans la vallée de la Loire

La vallée de la Loire a été divisée en six régions et six chapitres distincts, dont la carte figure au revers de la couverture du guide. Les sites les plus importants sont indiqués et numérotés sur *la carte illustrée.*

1 Introduction
Mettant en lumière l'empreinte de l'histoire, elle dépeint les paysages de chacune des provinces et présente ses principaux attraits touristiques.

Une carte de localisation situe chaque province dans la vallée de la Loire.

Un repère de couleur correspond à chaque chapitre.

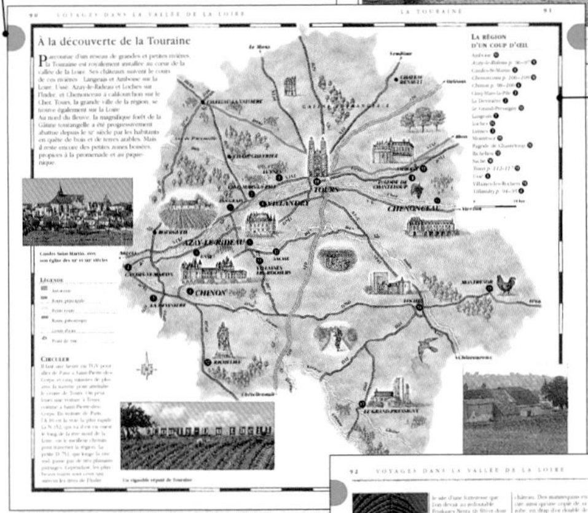

2 La carte illustrée
Elle offre une vue de la province et de son réseau routier. Les sites principaux sont répertoriés et numérotés. Des indications pour circuler sont aussi fournies.

Des encadrés soulignent les faits marquants.

3 Renseignements détaillées
Les localités et les sites importants sont décrits dans l'ordre de numérotation de la carte illustrée. Pour chaque ville ou village, les notices présentent en détail ce qu'il est intéressant de visiter.

4 Les grandes villes

Une introduction présente l'histoire et les spécificités de la localité. Situés sur un plan, les principaux monuments possèdent chacun une rubrique.

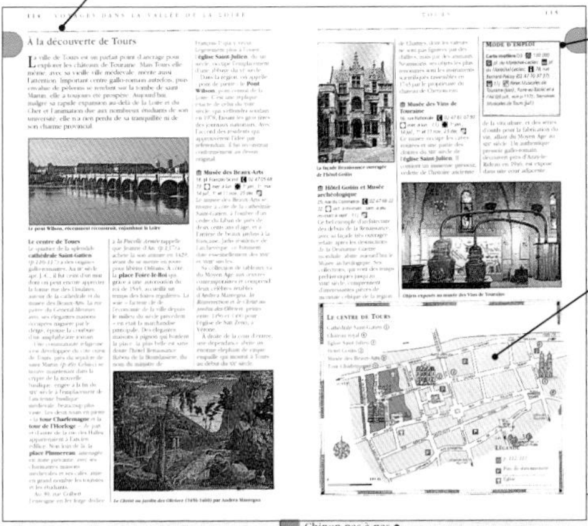

Un mode d'emploi vous renseigne sur les transports publics, les bureaux d'information touristique, les marchés et les manifestations les plus marquantes.

Le plan de la ville montre les principales artères. Il situe les sites et les monuments, les gares, les parcs de stationnement, les offices du tousisme et les églises.

5 Plans pas à pas

Ils offrent une vue aérienne détaillée de villes ou de quartiers particulièrement intéressants. Des photos présentent les principaux sites ou édifices.

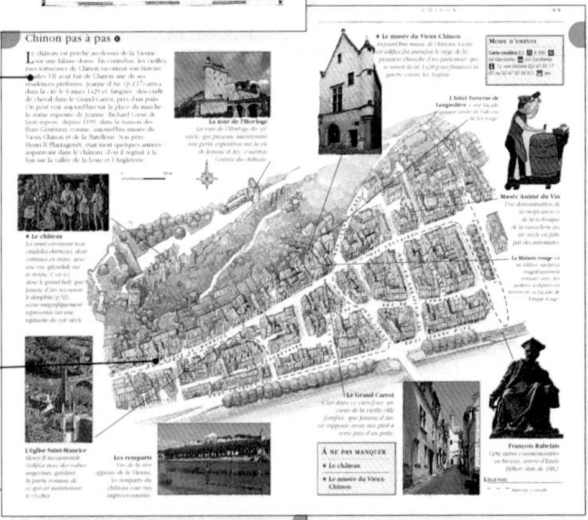

Le meilleur itinéraire de promenade apparaît en rouge.

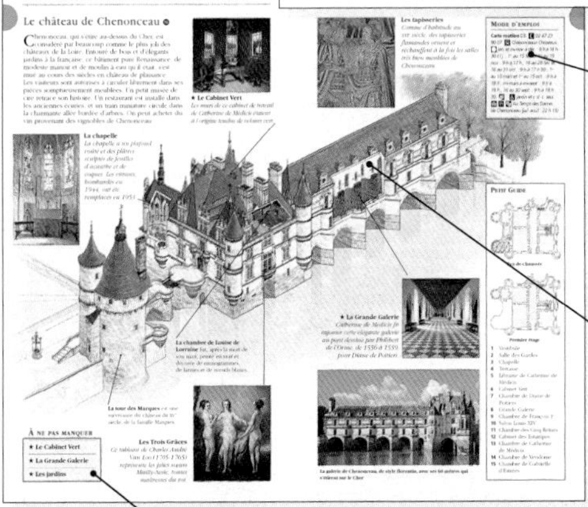

Un mode d'emploi vous aide à organiser votre visite. La légende des symboles figure sur le dernier rabat de couverture.

6 Les principaux sites

Deux pleines pages, ou plus, leur sont consacrées.

Des étoiles signalent les œuvres ou les sites à ne pas manquer.

1787

Présentation de la vallée de la Loire

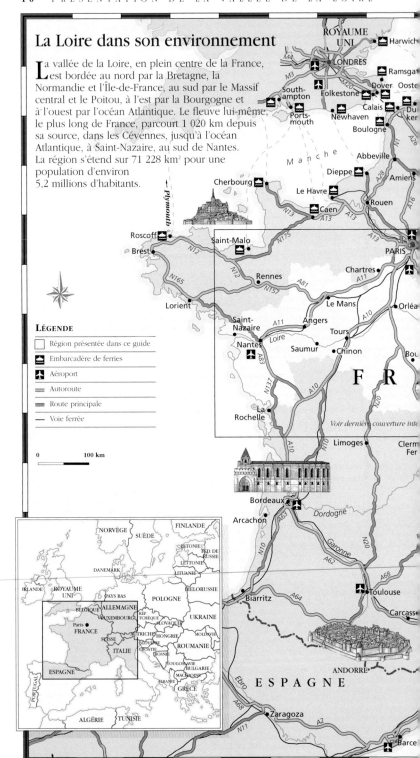

La Loire dans son environnement

La vallée de la Loire, en plein centre de la France, est bordée au nord par la Bretagne, la Normandie et l'Île-de-France, au sud par le Massif central et le Poitou, à l'est par la Bourgogne et à l'ouest par l'océan Atlantique. Le fleuve lui-même, le plus long de France, parcourt 1 020 km depuis sa source, dans les Cévennes, jusqu'à l'océan Atlantique, à Saint-Nazaire, au sud de Nantes. La région s'étend sur 71 228 km² pour une population d'environ 5,2 millions d'habitants.

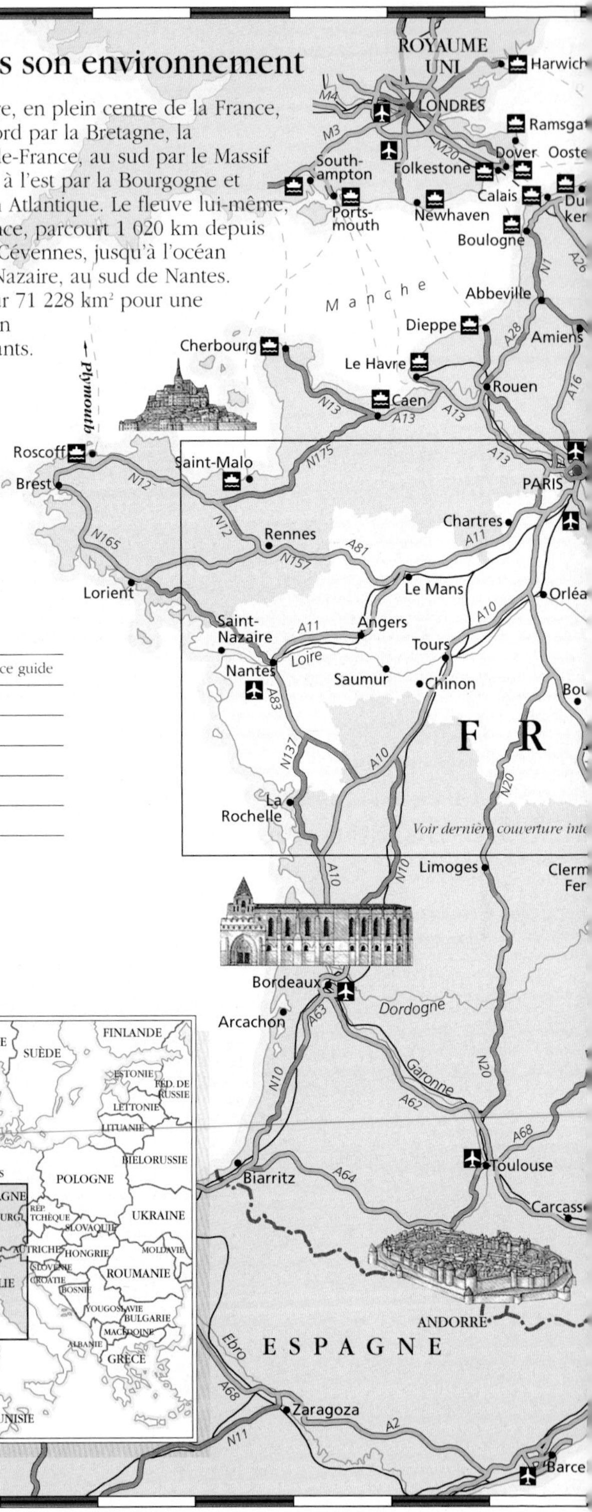

Légende

- Région présentée dans ce guide
- Embarcadère de ferries
- Aéroport
- Autoroute
- Route principale
- Voie ferrée

0 — 100 km

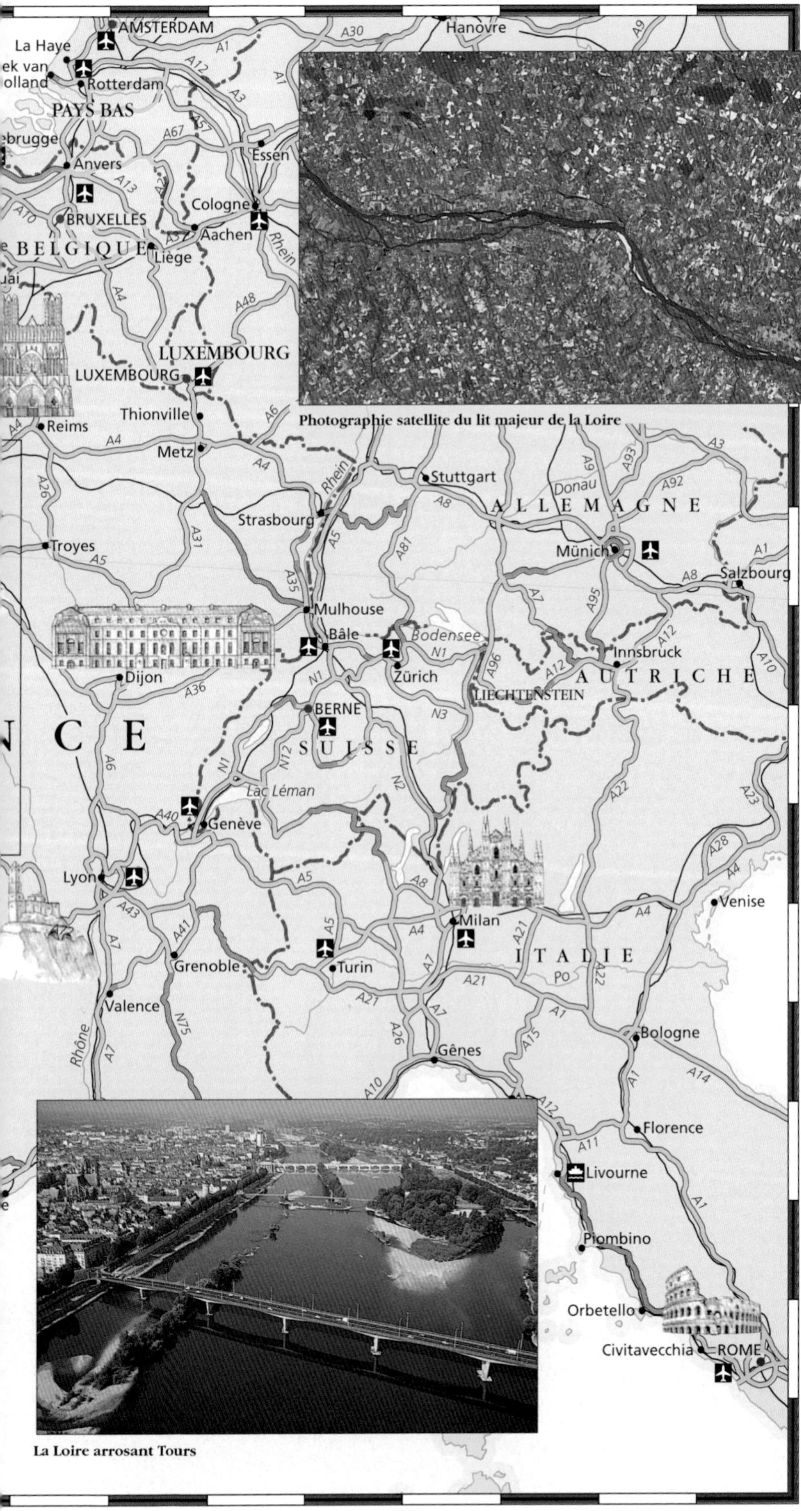

Photographie satellite du lit majeur de la Loire

La Loire arrosant Tours

UNE IMAGE DE LA VALLÉE DE LA LOIRE

Célèbre dans le monde entier par ses magnifiques châteaux où s'élabora l'art de vivre à la Renaissance, la vallée de la Loire est aujourd'hui, avec ses villes élégantes et ses paysages tranquilles modelés par le fleuve, son climat tempéré, son mode de vie paisible et ses vins fruités, le pays de la douceur de vivre.

Cycliste sur la chaussée de l'île de Noirmoutier

Les bords de la Loire avec leurs forêts giboyeuses furent, au Moyen Âge, le terrain de chasse de prédilection des seigneurs et devinrent, à la Renaissance, le berceau de la monarchie française. Azay-le-Rideau, Blois, Chambord, Chenonceau, Cheverny..., le long des courbes du fleuve, de vastes palais et des résidences d'agrément s'élevèrent alors pour accueillir les rois et leurs suites.

La région garde encore fortement présente la trace de cette époque. Les nombreux monuments, le sol fertile du « jardin de la France » et le climat favorable sont aujourd'hui autant d'attraits pour les visiteurs.

La richesse et le bon état de conservation de son patrimoine historique n'ont pas empêché la région de s'adapter à l'économie moderne. Elle a su réaliser sa révolution technologique, en accueillant les centrales nucléaires d'Avoine-Chinon et de Saint-Laurent-des-Eaux, près de Beaugency. Elle est aujourd'hui la cinquième région industrielle de France et l'une des premières régions agricoles : les céréales, les fromages et surtout les vins sont les meilleurs témoignages de son dynamisme.

À Blois, un des nombreux ponts historiques de la région traversant la Loire

◁ **Un village du Berry, le soir**

Danseurs en costumes folkloriques à Blois

Cependant, dans la vallée de la Loire, on est encore largement attaché aux valeurs traditionnelles cherchant à perpétuer le genre de vie qui a fait ses preuves au cours des siècles. Ceci est particulièrement vrai du Berry, la plus orientale des régions et l'une des plus anciennes provinces françaises. Elle se trouve au centre géographique du pays – plusieurs de ses villages prétendent à l'honneur d'être situés « au cœur de la France » – et le touriste a l'agréable impression de se trouver loin des sentiers battus. Dans ces villages hors du temps, on constate avec plaisir que les traditions populaires font encore partie de la vie quotidienne.

Attraits locaux

La possibilité de séjourner dans un château est un des nombreux plaisirs réservés aux visiteurs, car l'hospitalité est prise très au sérieux dans la vallée de la Loire. Balades en forêt, promenades en barque, plages diverses, les amoureux de la nature et les sportifs trouveront leur compte, car la région a beaucoup à offrir. Les nombreuses foires et festivités consacrées aux vins et à la production locale – ail, pommes, melons, andouillettes – témoignent du large éventail de succulents produits que vous trouverez sur place. Vous pourrez, en outre, vous régaler de gibier, de primeurs, de poisson de rivière ou d'un pot de rillettes, le tout arrosé d'un bon vin.

La nourriture et la boisson jouent également un rôle majeur dans l'économie de la région. La culture et l'industrie alimentaire emploient environ 12 % de la population. Nombre des primeurs qui sont vendues sur les marchés ou figurent sur les tables des restaurants parisiens sont cultivées dans les champs et les vergers qui côtoient la Loire. Tout le pays achète là ses melons et ses asperges, de même que ses champignons – ceux que l'on appelle champignons de Paris – qui poussent notamment près de Saumur, dans les terrains calcaires des carrières abandonnées de la région qui produit quelque 75 % des champignons français.

Déploiement de couleurs estivales

Les rives de la Loire sont entourées de vignobles variés, et beaucoup de vins locaux sont très appréciés, en France comme à l'étranger, et viennent encore ajouter à la prospérité de la région. Ils

La Loire à Amboise, avec ses bancs de sable

Promenade au bord du fleuve à Rochefort-sur-Loire, une des distractions de la région

occupent la cinquième place dans le volume total de la production française, même si les vins de la Loire sont moins répandus que les bordeaux ou bourgogne, et leur qualité et leur succès ne font que croître. Le sancerre et le muscadet sont probablement les plus connus, mais d'autres, comme le vouvray et le bourgueil, sont aussi très recherchés.

Enseigne invitant à la dégustation

La vallée de la Loire a tous les atouts pour plaire : les paysages, l'accueil, la restauration – reflet de l'excellente qualité des produits locaux – et les activités. Il n'est donc pas étonnant qu'elle attire tant de Parisiens. Comme la noblesse, autrefois, construisait là ses châteaux, aujourd'hui ceux-ci sont nombreux à y acheter une résidence secondaire. Ces dernières années, avec l'arrivée du TGV qui a mis la région à une heure de Paris, cet afflux a encore augmenté.

Développements récents

À l'ouest, Nantes s'est adaptée aux changements actuels de l'économie. La fermeture de ses chantiers navals, autrefois prospères, l'a conduite à se reconvertir dans la technologie avancée et le commerce international. Dans les années quatre-vingt, on y a ouvert un parc des sciences sur les rives de l'Erdre, un institut de recherche en électronique et un centre commercial, le *Centre Atlantique du Commerce International*. Ses larges avenues (autrefois des voies navigables) donnent une impression d'espace qui, parallèlement au dynamisme économique, contribue à perpétuer la douceur de vivre. De même, le Vinci, cet élégant centre de conférences, œuvre de l'architecte Jean Nouvel, récemment implanté au cœur de la ville de Tours, ne semble pas avoir freiné l'affluence des étudiants étrangers, attirés par la réputation de son université dynamique. Ceux-ci viennent apprendre à parler ce que l'on considère comme le français le plus pur, langage modulé, dépourvu d'accent trop fort, dont la Touraine entretient toujours la tradition.

Asperges locales

De la citadelle à la résidence

Au cours des siècles, les châteaux de la Loire se sont transformés, de lourdes forteresses qu'ils étaient, en gracieuses résidences. L'apparition des armes à feu mit fin aux sièges qui étaient l'unique moyen d'attaque au Moyen Âge ; l'élégance et le confort devinrent alors des marques de prestige. De nombreux éléments défensifs prirent un caractère décoratif : les tours de guet se muèrent en tourelles de conte de fées, les douves en pièces d'eau miroitantes et les créneaux en frises ornementales. Pendant la Renaissance, les artisans italiens y ajoutèrent des galeries, des jardins et taillèrent dans la pierre des motifs de plus en plus compliqués.

Le château d'Angers en 1550, avant que ses tours aient été décapitées

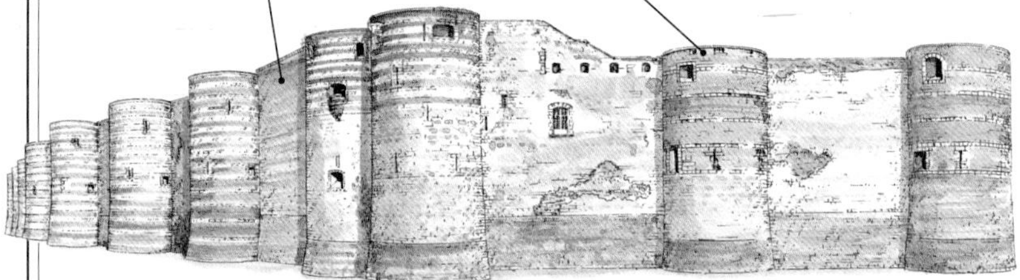

Le château d'Angers (p.74-75), *puissante forteresse, a été bâti entre 1228 et 1240, au sommet d'une falaise, dominant la Maine. Les 17 grosses tours rondes qui saillent sur les remparts devaient avoir une trentaine de mètres de haut avant qu'au XVI*[e] *siècle on ne supprime leurs poivrières.*

Ainay-le-Vieil (p.148) *date du XII*[e] *siècle. Deux styles s'y opposent. La forteresse octogonale flanquée de neuf grosses tours surmontées de poivrières était entourée de douves. On y entrait par une gigantesque poterne médiévale. À l'intérieur se trouvait une charmante demeure Renaissance.*

Une délicieuse résidence cachée derrière la forteresse octogonale

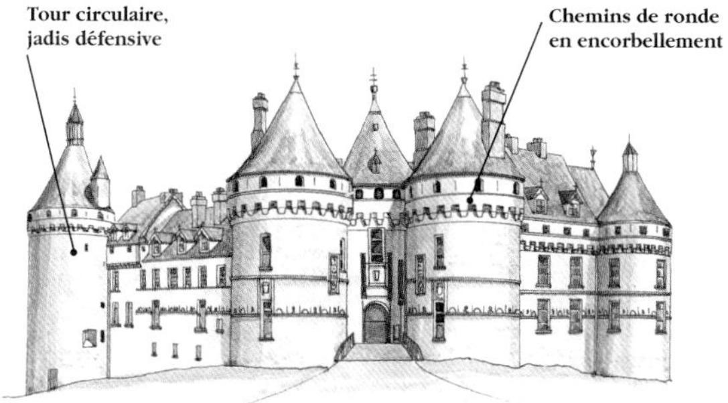

Chaumont (p.128) *se dresse à l'emplacement d'une forteresse du XIIe siècle, détruite par Louis XI en représailles contre les seigneurs du lieu, accusés de déloyauté. Il fut reconstruit entre 1498 et 1510, dans un style Renaissance qui allège l'allure défensive de ses tours circulaires, de ses chemins de ronde en encorbellement et de son châtelet d'entrée.*

La frise *de C entrelacés de Charles II d'Amboise, gravée sur les murs de Chaumont.*

La façade nord ornementée d'Azay-le-Rideau

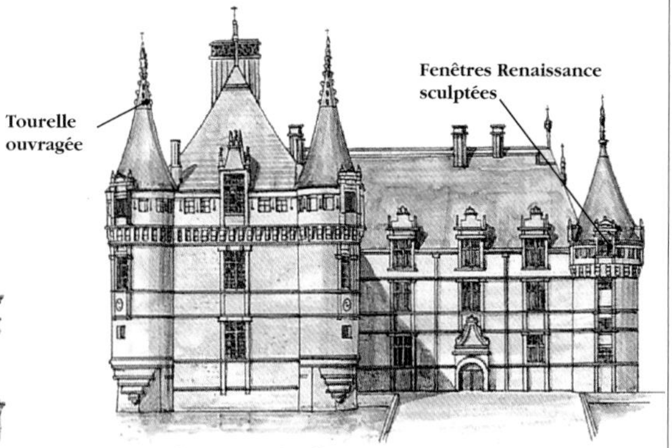

Azay-le-Rideau (p.96-97), *construit entre 1518 et 1527, est considéré, avec ses élégantes tourelles, comme le plus beau des châteaux de la Renaissance. Son escalier intérieur, derrière son fronton très ornementé et ses trois étages de travées jumelles, est particulièrement frappant.*

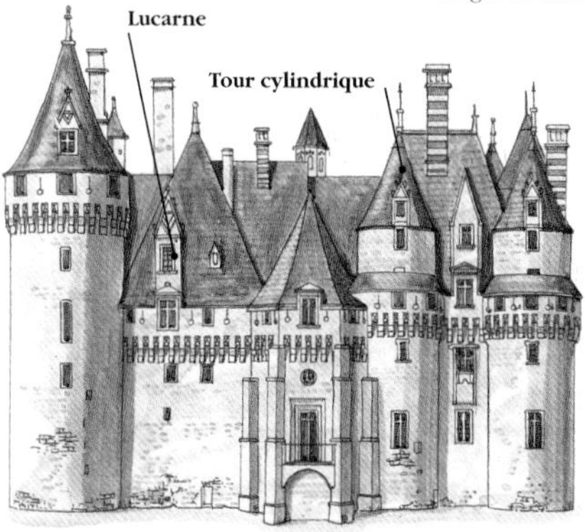

Ussé (p.101) *a été bâti en 1462 comme une forteresse crénelée. Au cours de la Renaissance, les remparts dominant la cour principale ont été dotés de lucarnes et de pilastres. Au XVIIe siècle, l'aile nord a été remplacée par des jardins en terrasses.*

Ussé, jadis forteresse, aujourd'hui demeure aristocratique.

L'intérieur des châteaux

Médaillon sculpté

Un château de la Loire typique présente de grandes pièces de réception somptueusement meublées, ornées de tapisseries et de tableaux précieux, dont le Grand Salon, souvent doté d'une imposante cheminée, et la salle à manger. La galerie servait de point de rencontre ; l'hôte et ses invités y discutaient des événements du jour, admiraient la vue ou les tableaux qui s'y trouvaient. Les appartements privés du châtelain et ceux que l'on réservait aux invités de marque (particulièrement de sang royal) étaient regroupés dans des ailes séparées. Quant aux domestiques, ils étaient logés dans les mansardes.

Le Grand Salon, surtout réservé aux divertissements, avec sa majestueuse cheminée de marbre gravée des armoiries ou des initiales entrecroisées du châtelain.

Les sièges *étaient souvent légers, élégants mais inconfortables. Les plus confortables, avec accoudoirs, pouvaient être recouverts de tapisserie précieuse, d'Aubusson par exemple, comme ici, à Cheverny.*

Le grand escalier, *ou escalier d'honneur, avait des balustrades sculptées et un plafond très décoré, tel ce magnifique escalier Renaissance, en voûte en plein cintre, à Serrant* (p.69), *qui menait aux appartements privés et à ceux des invités, ainsi qu'à des pièces de réception occasionnelle, comme la salle d'armes.*

Les galeries, *comme celle de Beauregard* (p.130-131) *ci-contre, servaient de lieux de rencontre aux hôtes et à leurs invités. Sur les murs étaient souvent accrochés des portraits.*

***Les salles à manger d'apparat**, réservées aux invités de marque, étaient également somptueusement meublées et décorées. Celle-ci, à Chaumont* (p.128), *possède un mobilier Renaissance.*

***Les pièces du château** étaient ornées de tableaux, de tapisseries et de meubles précieux. Les éléments décoratifs, tels cette plaque émaillée de Limoges ou les panneaux de bois sculpté, étaient très fréquents. Même les carreaux des poêles étaient souvent peints.*

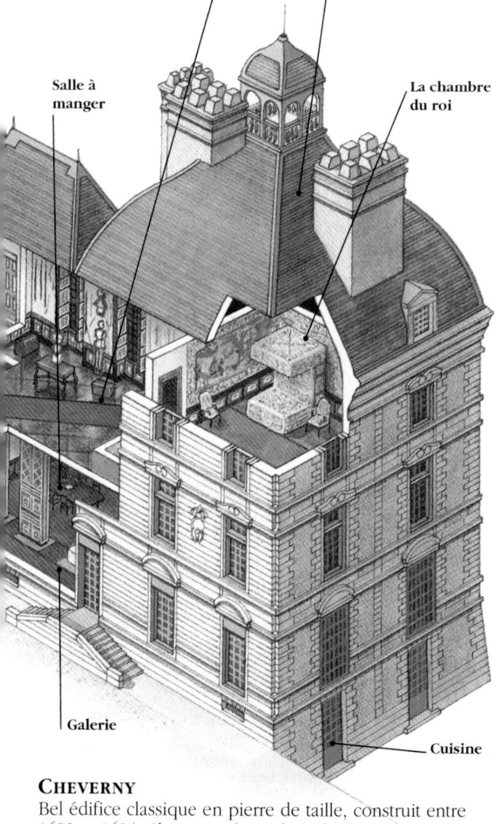

***La chambre du roi** était toujours prête à accueillir le souverain. En vertu du droit de gîte, le maître du château était tenu d'héberger le roi en contre-partie du permis de construire. À Cheverny* (p.130), *cette pièce était fréquemment occupée.*

***Les cuisines** se trouvaient dans les sous-sols ou dans des bâtiments séparés. Sur des broches gigantesques rôtissaient des animaux entiers. Dans l'obscurité luisaient des batteries de cuisine en cuivre, comme celle de Montgeoffroy* (p.71).

CHEVERNY

Bel édifice classique en pierre de taille, construit entre 1620 et 1634, Cheverny *(p.130)* a subi peu de dommages depuis lors. L'escalier, au centre, est flanqué de deux ailes symétriques, chacune d'elles coiffée d'un toit en dôme surmonté d'un petit toit pentu. La décoration intérieure remonte au XVIIe siècle.

Églises et abbayes

La richesse de l'architecture religieuse de la vallée de la Loire s'étend des petites églises romanes disséminées dans la campagne aux imposantes cathédrales gothiques, comme celles de Chartres ou de Tours. Au début du Moyen Âge prédomine le style roman, caractérisé par des plans de fondation rectilignes, des arcs arrondis et une grande sobriété. Au XIIIe siècle apparaissent les ogives et les arcs-boutants du gothique, qui autorisent l'édification d'églises et de cathédrales plus hautes et plus légères. Les découpes en forme de flammes des rosaces sont caractéristiques du gothique tardif (fin du XVe, début du XVIe s.), plus souvent nommé gothique flamboyant.

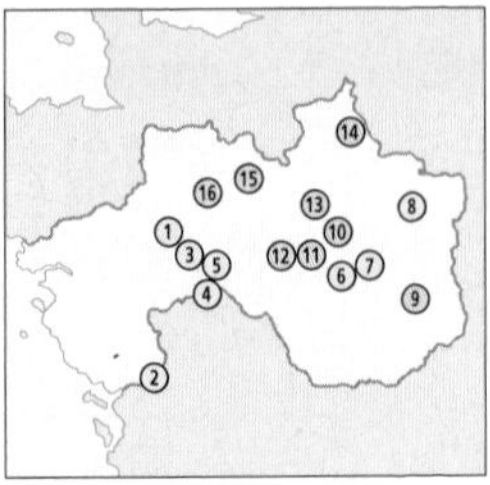

CARTE DE SITUATION

① Architecture romane

⑨ Architecture gothique

CARACTÉRISTIQUES DU ROMAN

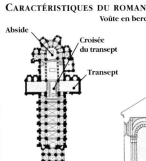

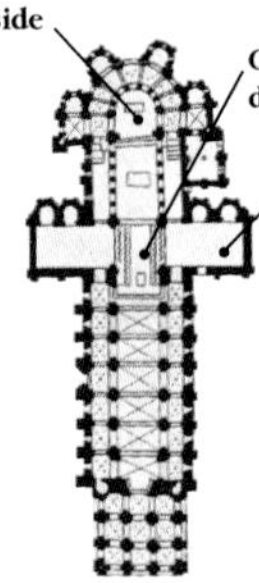

Le plan de Saint-Benoît-sur-Loire, *avec sa forme en croix latine et son abside arrondie, est typique de l'architecture romane.*

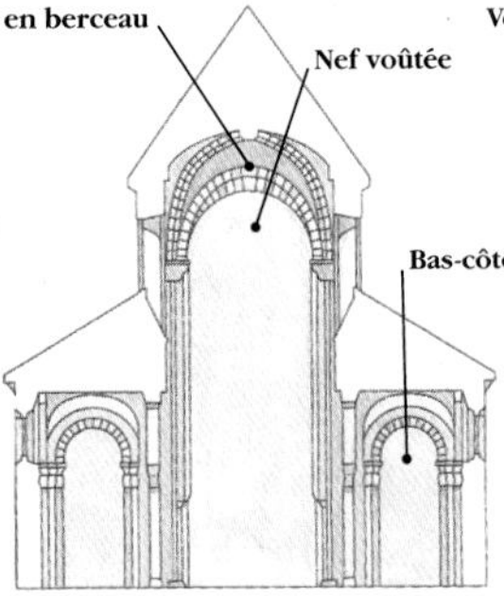

Cette coupe de la collégiale de Saint-Aignan-sur-Cher *montre une voûte romane en berceau. Les bas-côtés aident à soutenir la haute nef.*

Les arcs arrondis de Saint-Aignan *sont typiquement romans, tandis que la nef à voûte en ogive annonce le gothique.*

CARACTÉRISTIQUES DU GOTHIQUE

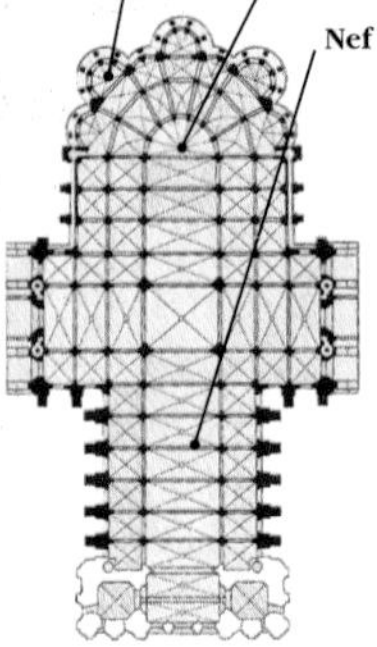

Le plan de la cathédrale de Chartres *montre sa très large nef et son abside entourée de chapelles.*

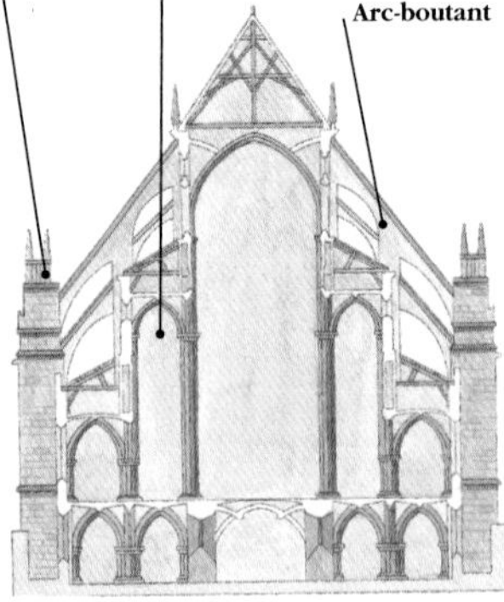

Cette coupe de Saint-Étienne, *à Bourges, dévoile sa division en cinq vaisseaux, avec deux bas-côtés de part et d'autre de la nef. La façade occidentale est percée de cinq portails.*

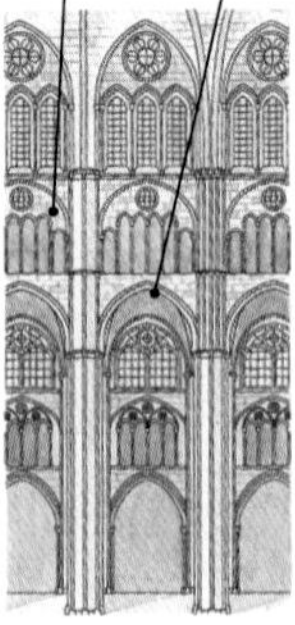

Les ogives *tolèrent de plus lourdes charges et de larges fenêtres, comme dans la nef de Bourges.*

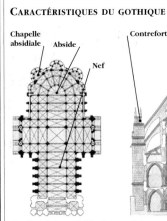

OÙ VOIR L'ARCHITECTURE ROMANE

① St-Maurice, Angers *p.72–73*
② L'abbaye St-Vincent, Nieul-sur-l'Autise *p.182–183*
③ Notre-Dame, Cunault *p.79*
④ L'abbaye de Fontevraud *p.86–87*
⑤ St-Maurice, Chinon *p.98–99*
⑥ La Collégiale, St-Aignan-sur-Cher *p.129*
⑦ St-Eusice, Selles-sur-Cher *p.24–25*
⑧ La basilique de St-Benoît-sur-Loire *p.140*

OÙ VOIR L'ARCHITECTURE GOTHIQUE

⑨ St-Étienne, Bourges *p.152–153*
⑩ St-Louis, Blois *p.124–125*
⑪ St-Hubert, Amboise, *p.110*
⑫ St-Gatien, Tours *p.116–117*
⑬ La Trinité, Vendôme *p.123*
⑭ Notre-Dame, Chartres *p.172–175*
⑮ St-Julien, Le Mans *p.166*
⑯ Asnières-sur-Vègre *p.163*

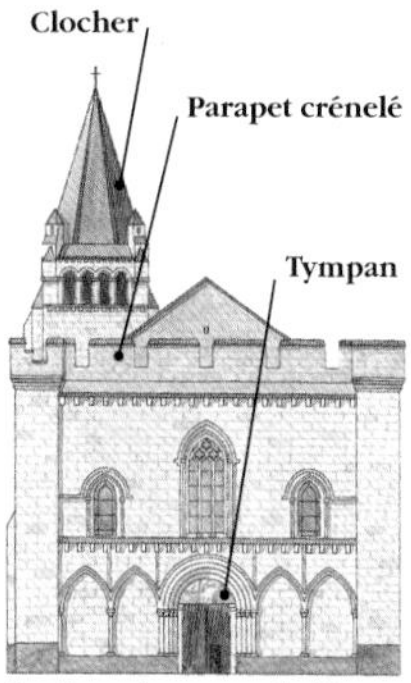

***La façade ouest de Notre-Dame** à Cunault est sobrement décorée. Son parapet crénelé et ses tours latérales lui donnent des airs de forteresse.*

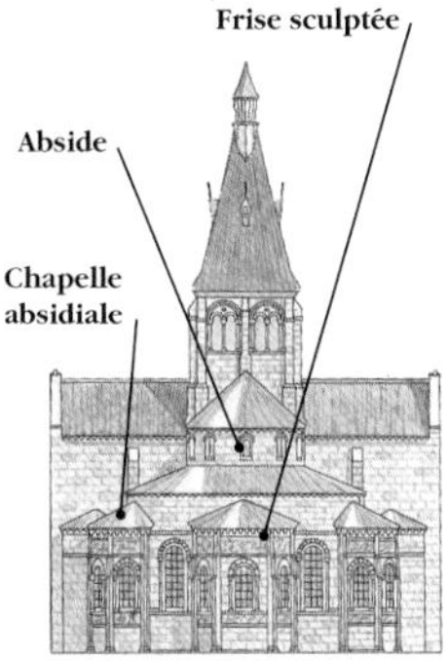

***Le chevet de Saint-Eusice**, à Selles-sur-Cher, avec ses trois chapelles absidiales, est orné de frises sculptées.*

***La façade ouest de Saint-Gatien**, à Tours, est percée de portails richement sculptés.*

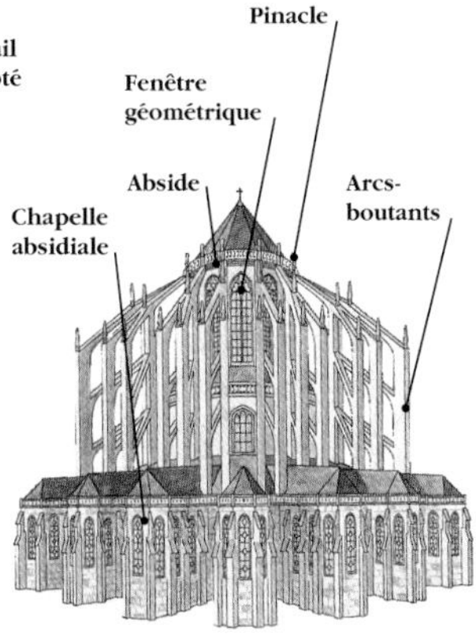

***L'extrémité est de la cathédrale Saint-Julien**, au Mans, a une disposition complexe d'arcs-boutants jumelés, surmontés de pinacles.*

TERMES EMPLOYÉS DANS CE GUIDE

Basilique : église primitive avec deux bas-côtés et une nef éclairée par de hautes fenêtres.

Claire-voie : rangée de fenêtres qui éclairent la nef par-dessus les toits des bas-côtés.

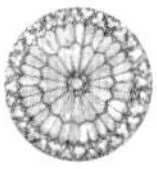

Rosace : fenêtre circulaire, souvent en vitrail.

Contrefort : massif de maçonnerie destiné à renforcer un mur.

Arc-boutant : organe de butée devant neutraliser la poussée exercée par les voûtes.

Portail : entrée monumentale d'un édifice, souvent ornementée.

Tympan : partie pleine, souvent ornée, comprise entre le linteau et la voussure.

Voûte : ouvrage de maçonnerie couvrant un espace construit.

Transept : vaisseau transversal à la nef, dessinant les bras de la croix.

Croisée du transept : centre de la croix, là où le transept croise la nef.

Lanterne : tour ajourée couronnant le plus souvent la croisée du transept et l'éclairant.

Triforium : passage étroit au-dessus des arcades ou des tribunes, ouvert sur le vaisseau central.

Abside : espace formant l'extrémité du chœur de l'église, souvent arrondie.

Déambulatoire : galerie permettant de circuler autour du chœur.

Arcade : ensemble d'un arc et de ses piédroits.

Voûte nervurée : voûte décorée de moulures.

Gargouille : figure grotesque sculptée, servant de dégorgeoir.

Nervure : relief décoratif ornant une fenêtre gothique.

Gothique flamboyant : ornementation évoquant des flammes.

Chapiteau : couronnement d'une colonne.

Écrivains et artistes de la vallée de la Loire

Balzac

Bien connue pour sa production agricole, la terre de la vallée de la Loire s'est montrée tout aussi fertile en littérature. Des écrivains aussi célèbres que Rabelais, Ronsard, Balzac ou George Sand ont vécu sur les rives de ce vaste fleuve, tirant souvent leur inspiration de leur sol natal. Curieusement, cependant, les paysages qui attirent tant de touristes dans la région ne semblent pas avoir eu d'influence sur la plupart des grands peintres, mis à part Claude Monet qui a passé une période fructueuse de sa vie dans la paisible vallée de la Creuse, dont la lumière changeante le fascinait et d'où il a rapporté une vingtaine de toiles.

Marcel Proust, portrait de Jacques-Émile Blanche, fin XIXe siècle

ÉCRIVAINS

Jean Chopinel, un des premiers écrivains à s'exprimer en langue commune, est né au milieu du XIIIe siècle. Plus connu sous le nom de Jean de Meung, il est l'auteur de la seconde partie du *Roman de la Rose*. Tandis que la première moitié de l'œuvre décrit avec délicatesse la liaison de deux jeunes amants, Jean de Meung sape la convention idéaliste de l'amour courtois par une vue beaucoup plus cynique et réaliste du monde.

Un siècle et demi plus tard, pendant la guerre de Cent Ans, Charles d'Orléans, le poète aristocrate, passa vingt-cinq ans dans des prisons anglaises où il eut tout loisir de faire fructifier son talent. Rentré à Blois, il transforma sa cour en cercle littéraire où il conviait de célèbres écrivains, dont François Villon, aussi connu pour ses dons de poète que pour ses mauvaises fréquentations. Ce dernier gagna même à Blois un concours de poésie, avec *Je meurs de soif auprès de la fontaine*.

Enluminure du *Roman de la Rose*

Humaniste satirique plein de verve né en 1483 près de Chinon *(p.98-99)*, Rabelais a fait ses études à Angers. La publication de *Pantagruel* (1532) et de *Gargantua* (1535), ces gigantesques ouvrages où coexistent humour paillard et discours savants, le rendirent célèbre à travers toute l'Europe.

Ce sont surtout ses odes lyriques et ses sonnets à Cassandre, Hélène et Marie (une jeune paysanne angevine) qui firent la réputation de Ronsard, né près de Vendôme quarante et un ans après Rabelais.

George Sand par Charpentier, musée Carnavalet

Considéré comme le principal poète de la Renaissance, attaché à la cour de Charles IX et de sa sœur Marguerite de Valois, il vécut et mourut au prieuré de Saint-Cosme, près de Tours. Ronsard prit aussi la tête de la Pléiade, ce groupe de sept poètes déterminés à révolutionner la poésie française. Joachim du Bellay, aristocrate angevin et défenseur de la littérature française, faisait également partie du groupe. Sa *Défense et illustration de la langue française* (1549) est le manifeste en prose de la doctrine de la Pléiade.

Un autre enfant de la vallée de la Loire a été le fer de lance, au XVIIe siècle, d'une révolution intellectuelle. Mathématicien et philosophe, René Descartes, né en Touraine et éduqué au collège des Jésuites de La Flèche *(p.167)*, est à l'origine d'une philosophie nouvelle qui englobe l'étude simultanée de toutes les sciences. Dans son *Discours de la méthode*, partant du fameux « Je pense, donc je suis », il expose la doctrine rationaliste qui fera le tour du monde sous le nom de cartésianisme.

Le prolifique Honoré de Balzac se réfère souvent à sa Touraine natale comme à sa province préférée. Tours, Saumur et le château de Saché sont le décor de ses principaux romans, témoignages précieux des mœurs du XIXe siècle. L'œuvre de sa contemporaine, George Sand (nom de plume d'Aurore, baronne Dudevant), plonge ses racines dans les paysages de son Berry natal. Celui-ci a également inspiré Alain-Fournier qui, dans *Le Grand Meaulnes*, nous donne une vision romantique de son enfance dans la région. Les buissons d'aubépines et les villages paisibles des alentours de Chartres sont le décor inoubliable des débuts d'*À la Recherche du Temps perdu* de Marcel Proust (Illiers-Combray). Et en 1828, à l'embouchure de la Loire, la ville de Nantes a vu naître Jules Verne *(p.192-193)*, pionnier de la science-fiction dont les œuvres connurent un succès immédiat.

Artistes

En 1410, à Bourges, les trois frères Limbourg devinrent les peintres officiels de la cour du duc de Berry. Celui-ci leur commanda 39 miniatures pour *Les Très Riches Heures du duc de Berry*. Ce livre d'heures devait devenir le joyau de sa fabuleuse collection et demeure l'un des plus beaux manuscrits enluminés du XVe siècle. Certaines de ses illustrations dépeignent la vie quotidienne dans la vallée de la Loire.

Né à Tours vers 1420, Jean Fouquet fut nommé peintre du roi en 1474. Le plus fameux de ses portraits

Miniature des *Très Riches Heures du duc de Berry*

représente la maîtresse du roi, Agnès Sorel *(p.104)*, en Vierge Marie.

Un siècle après la naissance de Fouquet, François Ier convainquit Léonard de Vinci de s'installer dans la gentilhommière de Cloux (aujourd'hui, Le Clos-Lucé, *p.110-111)* près d'Amboise. Âgé de 65 ans, l'artiste ne peignait déjà presque plus. Les quelques esquisses de la vie à la cour qu'il est réputé avoir faites ne nous sont pas parvenues. En revanche, on peut voir, dans le sous-sol du château, le résultat de ses recherches scientifiques et de ses inventions.

Né à Tours vers 1505-1510, François Clouet devint peintre à la cour de François Ier, où il avait succédé à son père, Jean.

Rousseau, autoportrait caractéristique de son style naïf

Il réalisa une série de portraits vraiment saisissants. François Ier lui-même, Élisabeth d'Autriche et Marie, reine d'Écosse, lui servirent de modèles. Son style, typique de la Renaissance française, fut repris par les artistes et les artisans de son atelier.

Né en 1788, David d'Angers est le plus célèbre des sculpteurs angevins. Il réalisa entre autres des bustes et des médaillons de la plupart des grands personnages historiques de son époque, dont le mémorial du marquis de Bonchamps qui se trouve dans l'église de Saint-Florent-le-Vieil *(p.57)*. Un siècle plus tard

Marie d'Écosse par François Clouet

exactement, Claude Monet passa quelques semaines dans la Creuse, à Fresselines, à peindre le fleuve qui passe par une gorge étroite *(p.147)*. Une de ces toiles, *Le Pont de Vervit*, est exposée aujourd'hui à Paris, au musée Marmottan.

Le peintre naïf Henri Rousseau, dit le Douanier Rousseau, est né à Laval en 1844. Les œuvres les plus célèbres de cet artiste qui ne quitta jamais la France représentent une jungle luxuriante peuplée de toutes sortes d'animaux sauvages. Pour lui rendre hommage, une partie du château de Laval a été convertie en musée d'Art Naïf *(p.160)*.

Parcours à thème

Pour ceux qui préfèrent éviter les excursions organisées ou qui s'intéressent à quelque particularité de la région, les parcours à thème offrent une séduisante alternative. Les offices du tourisme locaux sauront vous guider selon vos goûts, qu'il s'agisse de vins, d'églises, de châteaux, de bâtiments historiques, de jardins botaniques ou d'arboretums. Pour chaque itinéraire des brochures et des cartes illustrées sont disponibles, et certains itinéraires sont même balisés. Les offices du tourisme peuvent aussi adapter un parcours spécifique à vos désirs.

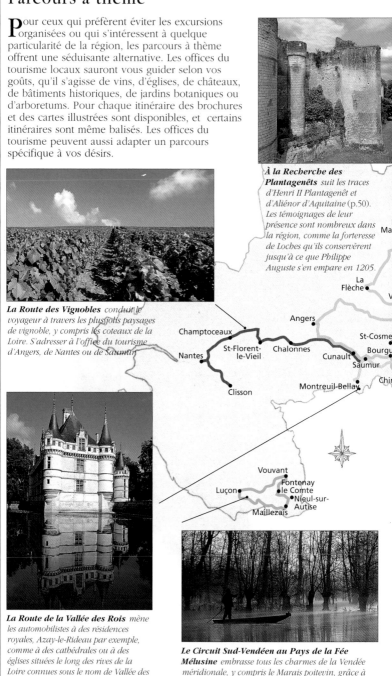

À la Recherche des Plantagenêts *suit les traces d'Henri II Plantagenêt et d'Aliénor d'Aquitaine* (p.50). *Les témoignages de leur présence sont nombreux dans la région, comme la forteresse de Loches qu'ils conservèrent jusqu'à ce que Philippe Auguste s'en empare en 1205.*

La Route des Vignobles *conduit le voyageur à travers les plus jolis paysages de vignoble, y compris les coteaux de la Loire. S'adresser à l'office du tourisme d'Angers, de Nantes ou de Saumur.*

La Route de la Vallée des Rois *mène les automobilistes à des résidences royales, Azay-le-Rideau par exemple, comme à des cathédrales ou à des églises situées le long des rives de la Loire connues sous le nom de Vallée des Rois. S'adresser à l'office du tourisme de Saumur, de Blois, de Gien ou d'Orléans.*

Le Circuit Sud-Vendéen au Pays de la Fée Mélusine *embrasse tous les charmes de la Vendée méridionale, y compris le Marais poitevin, grâce à un choix de sites des plus divers. S'adresser à l'office du tourisme de La-Roche-sur-Yon.*

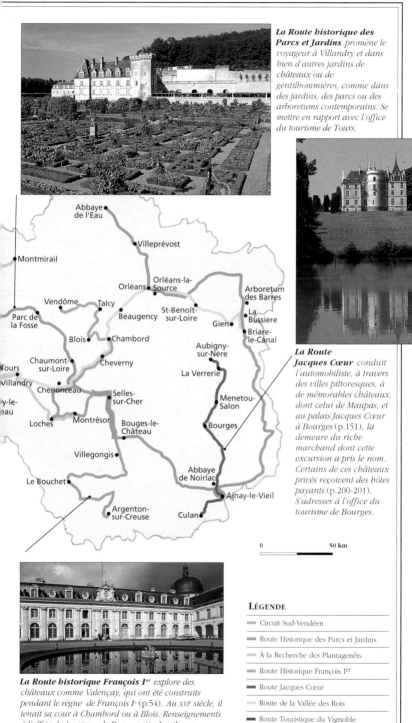

La Route historique des Parcs et Jardins *promène le voyageur à Villandry et dans bien d'autres jardins de châteaux ou de gentilhommières, comme dans des jardins, des parcs ou des arboretums contemporains. Se mettre en rapport avec l'office du tourisme de Tours.*

La Route Jacques Cœur *conduit l'automobiliste, à travers des villes pittoresques, à de mémorables châteaux, dont celui de Maupas, et au palais Jacques Cœur à Bourges* (p.151), *la demeure du riche marchand dont cette excursion a pris le nom. Certains de ces châteaux privés reçoivent des hôtes payants* (p.200-201). *S'adresser à l'office du tourisme de Bourges.*

La Route historique François Ier *explore des châteaux comme Valençay, qui ont été construits pendant le règne de François Ier* (p.54). *Au XVIe siècle, il tenait sa cour à Chambord ou à Blois. Renseignements à l'office du tourisme de Romorantin-Lanthenay.*

LÉGENDE

- Circuit Sud-Vendéen
- Route Historique des Parcs et Jardins
- À la Recherche des Plantagenêts
- Route Historique François Ier
- Route Jacques Cœur
- Route de la Vallée des Rois
- Route Touristique du Vignoble

Excursions dans la vallée de la Loire

La meilleure façon de se faire une idée des transformations du « fleuve le plus sensuel de France » (comme l'appelait Flaubert), lorsqu'il traverse les forêts de Sologne, creuse son lit après la Vallée des Rois pour finir dans l'Océan, c'est de le longer à pied. *La Grande Randonnée 3* (GR 3), une des plus longues promenades de France, suit la Loire de sa source jusqu'à son embouchure. La route s'écarte par moments de la rive pour emprunter des sentiers pittoresques. Pour des excursions de quelques heures ou de quelques jours, le promeneur peut choisir une partie de la Grande Randonnée ou passer par des routes plus courtes, souvent circulaires. Vous trouverez, dans un Topo-Guide *(p.224)*, de plus amples renseignements.

LÉGENDE

- Excursion recommandée
- Grande Randonnée régionale
- Grande Randonnée

Les Alpes mancelles offrent des excursions de quatre jours à une semaine dans les vallées de la Sarthe, de la Mayenne et de l'Orne. *(Topo-Guide 039)*

***Les Folies-Siffait**, à 15 km au nord-est de Nantes, vous invitent à une promenade peu banale de deux heures dans un jardin, à travers un vrai labyrinthe.* (IGN 1323)

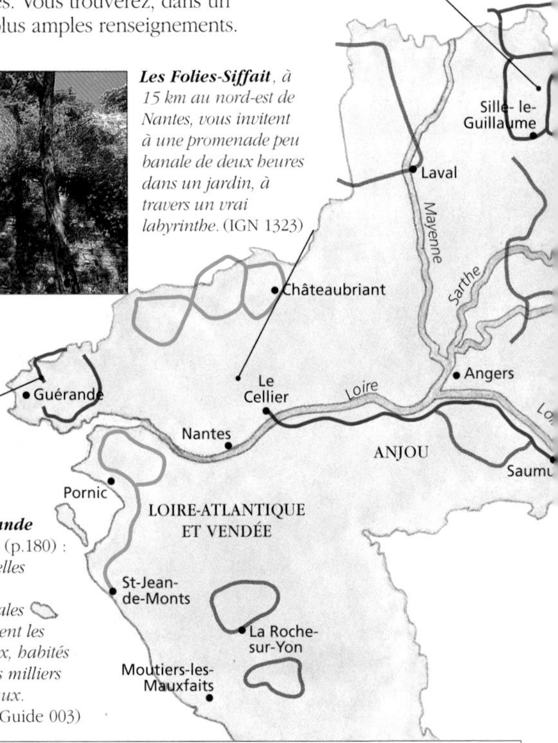

***La Grande Brière** (p.180) : trois belles routes régionales traversent les roseaux, habités par des milliers d'oiseaux.* (Topo-Guide 003)

SIGNALISATION

Les chemins de randonnée pédestres sont tous balisés de symboles de différentes couleurs. Ainsi, un signe rouge et blanc sur un arbre ou sur un rocher indique une *Grande Randonnée* (GR) ; jaune et rouge, il signale un itinéraire de *Grande Randonnée régionale* ; et s'il est d'une seule couleur (en général jaune), un sentier dit de *Petite Randonnée*.

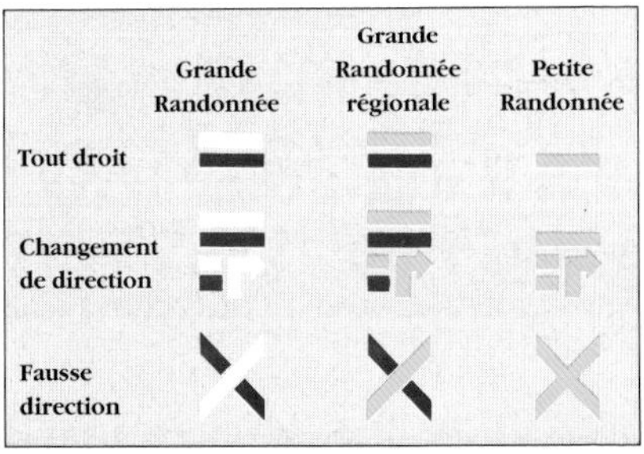

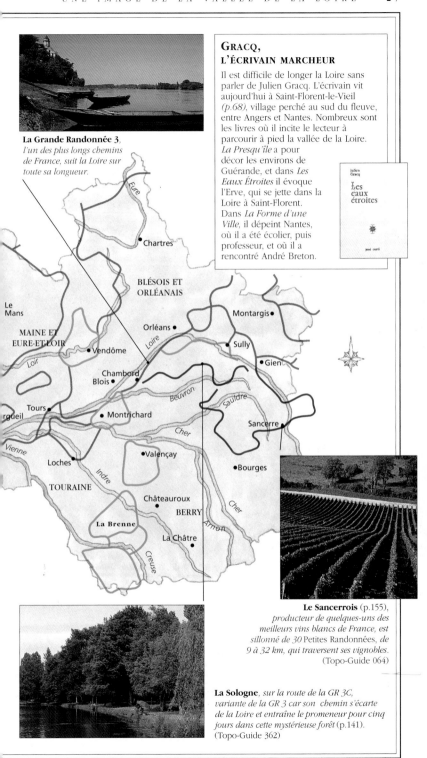

La Grande Randonnée 3, *l'un des plus longs chemins de France, suit la Loire sur toute sa longueur.*

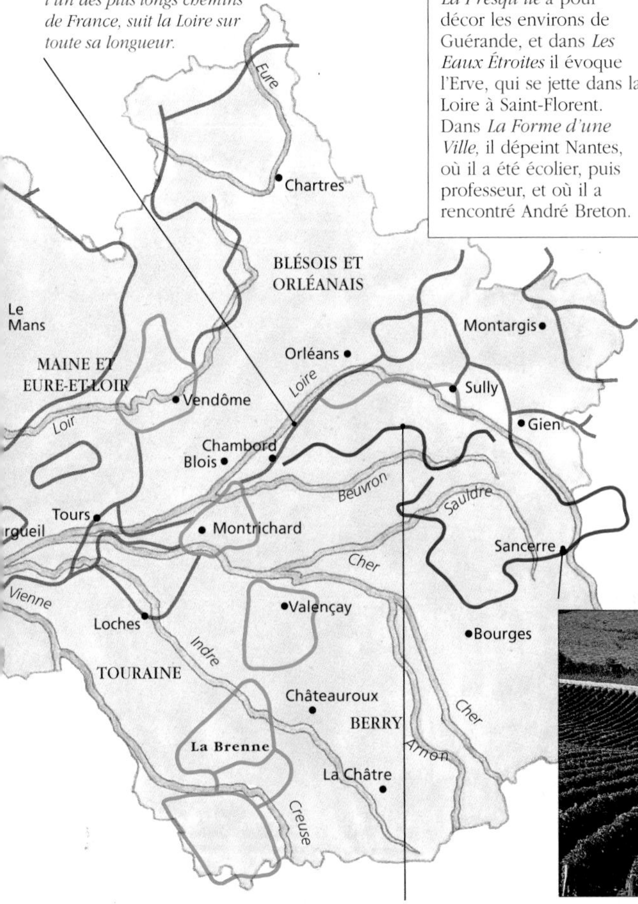

GRACQ, L'ÉCRIVAIN MARCHEUR

Il est difficile de longer la Loire sans parler de Julien Gracq. L'écrivain vit aujourd'hui à Saint-Florent-le-Vieil *(p.68)*, village perché au sud du fleuve, entre Angers et Nantes. Nombreux sont les livres où il incite le lecteur à parcourir à pied la vallée de la Loire. *La Presqu'île* a pour décor les environs de Guérande, et dans *Les Eaux Étroites* il évoque l'Erve, qui se jette dans la Loire à Saint-Florent. Dans *La Forme d'une Ville*, il dépeint Nantes, où il a été écolier, puis professeur, et où il a rencontré André Breton.

Le Sancerrois (p.155), *producteur de quelques-uns des meilleurs vins blancs de France, est sillonné de 30* Petites Randonnées, *de 9 à 32 km, qui traversent ses vignobles.* (Topo-Guide 064)

La Sologne, *sur la route de la GR 3C, variante de la GR 3 car son chemin s'écarte de la Loire et entraîne le promeneur pour cinq jours dans cette mystérieuse forêt* (p.141). (Topo-Guide 362)

La faune et la flore

Loup gris européen

De nombreux affluents alimentent le plus grand fleuve de France, dont le Loir, la Mayenne, la Sarthe, le Cher, l'Indre, etc. À deux pas du centre de la vallée se trouvent quatre régions de parcs naturels : la Brière, le Normandie-Maine, le Marais Poitevin et la Brenne. Lacs et étangs abritent oiseaux et autres animaux sauvages, et les forêts, les plaines ou les collines y sont traversées de chemins de *Grandes Randonnées (p.26)*, l'idéal du marcheur et du cycliste.

LÉGENDE

- Parc naturel régional
- Forêt
- Lac
- Principaux cours d'eau

0 50 km

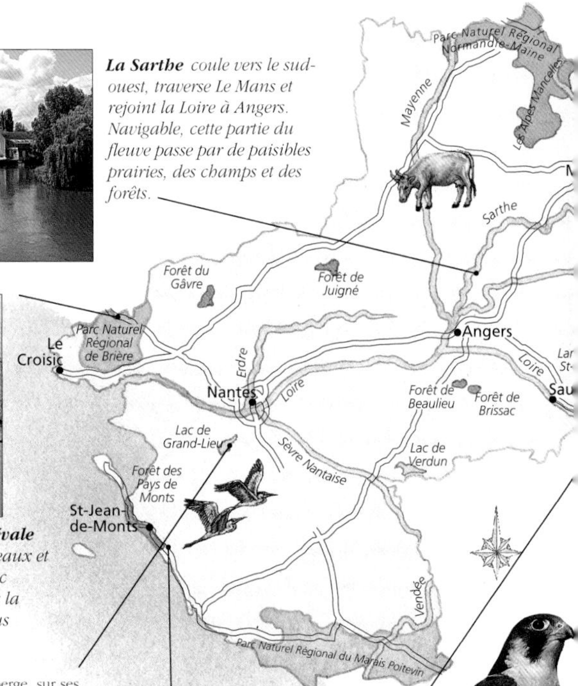

***La Sarthe** coule vers le sud-ouest, traverse Le Mans et rejoint la Loire à Angers. Navigable, cette partie du fleuve passe par de paisibles prairies, des champs et des forêts.*

***Avec sa mosaïque médiévale** de canaux, de lacs, de roseaux et de plaines inondées, le parc naturel de Brière est, après la Camargue, la région la plus marécageuse de France.*

Le lac de Grand-Lieu héberge, sur ses 6 500 hectares, plus de 230 espèces d'oiseaux, 500 espèces de plantes, 50 espèces d'animaux, et la plus grande colonie au monde de hérons gris.

***Les landes Saint-Martin**, au nord de la Loire, comprennent les 250 ha du lac de Pincemaille, moitié centre de loisirs, moitié marécages, où vivent des oiseaux sauvages tels que pluviers dorés, cormorans et faucons pèlerins.*

***La forêt des Pays de Monts** se compose de terres boisées qui bordent les plages dorées du littoral atlantique.*

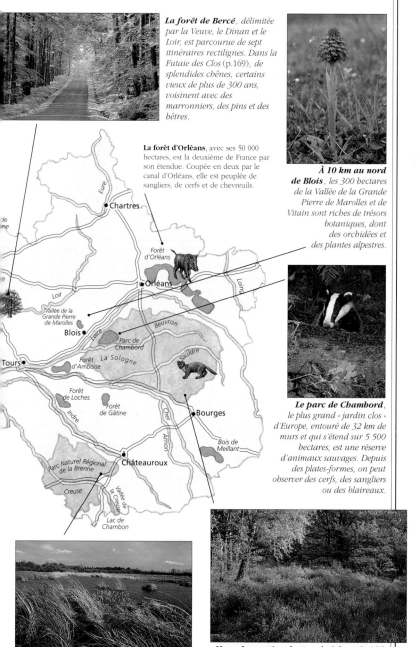

***La forêt de Bercé**, délimitée par la Veuve, le Dinan et le Loir, est parcourue de sept itinéraires rectilignes. Dans la Futaie des Clos* (p.169)*, de splendides chênes, certains vieux de plus de 300 ans, voisinent avec des marronniers, des pins et des hêtres.*

***À 10 km au nord de Blois**, les 300 hectares de la Vallée de la Grande Pierre de Marolles et de Vitain sont riches de trésors botaniques, dont des orchidées et des plantes alpestres.*

La forêt d'Orléans, avec ses 50 000 hectares, est la deuxième de France par son étendue. Coupée en deux par le canal d'Orléans, elle est peuplée de sangliers, de cerfs et de chevreuils.

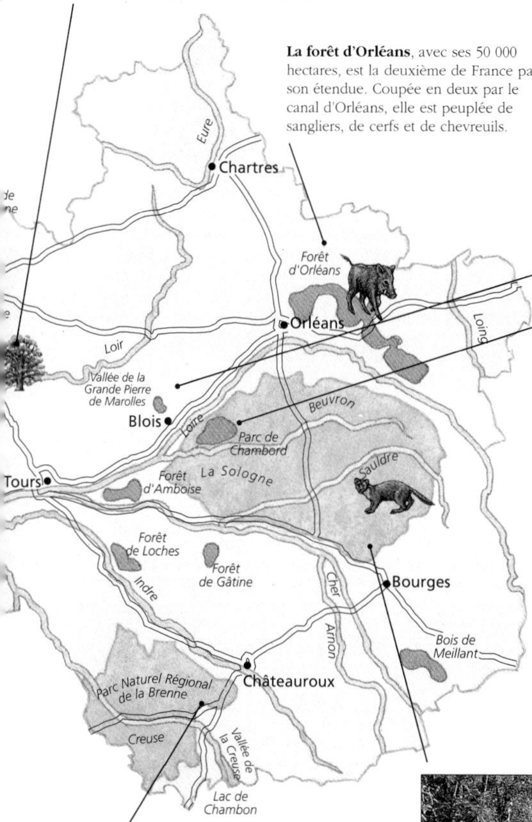

***Le parc de Chambord**, le plus grand « jardin clos » d'Europe, entouré de 32 km de murs et qui s'étend sur 5 500 hectares, est une réserve d'animaux sauvages. Depuis des plates-formes, on peut observer des cerfs, des sangliers ou des blaireaux.*

***Avec ses 1 270 lacs et étangs**, la région située entre l'Indre et la Creuse a été baptisée le Pays des mille étangs. La forêt de Preuilly, à 4 km au nord-ouest d'Azay-le-Ferron, héberge des hôtes inhabituels pour la région : des tortues d'eau et des loups.*

***Hors des sentiers battus**, la Sologne* (p.141) *couvre 490 000 hectares. On y trouve un mélange de paysage boisé (bouleaux, chênes, mélèzes, pins, sapins), de marais et de lande. Ses lacs attirent toutes sortes d'animaux sauvages, y compris des martres, des chevreuils, et la salamandre jaune et noire.*

Vignobles et vinification

Vigneron, gravure du XVIIe siècle

Dans la vallée de la Loire, la place que tient le vin saute aux yeux. Si l'on excepte la Sologne vouée à la forêt, les vignobles s'étendent sur les deux rives du fleuve. La région est, en volume, le cinquième producteur de France. La diversité des influences climatiques permet de produire une variété de vins inégalée : plus de 50 appellations ! Citons, en blanc, le sancerre, d'une grande finesse, les vouvray, les vins effervescents de Saumur, les vins d'Anjou, secs, moelleux ou liquoreux, (Savennières, coteaux du layon…) enfin les muscadets et le gros plant du pays nantais, d'une agréable fraîcheur. En rouge, Bourgueil, Chinon et Saumur produisent des rouges charpentés et fruités, et le cépage gamay produit des vins gouleyants en Touraine et en Anjou.

Culture traditionnelle de la vigne

***Le quarts de chaume**, grand vin moelleux de l'Anjou, est peu connu hors de France.*

***Un élevage** spécial sur lie accentue le bouquet du muscadet.*

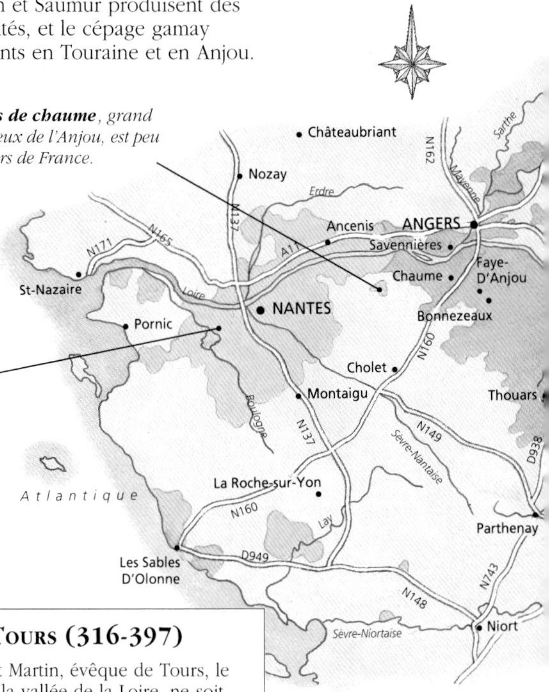

Légende

- Pays Nantais
- Anjou-Saumur
- Haut-Poitou
- Touraine
- Coteaux du Loir

0 15 km

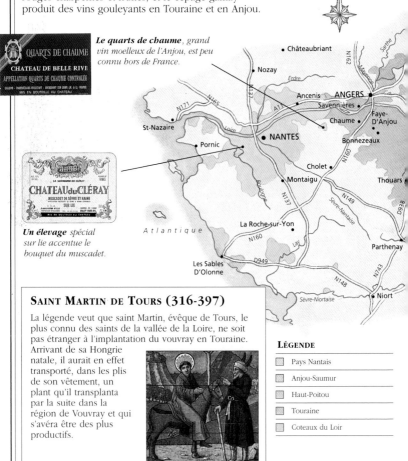

Saint Martin de Tours (316-397)

La légende veut que saint Martin, évêque de Tours, le plus connu des saints de la vallée de la Loire, ne soit pas étranger à l'implantation du vouvray en Touraine. Arrivant de sa Hongrie natale, il aurait en effet transporté, dans les plis de son vêtement, un plant qu'il transplanta par la suite dans la région de Vouvray et qui s'avéra être des plus productifs.

Saint Martin sur son âne

Ce qu'il faut savoir sur les vins de la Loire

Cépages
Le muscadet donne des vins blancs secs ; le sauvignon également, mais avec parfois un goût de pierre à fusil.
Du chenin blanc, on tire les anjou, vouvray, savennières et saumur, secs ou demi-secs, ainsi que les fameux vins doux.
Les vins rouges, quant à eux, sont issus du gamay et du cabernet-franc.

Quelques producteurs
Muscadet : Château de la Bretesche, Marquis de Goulaine, Château de Chasseloir. *Anjou* (rouge) : Domaine de Sainte-Anne. *Anjou* (rosé) : Robert Lecomte-Girault. *Anjou* (blanc sec) : Domaine Richou. *Saumur* (mousseux) : Bouvet-Ladunay, Ackerman-Laurance, Gratien et Meyer. *Saumur* (rouge) : Château de Villeneuve. *Saumur* (blanc) : Domaine des Nerleux, Château de Saint-Florent. *Bourgueil* (rouge) : Clos du Vigneau. *Chinon* (rouge) : Domaine René Couly, Clos de la Dioterie. *Touraine* (blanc) : Domaine Joël Delaunay. *Vouvray* : Clos du Bourg, Le Haut-Lieu, Chevreau-Vigneau, Alain Ferraud, Sylvain Gaudron. *Sancerre* : Domaine de Saint-Pierre, Domaine des Villots, Domaine Paul Prieur. *Crémant de Loire* : Château de Midouin, Perry de Maleyrand.

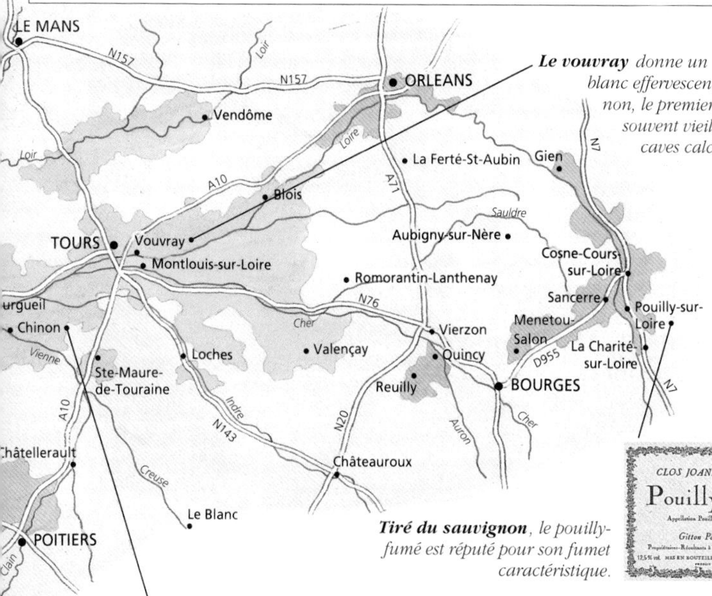

***Le vouvray** donne un vin blanc effervescent ou non, le premier souvent vieilli en caves calcaires.*

***Tiré du sauvignon**, le pouilly-fumé est réputé pour son fumet caractéristique.*

***Le Clos de l'Écho** de Couly-Dutheil appartint aux parents de Rabelais. Il produit un chinon. Les vins AOC de Chinon, à l'agréable arôme épicé, vieillissent bien.*

Vignes du Clos de l'Écho

Panorama de la Loire

Route naturelle vers le centre de la France, la Loire a de tout temps été une voie navigable, comme en témoignent les vestiges de pirogues préhistoriques découverts le long de ses rives. D'autres témoignages prouvent qu'elle fut une route commerciale majeure au temps des Celtes et des Romains. En fait, elle resta très fréquentée jusqu'à l'apparition du chemin de fer au XIXe siècle. Le développement, à partir du XVIIe et jusqu'au XIXe siècle, des canaux reliant le port de Nantes à Paris et au nord de la France avait encore accru son importance économique. Imprévisible, la Loire a été l'un des premiers fleuves que l'homme se soit efforcé de maîtriser. Nous possédons aussi des indices attestant que des digues furent déjà construites au XIIe siècle – ce qui est toujours le cas aujourd'hui – mais, avec ses courants dangereux et ses sables mouvants, la Loire reste encore un cours d'eau sauvage et sujet aux inondations et au gel. Aujourd'hui, le fleuve n'est plus une voie commerciale. Seuls circulent encore les bateaux qui emmènent en excursion les touristes d'autant plus charmés.

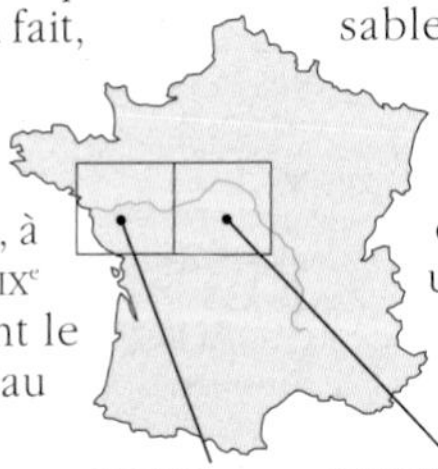

P. 34-35 P. 36-37

Les gabares, avec leurs voiles carrées typiques, voyageaient souvent par convois de trois ou plus.

Bateaux à vapeur, qui passaient sous les ponts en abaissant leurs cheminées.

Le pont d'Amboise enjambe le fleuve et l'île Saint-Jean.

Le château d'Amboise est perché sur une hauteur, à l'abri des inondations.

Les barges n'étaient pas toujours munies de voiles, ils étaient parfois dirigées à la rame.

Vue d'Amboise

Ce tableau de Justin Ouvrié – exposé aujourd'hui au musée de la Poste d'Amboise (p. 110) *– , date de 1847. L'affluence, sur la Loire, de vaisseaux de types différents montre assez l'importance qu'elle avait dans la vie et le commerce de la région, avant que le chemin de fer ne vienne supplanter tous les moyens de transport.*

Les objets quotidiens *étaient souvent décorés de scènes fluviales, tel ce plat du XIXe siècle (musée de la Marine de Châteauneuf-sur-Loire).*

◁ **À Orléans, l'impressionnante cathédrale Sainte-Croix vue de la rive opposée**

De Saint-Nazaire à Montsoreau

Un bateau de plaisance sur la Loire

Lorsqu'il quitte la Touraine et passe par l'Anjou et la Loire-Atlantique, le fleuve s'élargit et son débit s'accélère, comme s'il se précipitait vers l'océan Atlantique. De nombreux affluents viennent le grossir. Certains le côtoient et donnent naissance à une multitude d'îles, d'autres coulent dans la campagne alentour. Cette terre est riche en monuments historiques, qui vont des dolmens de Bagneux – les plus importants dans leur genre – aux forteresses du Moyen Âge.

Champtoceaux
Du village de Champtoceaux, perché à 80 m sur une falaise, on jouit d'une vue panoramique. Dans sa partie basse, un château Renaissance occupe la place d'une ancienne citadelle médiévale.

Saint-Nazaire (p.190), *à l'embouchure de la Loire, là où le fleuve se jette dans l'océan Atlantique, est le centre d'une importante région industrielle. Son pont, le plus occidental de tous, est très élégant.*

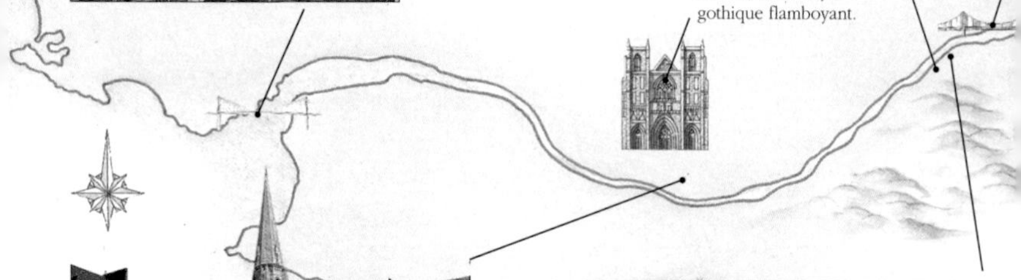

Saint-Pierre-et-Saint-Paul, la cathédrale de Nantes, est de style gothique flamboyant.

Nantes
Point de rencontre entre l'Océan et les canaux navigables de l'intérieur, le port de Nantes a été florissant aux XVIIIe et XIXe siècles (p.190-193).

Péage fortifié du Cul-du-Moulin
Ce poste de péage – un des rares à subsister aujourd'hui – remonte au XIIIe siècle. Les vaisseaux devaient y acquitter un droit de passage.

LES PONTS DE LA LOIRE

Les premiers ponts sur la Loire remontent à une époque lointaine. En 52 apr. J.-C., un pont est déjà mentionné à Orléans ; il sera détruit ensuite par les armées romaines. Au Moyen Âge, on recense cinq ponts (le premier pont médiéval fut construit à Tours en 1030), et au XVe siècle ils sont au nombre de treize. Les ouvrages actuels ne sont pas seulement des témoignages des progrès techniques de la construction, mais de ceux de toute la région, de son histoire et de ses communications.

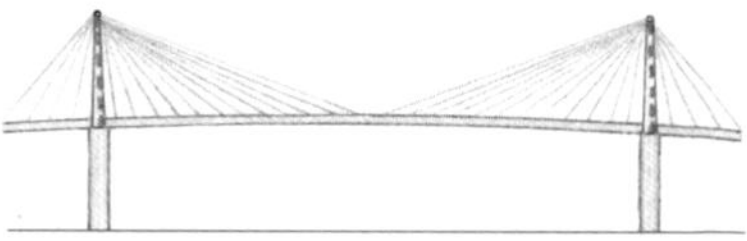

Saint-Nazaire
Avec ses 3 356 m, le pont de Saint-Nazaire est le plus long de France. La partie centrale, suspendue, mesure 404 m. Il a été ouvert à la circulation en 1975. Jusque-là, on traversait le fleuve en ferry et le pont le plus proche se trouvait à Nantes.

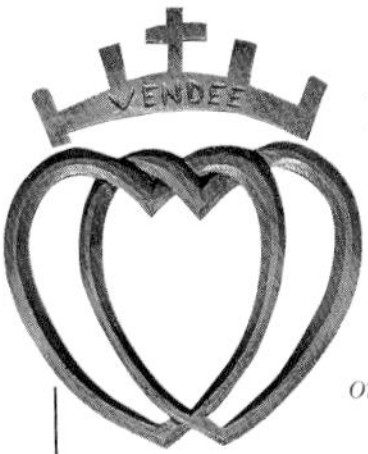

Saint-Florent
Autrefois église d'un monastère bénédictin, l'abbaye a été le théâtre d'événements dramatiques lors du soulèvement de la Vendée (p.68). Plus de 40 000 partisans royalistes ont traversé la Loire ici.

Montsoreau
Au confluent de la Loire et de la Vienne, on trouve à Montsoreau un château du XV*e siècle avec tourelles* (p.85).

Angers
L'Apocalypse, le chef-d'œuvre de la tapisserie du XIV*e siècle* (p.76-77)*, est exposée sur les murs du château d'Angers.*

Le château d'Angers, avec ses grosses tours et ses murs-rideaux, se trouve sur la Maine, au nord de la Loire.

Cunault
Cette statue peinte de sainte Catherine date du XV*e siècle et appartient à l'impressionnante église romane de Cunault* (p.79).

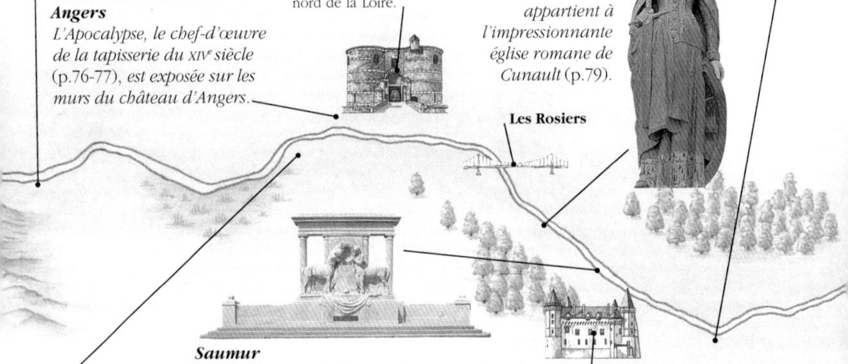

Saumur
Célèbre par son Cadre noir, Saumur a dédié un mémorial aux cavaliers morts au combat.

Le château de Saumur *(p.82)* domine la ville comme un château de conte de fées.

L'île Béhuard
Cette île (p.69) *était un lieu de pèlerinage pour les marins venus prier la déesse de la mer de les aider à naviguer sur les eaux traîtresses de la Loire. L'église actuelle a été construite par Louis XI, qui faillit se noyer là.*

Chinon
Située sur la Vienne, Chinon (p.98-100) *fut, au* XII*e siècle, la patrie d'Henri Plantagenêt.*

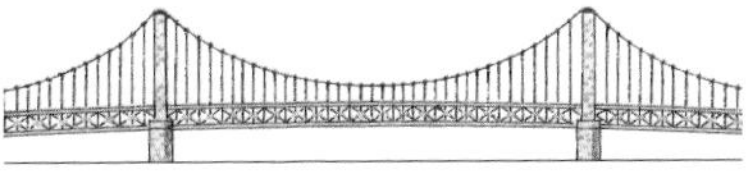

Ancenis
Ouvert en 1953, le pont suspendu d'Ancenis a remplacé celui qui fut détruit en 1940. La ville se trouvant à la frontière de la Bretagne et de l'Anjou, des blasons de ces deux régions ornent ses deux extrémités.

Les Rosiers
Le pont des Rosiers est l'un des deux qui traversent la Loire à cet endroit. Le fleuve est particulièrement large ici, avec une île en son milieu. Deux ponts relient celle-ci aux villes des Rosiers et de Gennes.

De Tours à Nevers

Vitraux de Gien

Nous voilà vraiment dans la vallée royale de la Loire. En traversant la Touraine, le Blésois et l'Orléanais, le fleuve passe par de nombreux châteaux Renaissance. Certains, comme Chaumont, Amboise et Gien, tournent vers lui leur aspect de forteresse, dissimulant souvent leurs jardins et leurs façades très ornementées. D'autres, comme le château de Sully, se montrent dans toute leur splendeur. En Touraine, des vignobles alternent avec des forêts, autrefois terrains de chasse des rois et des princes.

Le gros donjon de Beaugency *(p.136)* date du Xᵉ siècle.

Beaugency

Langeais
Dans la ville de Langeais (p.92), *le château dominant le fleuve, qui date du XVᵉ siècle, est encore rempli de meubles d'époque.*

Blois
Sur la rive nord de la Loire, Blois (p.124-127) *fut d'abord le château des comtes de Blois, puis la résidence de François Iᵉʳ dont l'emblème, la salamandre, figure sur une des cheminées.*

Le château d'Amboise *(p.110)*, du XVᵉ siècle, a été bâti sur ordre de Charles VIII.

La pagode de Chanteloup
Cette étrange pagode (p. 111) *de 44 m de haut est tout ce qui reste d'un ancien et ravissant château.*

Tours
Au cœur de la vallée de la Loire, Tours (p.112-117) *a toujours été un point de passage d'une rive à l'autre. La place Plumereau, très animée et bordée de maisons du XVᵉ siècle, se trouve dans la vieille ville.*

Château de Chaumont
Quelques touches Renaissance adoucissent cette puissante forteresse (p.128) *qui, de sa terrasse, offre une vue exceptionnelle.*

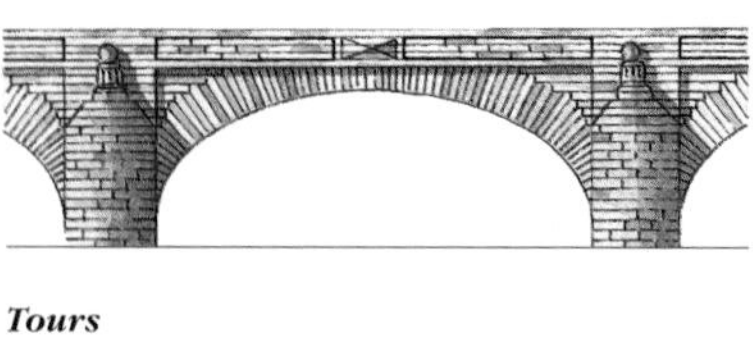

Tours
Après la construction de son pont, au XVIIIᵉ siècle, la rue Nationale, qui le relie au centre de la ville, est devenue la voie principale, remplaçant celle qui allait de la cathédrale à la vieille ville.

Blois
Son pont a été construit entre 1716 et 1724, à la place d'un pont du Moyen Âge, détruit par le heurt d'un bateau. Bâti selon des normes très élevées, il peut résister au gel et aux inondations.

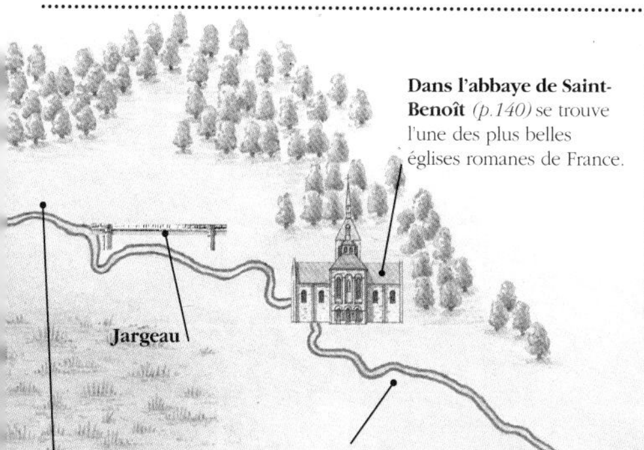

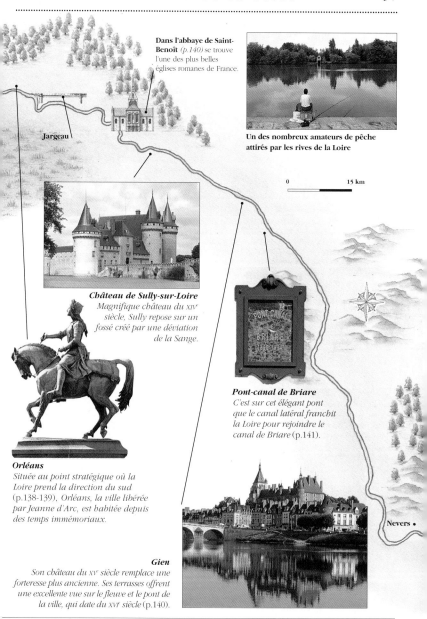

Dans l'abbaye de Saint-Benoît *(p.140)* se trouve l'une des plus belles églises romanes de France.

Un des nombreux amateurs de pêche attirés par les rives de la Loire

Château de Sully-sur-Loire
Magnifique château du XIVe siècle, Sully repose sur un fossé créé par une déviation de la Sange.

Pont-canal de Briare
C'est sur cet élégant pont que le canal latéral franchit la Loire pour rejoindre le canal de Briare (p.141).

Orléans
Située au point stratégique où la Loire prend la direction du sud (p.138-139), *Orléans, la ville libérée par Jeanne d'Arc, est habitée depuis des temps immémoriaux.*

Gien
Son château du XVe siècle remplace une forteresse plus ancienne. Ses terrasses offrent une excellente vue sur le fleuve et le pont de la ville, qui date du XVIe siècle (p.140).

Beaugency
Si le pont de Beaugency est fait de styles différents, c'est qu'on a petit à petit remplacé ses parties en bois, du XIIe siècle, par de la pierre. Il fut plusieurs fois détruit.

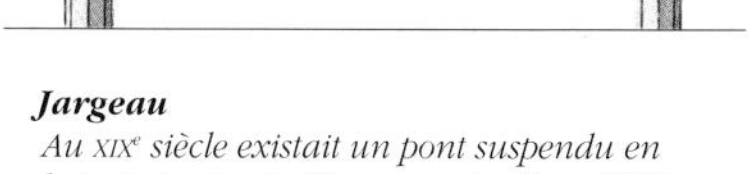

Jargeau
Au XIXe siècle existait un pont suspendu en bois. Le pont métallique, construit en 1920, a sauté pendant la Deuxième Guerre mondiale. Le pont actuel date de 1988.

LA VALLÉE DE LA LOIRE AU JOUR LE JOUR

Le printemps et le début de l'été sont particulièrement agréables sur les bords de la Loire. Mais puisque nous parlons du « jardin de la France », n'oublions pas qu'à la saison de la croissance, pour prospérer, les jardins ont besoin d'une grande quantité d'eau ; préparez-vous donc à essuyer quelques averses. Dans la chaleur lourde et humide de l'été, la Loire est souvent réduite à un filet d'eau circulant entre des bancs de sable. Quant aux châteaux, ils sont pris d'assaut. L'automne est sans doute la saison la plus douce, lorsque les forêts rouge et or brillent au soleil, qu'on trouve dans les restaurants du succulent gibier et des champignons sauvages, et que des festivals sont organisés pour fêter la récolte du raisin. La musique est aussi très à l'honneur. Des concerts ont lieu toute l'année à l'abbaye de Fontevraud *(p.86-87)*, et de juin à août Amboise *(p.110)* organise un festival d'orgue. Pour tous renseignements sur ces festivals, s'adresser à l'office du tourisme local *(p.227)*.

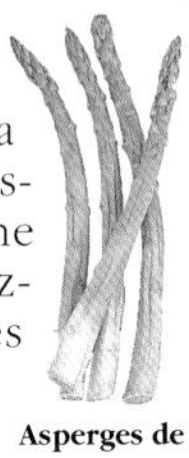

Asperges de printemps

PRINTEMPS

Après leur fermeture d'hiver, nombreux sont les châteaux qui rouvrent en mars, en général le dimanche des Rameaux, quand commencent à affluer les touristes. Les fleurs printanières, les fleuves enflés des pluies d'hiver et les migrations d'oiseaux sont particulièrement appréciés des amoureux de la nature venus se ressourcer dans la région.

MARS

Foire à l'Andouillette *(le dimanche des Rameaux)* à Athée-sur-Cher (près de Chenonceau). Une des nombreuses célébrations de produits locaux.

Foire aux Vins *(le premier week-end)*, à Bourgueil (près de Chinon). Des producteurs locaux y exposent leurs derniers crus, mais l'ordre du jour est d'y goûter et d'en boire.

AVRIL

Concours Complet International *(dernière semaine)* à Saumur *(p.80-82)*. Cette compétition équestre sonne le début de la fameuse parade du Cadre noir. Les exhibitions équestres se prolongent jusqu'en septembre.

Foire à la brocante *(2e semaine)* à Saint-Cyr-sur-Loire (près de Tours). On fait parfois de bonnes affaires sur ces marchés.

Le Printemps de Bourges *(3e semaine) (p.150-151)*. Festival de musique contemporaine qui inaugure la saison des concerts de cette région.

Ouvriers agricoles près de Bourgueil

Cheval et cavalier du Cadre noir de Saumur

MAI

Fête de Jeanne d'Arc *(semaine du 8 mai)* à Orléans *(p.138-139)*, dont l'origine remonte à 1435. Gigantesque reconstitution historique en costumes, elle commémore la déroute des Anglais en 1429.

Carnaval de Cholet *(1re semaine) (p.69)*. Point culminant : sa parade nocturne d'embarcations multicolores, le premier samedi du mois.

Le Printemps des Arts *(mai et juin)*, Nantes *(p.190-193)* et alentours. Concerts et spectacles de danse et musique baroques, dans les églises et bâtiments historiques de Nantes, Angers et autres villes de l'ouest de la Loire.

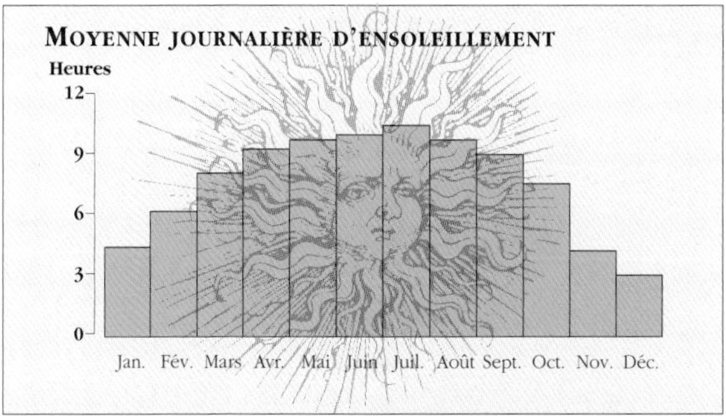

Ensoleillement
En été, les températures généralement élevées culminent en juillet. Sur la côte atlantique, la brise vient les tempérer, ce qui ne signifie pas qu'on y évite les coups de soleil. Au printemps et en automne, les abords du fleuve sont souvent brumeux le matin.

Été

Les festivités d'été, feux d'artifice, festivals de musique et de danse, se déroulent au moment ou autour de la Saint-Jean, le 24 juin. Vers la fin du mois, les longues et claires soirées de juin et juillet s'avérant particulièrement propices, on reprend les fameux spectacles « son et lumière » *(p.42-43)*. De nombreuses fêtes locales ont lieu en juillet et jusqu'au 15 août, point culminant de la saison touristique, dans les villages et les petites villes.

Juin

Festival international des jardins de Chaumont-sur-Loire *(juin-oct.)*. Visite de jardins par des paysagistes du monde entier.
Les 24 heures du Mans *(3e week-end)*. Cette course automobile internationale *(p.164-167)* attire une foule de spectateurs.
Foire aux escargots *(dernier week-end)* à Loché-sur-Indrois (près d'Azay-le-Rideau). Escargots, accompagnés de vins locaux, servis dans un restaurant de plein air.
Les dimanches animés *(tous les dim. de l'été)*, à Cunault *(p.79)*. Marchés de produits locaux et d'artisanat.
Fêtes musicales de Touraine *(2 ou 3 week-ends)* à Tours *(p.112-117)*. Festival international de musique de chambre inauguré par Sviatoslav Richter en 1964, à la Grange de Meslay.

La plage des Sables-d'Olonne

Juillet

14 Juillet. Dans bien des petites communautés, la fête célébrant la prise de la Bastille est le point culminant de l'année. Les visiteurs peuvent participer aux danses et boire du vin jusqu'à plus soif tout en admirant les feux d'artifice.
Foire aux champignons *(1er dim.)* à Ports-sur-Vienne (près de Richelieu). C'est la glorification du champignon, une des productions importantes de la région.
Foire au Vin, au Fromage et au Boudin *(dernier dim.)* à Richelieu *(p.102-103)*. Délicieux produit de la charcuterie locale, le boudin se joint aux fromages et aux vins.
Foire au Basilic et à l'Ail *(26 juil.)* à Tours. Elle a lieu le jour de la Sainte-Anne *(p.117)*.
Festival d'Anjou *(tout le mois)* à Angers *(p.72-73)*. Des pièces de théâtre sont montées entre les murs du château.
Festival International d'Orgue *(le dim. en juil. et août)* dans la cathédrale de Chartres *(p.171-175)*, auquel participent des organistes célèbres venus du monde entier.

Août

Marché médiéval *(1er week-end)* à Chinon *(p.98-100)*. Éventaires dans toute la ville, marchands en costumes d'époque et plats du Moyen Âge servis en plein air.
Foire aux Vins *(le ou autour du 15 août)* à Montlouis-sur-Cher, Vouvray et autres grands centres producteurs. Dans ces régions vinicoles, parmi les nombreuses festivités du jour de l'Assomption, celles du vin prédominent.
Foire aux Sorcières *(1er dim.)* à Bué (près de Sancerre). Le Berry a la réputation d'être un haut lieu de la sorcellerie. Déguisés en sorcières ou en fantômes, les enfants défilent jusqu'au champ où se déroulent des jeux, ou regardent se produire des groupes folkloriques.
Festival de Musique Baroque *(dernier week-end)* à Sablé-sur-Sarthe *(p.162)*. Concerts pendant quatre jours dans les églises et les manoirs alentour.

Danseurs folkloriques

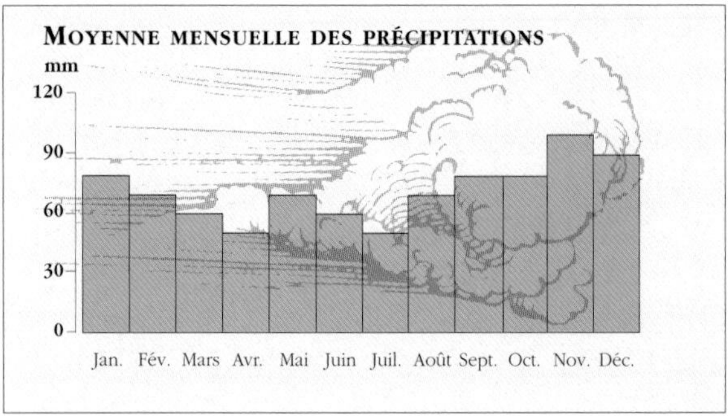

Précipitations
C'est au printemps et en automne que les précipitations sont les plus abondantes, au point parfois de faire déborder la Loire et ses affluents. Plus on s'enfonce dans les terres, plus les averses tendent à augmenter. En été, les nuits sont souvent agitées de violentes tempêtes.

AUTOMNE

En fin de semaine, les jours dorés de l'automne attirent de nombreux chasseurs parisiens, surtout dans les forêts de l'est. C'est aussi la saison des vendanges et des festivités qui les accompagnent, ainsi que des foires consacrées aux produits de la saison nouvelle.

SEPTEMBRE

Fête du Pain *(2e sam.)* à Montreuil-en-Touraine, près d'Amboise. Entre les mains habiles des boulangers, la miche de pain, souvent agrémentée de noix et de feuilles, devient une véritable œuvre d'art.
Foire aux Melons *(2e sam.)* à Bléré, près de Chenonceaux. En automne, des melons orange et or luisent dans les champs alentour.
Foire aux Rillons *(29 sept.)* à Saint-Michel-sur-Loire (près de Langeais). La fête de saint Michel est consacrée à cette délicate spécialité tourangelle *(p.210)*.
Journées du Patrimoine *(2e ou 3e week-end)*. Un week-end par an, dans les châteaux et bâtiments historiques généralement fermés au public, ont lieu des concerts, des expositions, etc.
Festival International de Musique et Folklore *(2e week-end)* à Angers *(p.72-73)*. Pendant ces quatre jours, de nombreux groupes folkloriques étrangers se produisent dans les rues. Le concert donné au Centre des Congrès est le clou de ce festival.

OCTOBRE

Foire aux Pommes *(2e sam.)* au Petit-Pressigny (près du Grand-Pressigny). C'est le mois de la récolte où les marchés débordent d'une grande variété de pommes non calibrées mais délicieuses. Azay-le-Rideau organise sa propre foire pendant le dernier week-end.
Foire à la Bernache *(dernier dim.)* à Reugny (près de Tours). Vin nouveau non fermenté, la bernache est très appréciée ici. Affaire d'habitude ?
Festival International de Cinéma Européen *(début oct.)* à La Baule *(p.180)*. Festival annuel d'une semaine dans cette élégante station de la côte atlantique.
Foire aux Marrons *(dernier mardi)* à Bourgueil (près de Chinon). Accompagnement traditionnel du vin nouveau, voilà pourquoi la châtaigne a aussi sa foire.
Concerts d'Automne *(tous les dim.)* à Saint-Cyr-sur-Loire (près de Tours). Ces concerts – trois de musique de chambre ou de récitals, un de jazz ou autres formes de musique plus contemporaine – ont lieu dans le salon Ronsard de l'hôtel de ville.

Produits locaux de première qualité sur le marché de Saumur, le samedi

Dégustation de vins à Kerbinet, dans la Grande Brière

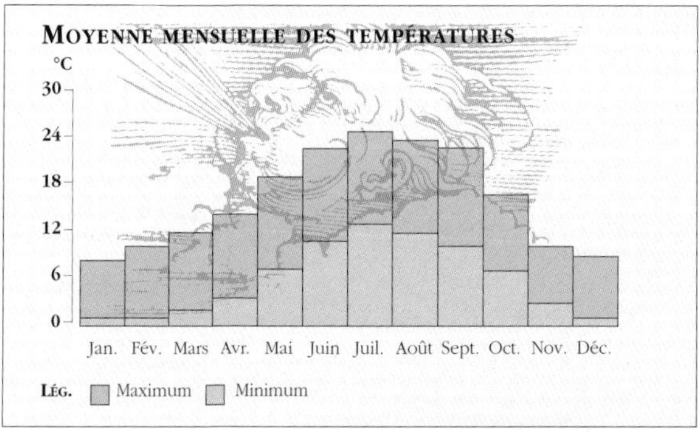

Températures
Il est rare que le thermomètre descende au-dessous de zéro. À l'ouest, la mer garantit la douceur du climat. Ailleurs, la température peut dépasser 30° C l'été, en milieu de journée, mais les soirées, plus fraîches, sont idéales pour dîner dehors, en terrasse ou au bord de l'eau.

HIVER

L'hiver est la saison morte. Le froid y est plus humide que glacial et la plupart des châteaux sont fermés. Quelques marchés s'ouvrent à Noël, mais, à cette époque, les habitants préfèrent en général les plaisirs du chez-soi.

DÉCEMBRE

Foire de Saint-Nicolas *(le sam. le plus proche du 6)* à Saint-Nicolas-de-Bourgueil (près de Chinon). Entrée en scène des foires et marchés de jouets et décorations de Noël.
Foire de Noël *(3e week-end)* à Richelieu *(p.102-103)* : cadeaux, décorations de Noël et produits de saison. Spectacle « son et lumière » dans la soirée.
Festival des Chants de Noël *(1er week-end)* à Richelieu *(p.102-103)* au château de Brissac *(p.78)*. Des chants de Noël accompagnent l'auditoire dans sa procession à travers le château.

Un vieux moulin à vent, en Anjou

JANVIER

Foire des Rois *(2e lundi)* à Richelieu *(p.102-103)*. Un vaste marché d'artisanat et de produits locaux se tient en l'honneur de l'Épiphanie. Ici, comme dans toute la France, la galette des rois fourrée de pâte d'amandes et dissimulant une fève accompagne la célébration de l'arrivée des Rois Mages.

FÉVRIER

Foire aux Vins *(1er week-end)* à Vouvray (près de Tours). En hiver, les foires aux vins animent toute la région. Il s'en tient une autre à Azay-le-Rideau le dernier week-end du mois.

Concert à l'abbaye de Fontevraud

JOURS FÉRIÉS

Jour de l'an (1er jan.)
Dimanche et lundi de Pâques
Ascension (6e jeudi après Pâques)
Pentecôte (2e lundi après l'Ascension)
Fête du Travail (1er mai)
Fête de la Victoire (8 mai)
14 Juillet
Assomption (15 août)
Toussaint (1er nov.)
Armistice (11 nov.)
Noël (25 déc.)

Son et lumière

Acteur à Amboise

La Loire est la terre natale des spectacles « son et lumière », et il s'en produit ici quelques-uns des plus beaux au monde. Les premiers, réalisés à Chambord en 1952, combinaient les effets de lumière et de bandes sonores pour souligner la merveilleuse architecture du château et évoquer des personnages célèbres. Aujourd'hui, à l'aide de rayons laser, de feux d'artifice et de centaines d'acteurs (des amateurs locaux pour la plupart), on monte de spectaculaires reconstitutions historiques. Ci-dessous, la liste des principaux spectacles donnés régulièrement ; mais gardez un œil sur les affiches, elles vous réservent des surprises.

Effet théâtral de lumière sur le château d'Azay-le-Rideau

Touraine

Amboise **À la Cour du roi François** (1 heure et demie). 02 47 57 14 47. *fin juin à juil. : 22 h 30 mer., sam. ; août : 22 h mer., sam. réservation.*

On y évoque la vie de François Ier dans son château royal favori *(p.110)*. Le spectacle, monté par des gens du cru, ressuscite la cour, ses habits somptueux, ses chasses, ses jardins d'agrément et ses fêtes raffinées.

Azay-le-Rideau **Les Imaginaires d'Azay-le-Rideau** (1 heure). 02 47 45 42 04. *mi-mai à juil. : 22h 30 en nocturne ; août à mi-sept. : 22 h en nocturne.*

Tout au long de ce spectacle fascinant, les spectateurs se promènent dans les jardins du château *(p.96-97)* en contemplant la succession des mises en scène et des effets « son et lumière ».

Chenonceau **À l'époque des dames d'autrefois** (45 minutes). 02 47 23 90 07. *fin juin à début sept. : 22 h 15 en nocturne.*

L'histoire du château de Chenonceau *(p.106-109)* se confond avec celle des dames qui, tour à tour, le dessinèrent, l'embellirent ou le restaurèrent. La représentation « son et lumière » comprend un petit spectacle qui se donne dans le jardin dessiné par Diane de Poitiers avec, en commentaire, l'histoire de sa vie et de celle de Catherine de Médicis, la femme dont elle prit la place.

Loches **Peau d'Âne** (1 heure et demie). 02 47 59 07 98. *juil. : 22 h 30 ven., sam. ; août : 22 h ven., sam. réservation.*

Dans cette théâtralisation musicale du conte de Perrault, *Peau d'Âne*, un petit orchestre accompagne les 170 acteurs, revêtus de tenues stupéfiantes, de la distribution. En même temps, des paysages de contes de fées sont projetés sur les murs imposants du château *(p.104)*.

Blésois et Orléanais

Blois **L'histoire de Blois** (45 minutes). 02 54 78 72 76. *juin à juil. : 22 h 30, nocturne ; août : 22 h, nocturne ; début sept. : 21 h 30, nocturne.*

Des images projetées sur la façade du château *(p.126-127)* rappellent les moments importants de son histoire, dont la visite de Jeanne d'Arc en 1429, le concours de poésie entre Charles d'Orléans et François Villon, et l'assassinat du duc de Guise. Le public assiste au spectacle debout dans la cour.

Cheverny **Le Cours du Temps** (1 heure et demie). 02 54 42 69 03. *début juil. à mi-juil. : 22 h 30 sam. ; mi-juil. à août : 22 h 30 ven., sam. réservation.*

Il s'agit cette fois de l'histoire de la Loire, depuis les Vikings jusqu'à nos jours. 900 personnes y participent, dans plus de 2 000 costumes. Mis en scène devant le château *(p.130)*, les effets d'eau et de lumière fournissent au récit une étonnante toile de fond.

Visages du passé projetés sur les murs du château de Blois

Feu d'artifice se reflétant dans l'eau pendant le grandiose spectacle du Lude

Meung-sur-Loire **L'Oiseau Bleu** (2 heures). 02 38 44 32 28. *juil. : 22 h ven., sam.* *réservation nécessaire.*

Avec le château de Meung-sur-Loire *(p.136)* pour toile de fond, plus de cent personnages de tous âges présentent une fable à propos d'un oiseau bleu magique qui connaîtrait le secret du bonheur. Les effets spéciaux et les costumes sont dus à des bénévoles locaux.

Berry

Valençay **Esclarmonde** (1 heure et demie). 02 54 00 04 42. *mi-juil. à août : 22 h ven., sam.* *réservation.*

Plus de 900 acteurs de la région sont réunis au château *(p.146)* et nous racontent l'histoire de la belle princesse Esclarmonde et de Roland, son soupirant. Un feu d'artifice et une joute médiévale en sont les points culminants.

Maine et Eure-et-Loir

Le Lude **L'histoire enchantée** (1 heure et demie). 02 43 94 62 20. *mi-juin à juil. : 22 h 30 ven., sam. ; août : 22 h ven., sam.* *réservation.*

Plus de 350 acteurs ressuscitent l'histoire du château *(p.167)*. Des jets d'eau renforcent l'effet des gigantesques images projetées sur un mur de 200 m.

Loire-Atlantique et Vendée

Le Puy-du-Fou **Jacques Maupillier : Un Paysan de Vendée** (1 heure 50 minutes). 02 51 64 11 11. *juin à juil. : 22 h 30 ven., sam. ; août à début sept. : 22 h ven., sam.* *réservation.*

Le château du Puy-du-Fou *(p.188)* abrite la Cinéscénie, le plus important spectacle permanent « eau et lumière » d'Europe. Plus de 700 acteurs professionnels, 2 000 bénévoles locaux, 50 cavaliers et divers très spectaculaires effets techniques concourent à retracer l'histoire agitée de la Vendée, du Moyen Âge à nos jours. La musique qui accompagne le spectacle est de Georges Delerue.

Le Magicien de la Nuit

En France, le grand maître du « son et lumière » moderne c'est Jean-Claude Baudoin, connu aussi comme « le magicien de la nuit ». Depuis 1966, il a mis en scène plus de 150 spectacles musicaux aux châteaux de Blois, de Loches, de Chambord et de Valençay, de même qu'à Saint-Aignan-sur-Cher, aux Sables-d'Olonne et à Chartres.

Le metteur en scène J.-Claude Baudoin

L'histoire de la Vendée retracée dans la Cinéscénie de Puy-du-Fou

Histoire de la vallée de la Loire

Le splendide éventail des vestiges et des styles architecturaux témoigne encore aujourd'hui du rôle central qu'a joué la Loire dans l'histoire de France.

D'impressionnants monuments préhistoriques attestent l'existence de cultures néolithiques florissantes au troisième millénaire av. J.-C. Au Ier siècle av. J.-C., les communautés gauloises étaient bien développées lorsque les conquérants romains s'implantèrent dans la région. Plus tard, avec la propagation du christianisme, les anciennes villes celtes, comme Angers, Bourges, Chartres, Orléans et Tours, devinrent d'importants centres culturels, et le demeurent encore aujourd'hui.

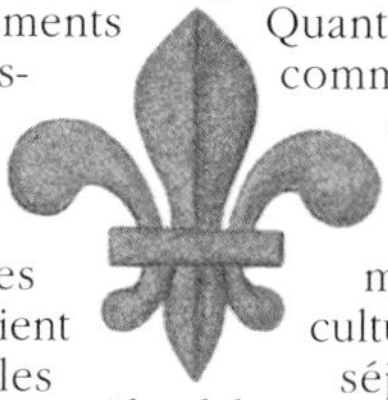

Fleur de lys, emblème royal

Au IXe siècle commença une longue période de conflits territoriaux, d'abord entre seigneurs de la guerre locaux, puis entre la France et l'Angleterre quand, en 1154, Henri Plantagenêt, comte d'Anjou et duc de Normandie et d'Aquitaine, hérita de la couronne d'Angleterre. Le sang coula beaucoup pendant la guerre de Cent Ans ainsi qu'au XVIe siècle, pendant les guerres de Religion. Quant aux guerres de Vendée, qui commencèrent en 1793, elles constituèrent un danger pour la jeune république.

La région n'en fut pas moins le lieu de réalisations culturelles exceptionnelles et le séjour préféré de nombreux rois. Au XVIIe siècle, le pouvoir politique se transféra à Paris, mais la Loire resta la principale voie de circulation, jusqu'à l'apparition du chemin de fer.

Au XXe siècle, sa richesse architecturale a été la source d'une grande expansion touristique. Ce qui, conjugué à une industrie diversifiée et bien implantée, sans compter une agriculture développée, contribue à faire de cette vallée une des régions économiquement les plus stables de France.

Vue de Tours, au XVIe siècle, avec sa cathédrale et d'Angers avec ses carrières d'ardoise

◁ **Portrait de François Ier attribué à Jean Clouet**

Les souverains de la Loire

Au cours de son histoire, la noblesse locale se trouva souvent en rivalité avec le roi. Les duchés d'Anjou et de Blois datent de la mort de Charlemagne, en 814, lorsqu'il fallut partager ses territoires entre ses fils. Henri II Plantagenêt, comte d'Anjou, duc de Normandie et roi d'Angleterre, pouvait faire remonter sa lignée jusqu'à Charlemagne. La monarchie française n'assit vraiment son autorité que lorsque Charles VII rentra à Paris, en 1436. Une autre famille de la région, la maison royale d'Orléans, vit deux de ses fils devenir rois.

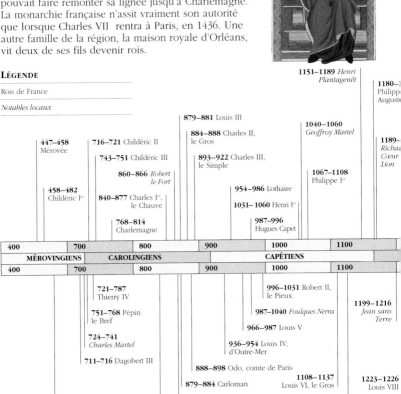

1151–1189 *Henri Plantagenêt*

LÉGENDE

Rois de France

Notables locaux

- **447–458** Mérovée
- **458–482** Childéric Ier
- **716–721** Childéric II
- **743–751** Childéric III
- **768–814** Charlemagne
- **840–877** Charles Ier, le Chauve
- **860–866** *Robert le Fort*
- **879–881** Louis III
- **884–888** Charles II, le Gros
- **893–922** Charles III, le Simple
- **954–986** Lothaire
- **1031–1060** Henri Ier
- **987–996** Hugues Capet
- **1040–1060** *Geoffroy Martel*
- **1067–1108** Philippe Ier
- **1180–** Philipp August
- **1189–** *Richa Cœur Lion*

400	700	800	900	1000	1100
MÉROVINGIENS	CAROLINGIENS		CAPÉTIENS		
400	700	800	900	1000	1100

- **721–787** Thierry IV
- **751–768** Pépin le Bref
- **724–741** *Charles Martel*
- **711–716** Dagobert III
- **996–1031** Robert II, le Pieux
- **987–1040** *Foulques Nerra*
- **966–987** Louis V
- **936–954** Louis IV, d'Outre-Mer
- **888–898** Odo, comte de Paris
- **1108–1137** Louis VI, le Gros
- **879–884** Carloman
- **877–879** Louis II, le Bègue
- **814–840** Louis Ier, le Pieux
- **1199–1216** *Jean sans Terre*
- **1223–1226** Louis VIII

482–511 Clovis Ier

1137–1180 Louis VII

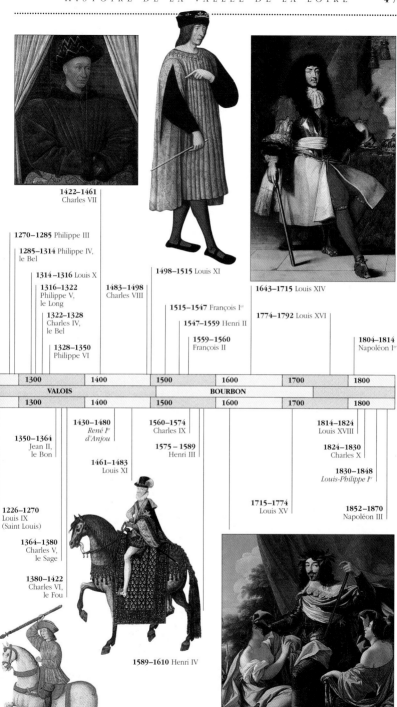

1422–1461 Charles VII

1270–1285 Philippe III

1285–1314 Philippe IV, le Bel

1314–1316 Louis X

1316–1322 Philippe V, le Long

1322–1328 Charles IV, le Bel

1328–1350 Philippe VI

1483–1498 Charles VIII

1498–1515 Louis XI

1515–1547 François Ier

1547–1559 Henri II

1559–1560 François II

1643–1715 Louis XIV

1774–1792 Louis XVI

1804–1814 Napoléon Ier

1300	**1400**	**1500**	**1600**	**1700**	**1800**
VALOIS		**BOURBON**			
1300	**1400**	**1500**	**1600**	**1700**	**1800**

1350–1364 Jean II, le Bon

1430–1480 *René Ier d'Anjou*

1461–1483 Louis XI

1560–1574 Charles IX

1575 – 1589 Henri III

1814–1824 Louis XVIII

1824–1830 Charles X

1830–1848 *Louis-Philippe Ier*

1226–1270 Louis IX (Saint Louis)

1364–1380 Charles V, le Sage

1380–1422 Charles VI, le Fou

1715–1774 Louis XV

1852–1870 Napoléon III

1589–1610 Henri IV

1610–1643 Louis XIII

Des origines à Clovis

C'est au néolithique qu'il s'est construit en France le plus de tombes préhistoriques et de sites sacrés. Leurs auteurs plongeaient leurs racines en Europe centrale, de même que les Celtes qui, à l'âge du bronze et du fer, fondèrent des villes le long de la Loire. Après la conquête de la vallée par Jules César en 51 av. J.-C., les habitants connurent 300 ans de paix et de prospérité. L'apparition du christianisme coïncida avec le déclin militaire de Rome et la naissance des royaumes des Wisigoths au sud et des Francs au nord. Clovis, roi des Francs, se convertit au christianisme, triompha des Wisigoths et s'empara du pouvoir en 507.

Le baptême de Clovis
Au début du VIe siècle, pour légitimer son autorité, Clovis, chef franc, se convertit au christianisme.

Vestiges paléolithiques
Les tribus paléolithiques du bassin de la Loire fabriquaient des outils de silex depuis au moins 50 000 ans.

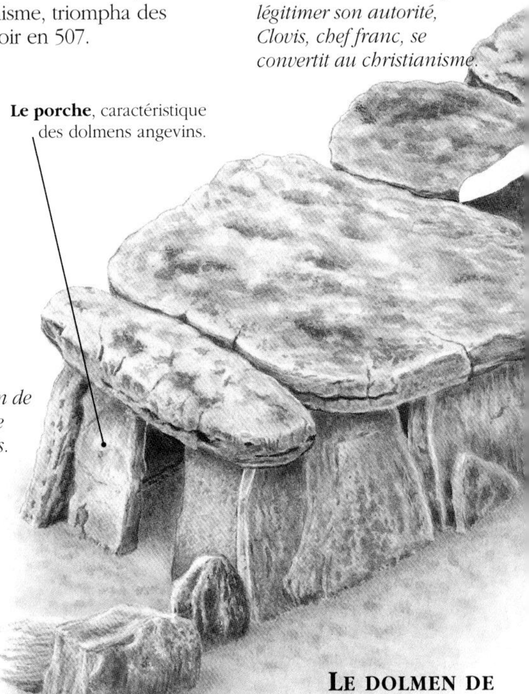

Le porche, caractéristique des dolmens angevins.

Le dolmen de Bagneux
Ce tombeau (à Saumur), vieux de 5 000 ans, mesure 21 m sur 7. Ses épais montants sont faits de pierres superposées et enfoncées dans des excavations de 3 m de profondeur.

L'art celtique
L'art celtique n'obéissait pas à l'idéal naturaliste de l'occupant romain. Cette statuette en bronze de jeune femme date des Ier-IIe siècles apr. J.-C.

Chronologie

v.2500 Les dolmens avec porches inaugurent un nouveau style néolithique de tombes

v.800 La tribu des Carnutes fonde des colonies à Blois, à Chartres et à Orléans

v.1200 La Loire exporte des armes de bronze fabriquées avec l'étain de la région

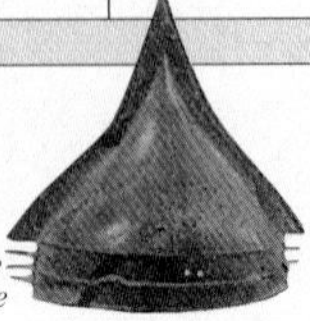

Casque celtique

57–56 Les Romains conquièrent les tribus occidentales de la Loire

51 Jules César met fin au soulèvemennt des Gaulois à Orléans

31 Auguste, empereur romain, établit dans la Loire des structures pour 300 ans de « Paix romaine »

50 Point de jonction entre deux provinces romaines, la Lyonnaise et l'Aquitaine, la vallée de la Loire prospère

Jules César, premier unificateur de la Gaule

2500 av. J.-C. | 100 av. J.-C. | 1 apr. J.-C. | 100

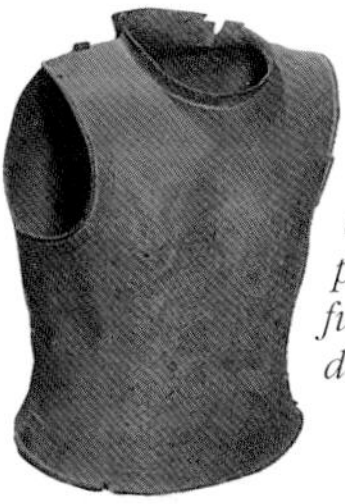

Armure celtique
Les guerriers celtes étaient d'habiles armuriers, témoin ce plastron de cuirasse. Ils furent, pour les Romains, de redoutables adversaires.

Un pilier intérieur (partie de mur ?) aide à supporter un toit de pierre de 40 tonnes.

Les orthostates (murs) étaient enfoncés dans des trous de 3 m de profondeur.

Où voir la Loire néolithique et romaine

L'Anjou est riche en sites néolithiques. Les plus vastes se trouvent à Saumur *(p.82-83)* et à Gennes *(p.78)*. L'amphithéâtre de Gennes et les murs de Thésée *(p.129)* font partie des rares vestiges de monuments gallo-romains. Aux musées d'Orléans *(p.138-139)* et de Tours *(p.114-115)*, importantes collections gallo-romaines.

Amphithéâtre de Gennes
Des combats de gladiateurs romains se déroulaient dans cet amphithéâtre.

Art gallo-romain
Cet étalon en bronze martelé, exposé au musée archéologique d'Orléans, est consacré à Mars, dieu de la guerre et de l'agriculture.

Aqueduc romain
Près de Luynes, un aqueduc du IIe siècle transportait de l'eau de source jusqu'aux bains de Caesarodunum (Tours).

250 Gatien, évêque de Tours, un des premiers évangélistes de la Loire

313 L'empereur Constantin fait du christianisme la religion officielle des Romains

372 Martin, évêque de Tours, prend la tête du développement de la vie monastique

507 Après sa conversion au christianisme, Clovis bat les Wisigoths près de Poitiers

498 Clovis Ier s'empare d'Orléans

511 Mort de Clovis Ier. Partage de ses terres

200 — 300 — 400 — 500

50 Les Romains nstruisent l'amphithéâtre Gennes

275 L'empereur Aurélien donne à Orléans un statut d'indépendance

Saint Martin, évêque de Tours

451 L'aide du royaume wisigothique de Toulouse permet de repousser Attila à Orléans

473 Les Wisigoths s'emparent de Tours

Le vin, très ancienne exportation

v.550 Premiers documents relatifs aux vins de la région

Le haut Moyen Âge

Sceau d'Henri II

En construisant le donjon de Loches, Foulques Nerra d'Anjou se comportait comme tous les chefs militaires qui, dans la Loire, s'emparèrent du pouvoir après le IXe siècle. Leurs citadelles servirent de fondations aux futurs châteaux. Les Plantagenêts, qui succédèrent à Nerra en Anjou, avaient également des prétentions sur la Normandie et l'Aquitaine, puis ils héritèrent du trône d'Angleterre. C'est seulement au XIIe siècle que Louis IX ramena l'Anjou sous le contrôle de la couronne de France. À cette époque, l'église avait plus de cohésion que le royaume. Les cathédrales et les monastères fondèrent des écoles, formèrent des copistes et des enlumineurs, et c'est vers l'église plutôt que vers le trône que se tournaient les chefs militaires féodaux pour arbitrer leurs conflits.

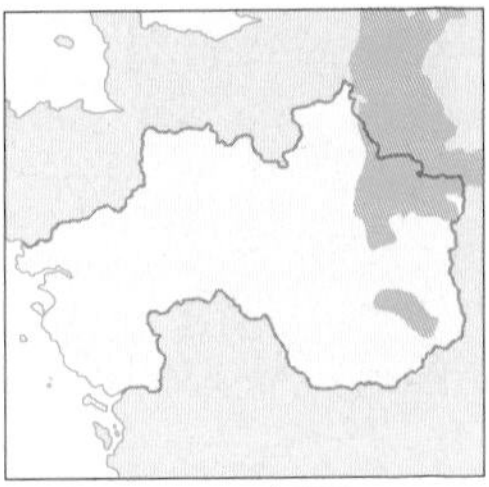

La Loire vers 1180

Autres fiefs

Domaine royal

Saint Louis

Louis IX (1214-1270) fut le premier monarque capétien à hériter d'un royaume relativement stable. Courageux croisé, souverain équitable, il obligea l'Angleterre à renoncer à ses prétentions sur la Loire. Il fut canonisé en 1297.

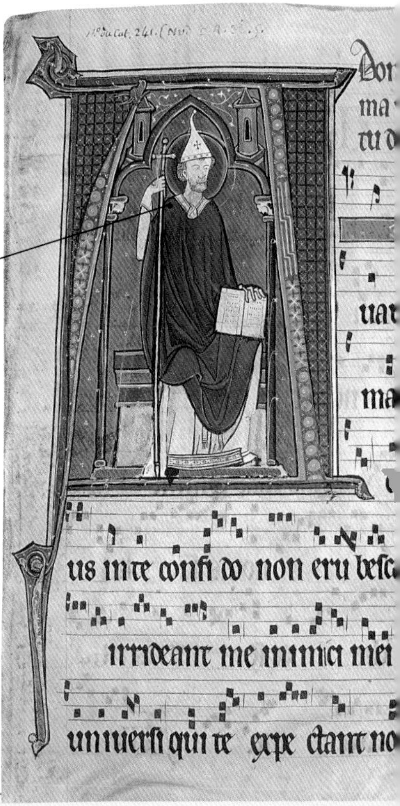

Grégoire Ier codifia la musique liturgique durant son règne de pape (590-604).

Chronologie

687 Pépin II assoit la domination des chefs carolingiens, ancêtres de Charlemagne, sur les rois mérovingiens

732 Charles Martel chasse les Maures de la Loire après une bataille décisive à Poitiers

850 Les Normands ravagent la vallée de la Loire

866 Robert le Fort, anc des rois capétiens, est t par les Normands en A

911 Chartres repouss les Normand

600 | 700 | 800 | 90

Charlemagne, roi des Francs

768-784 Charlemagne s'empare de la Bretagne et de la Loire

796 Alcuin, le mentor de Charlemagne, fait de Tours un centre d'art carolingien

Monnaie de Charles le Chauve

Ivoires carolingiens
Les plaques d'ivoire, reliquaires et couvertures de livres, sont parmi les plus beaux objets ayant survécu aux destructions normandes du Xᵉ siècle. L'art carolingien était généralement religieux ou utilitaire.

Où voir la Loire du haut Moyen Âge

À Cunault *(p.79)*, à Noirlac *(p.149)*, à Solesmes *(p.162)* ou à Fontgombault *(p.147)*, vous pourrez encore entendre des chants grégoriens dans une atmosphère médiévale. Les châteaux-forteresses comme celui de Loches *(p.104)*, les ruines de Lavardin *(p.122)* ou de Montrichard *(p.128)* évoquent des histoires beaucoup plus sinistres.

Chapiteaux romans
Sculpture romane sur un chapiteau de l'église de Cunault.

Au Moyen Âge, la notation musicale n'indiquait que les variations de tons. La longueur de chaque note dépendait du rythme naturel du texte.

Arts monastiques
C'est aux moines de la basilique Saint-Martin-de-Tours, au IXᵉ siècle, que l'on doit la calligraphie de la minuscule carolingienne.

Artisanat de qualité
Les pièces d'artisanat médiéval qui nous sont parvenues sont, pour la plupart, en métal. Ce masque funéraire du XIIIᵉ siècle a été moulé dans du cuivre à partir d'une effigie, puis doré.

Hugues Capet d'Orléans
Hugues, qui reçoit ici les clefs de Laon, fut élu roi en 987, mettant fin à la dynastie des Carolingiens. À son exemple, en temps de troubles, les rois cherchèrent refuge dans la Loire.

Enluminures

Première page d'un graduel, livre de plain-chant entonné pendant la messe. Manuscrit du XIIIᵉ siècle, typique du style des manuscrits enluminés originaires des abbayes de la Loire. Ce recueil de chants grégoriens a été compilé par des moines de l'ordre très rigoureux des cisterciens *(p.149)*.

Hugues Capet ...ans devient le ...er roi capétien

992 Les Bretons chassés d'Anjou par Foulques Nerra

1000

1096 Première croisade

1101 Fondation de l'abbaye de Fontevraud

1100

1125 Thibaud IV de Blois et de Champagne, rival du pouvoir capétien

1128 Mariage au Mans de Geoffroy Plantagenêt avec Mathilde, fille d'Henri Iᵉʳ d'Angleterre

1154 Henri Plantagenêt accède au trône d'Angleterre sous le nom d'Henri II

1189 À la mort d'Henri II, son fils, Richard Cœur de Lion, devient le rival du roi de France

1200

1214 Fin de l'empire angevin avec la défaite du roi Jean à Angers

Foulques Nerra

La guerre de Cent Ans

Chevalier, XIVe siècle

La guerre qui opposa Français et Anglais, de 1337 à 1453, fut la plus dévastatrice du Moyen Âge. Quand les Anglais assiégèrent Orléans en 1428, la vallée de la Loire devint le centre d'une bataille qui paraissait devoir aboutir au partage de la France entre l'Angleterre et sa puissante alliée, la Bourgogne. Mais, sous l'impulsion de Jeanne d'Arc qui partit chercher Charles VII caché à Chinon, les Anglais furent chassés d'Orléans. Le martyre de Jeanne à Rouen, en 1431, concourut au redressement de la France. En dépit des soldats maraudeurs et de la peste, largement répandue et surnommée la Mort Noire, la Loire connut des périodes de paix et de prospérité pendant lesquelles la vie de cour s'épanouit.

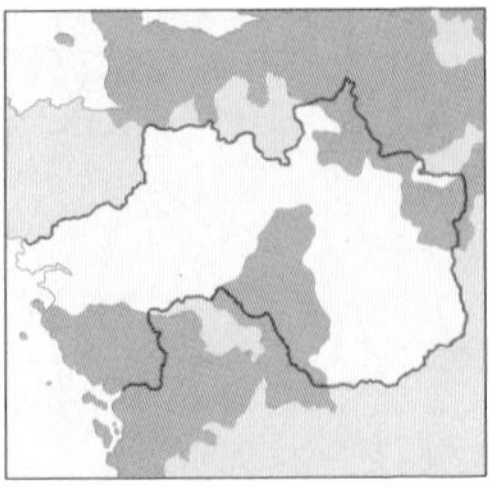

La vallée de la Loire en 1429

Territoire français

Possessions anglaises

L'arc anglais était une arme puissante, qui exigeait de la force et de l'habileté.

Les canons pouvaient envoyer des boulets qui pesaient jusqu'à 200 kg.

Charles VII
Le dauphin, souvent accusé de faiblesse, était un personnage rusé, en situation difficile. Déshérité par le roi en 1420, il se servit du charisme de Jeanne d'Arc pour obtenir des appuis, tout en se méfiant de ses jugements politiques.

Les tournois
Les somptueux ornements de ces joutes guerrières témoignent des richesses de l'aristocratie au début du XVe siècle. Les tournois étaient dangereux : Henri II mourut d'un coup de lance.

Chronologie

1337 Philippe VI, premier roi Valois, en confisquant des terres anglaises en Guyenne, engage la guerre de Cent Ans

1341 Guerre de succession de Bretagne : les Anglais prennent le parti de Jean de Montfort contre Charles de Blois

Portrait de Philippe VI

1346 Les archers anglais triomphent des Français à Crécy

1352 La Loire se relève de quatre ans de peste

La Mort Noire dans une enluminure du XVe siècle

1360 L'Anjou devient un duché

1325 — 1350 — 1375

L'Apocalypse *Comme la guerre et la peste sévissaient, la fin du monde devint le principal sujet de l'art. Dans cette tapisserie d'Angers* (p.76-77), *saint Jean entend la trompette du Jugement dernier.*

Où voir la Loire des XIVe et XVe siècles

Guérande *(p.180)* est une ville fortifiée du XVe siècle bien conservée. D'autres, comme Chinon *(p.98-100),* présentent des maisons à colombage. Orléans *(p.138-139)* possède une réplique de la maison de Jeanne d'Arc. Le Plessis-Bourré *(p.70)* est un exemple de la vie plus élégante menée après la guerre de Cent Ans.

Le château de Chinon *occupe une position stratégique et domine la Vienne.*

La hallebarde était l'arme par excellence de l'infanterie.

Hélépole

Jeanne d'Arc *Cette paysanne de 15 ans, inspirée par des voix divines, décida de « bouter les Anglais hors de France »* (p.137).

René, duc d'Anjou *René Ier* (1409-1480) *adorait les tournois, mais il était également peintre, savant et poète. Pour son peuple, il représentait le souverain idéal.*

Le siège d'Orléans

Les Anglais assiégèrent Orléans en 1428, prirent rapidement position et firent d'importants travaux pour soutenir le siège. En février 1429, une tentative française pour leur couper le ravitaillement échoua, et c'est seulement le 30 avril que les troupes de Jeanne d'Arc purent pénétrer dans la ville. Une semaine après, les Anglais abandonnaient la place.

1409 Naissance de René Ier, duc d'Anjou

1417–1432 Les Anglais occupent Chartres

1418 Charles VI met le feu à Azay-le-Rideau

1429 Jeanne d'Arc met fin au siège d'Orléans, va chercher le dauphin Charles à Chinon et le couronne roi à Reims

1453 Fin de la guerre sans traité. Les Anglais ne gardent que Calais

1461 Début du règne de Louis XI

1400 | 1425 | 1450

92 Louis, duc Orléans, quiert Blois

1415 L'écrasante victoire des Anglais à Azincourt conduit à l'alliance de l'Angleterre et de la Bourgogne

1428 Les Anglais assiègent Orléans

1435 Charles VII fait la paix avec la Bourgogne. Des victoires succèdent aux réformes de l'armée

1438 Jacques Cœur de Bourges devient le financier de la cour et réforme le système des impôts en France

Arbalète (XVe siècle)

1470 À Tours : début du tissage de la soie

La Loire de la Renaissance

Catherine de Médicis (1519-1589)

Entre 1494 et 1525, les guerres italiennes menées par Charles VIII, Louis XII et François Ier, donnèrent à ces trois rois le goût de l'art et de l'architecture italiens. Ils firent de la cour d'Amboise, de Blois et de Chambord des centres de vie culturelle. François Ier protégea d'innombrables artistes et artisans travaillant dans le style italien, exemple que suivit toute l'aristocratie française. La Loire eut à subir près de 40 ans de guerre lorsque, pendant le règne de ses fils, Charles IX et Henri III, Catherine de Médicis, la veuve d'Henri II, ne put convaincre les catholiques, menés par les Guise, de vivre en paix avec les protestants.

La Forteresse de la Foi
Le pape assiégé par les protestants pendant les guerres de Religion.

François Ier
Le plus puissant roi de la Renaissance fit de la Loire son terrain de chasse. François Clouet de Tours (p.23) *a saisi ici sa grande assurance.*

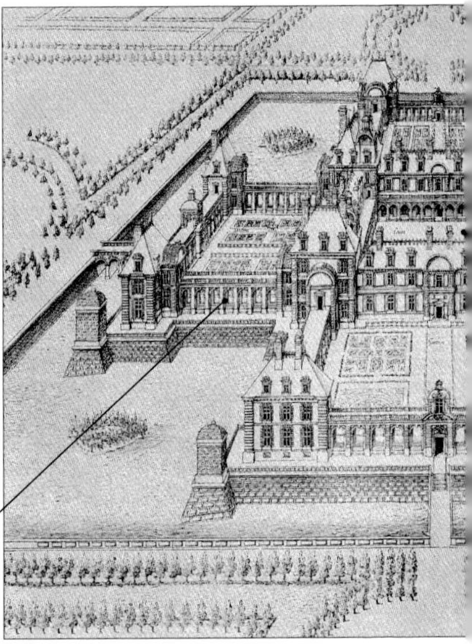

Colonnades
caractéristiques du style classique de la Renaissance.

Premier dessin de char
Léonard passa ses dernières années au Clos-Lucé (p.111). *Ce char est la maquette d'une des inventions qu'il imagina en ce lieu.*

Le Château Idéal

Depuis Charles VIII (1483-1498), les rois français de la Renaissance rêvent de construire le château idéal. La symétrie de ce plan d'Androuet Du Cerceau illustre l'évolution de l'architecture, à la fin de la Renaissance, vers le style classique.

Chronologie

1484 Les États généraux se réunissent à Tours

1493 Charles VIII redessine le château d'Amboise, où il est né, dans le style italien

1498 Le duc d'Orléans devient roi sous le nom de Louis XII et épouse Anne de Bretagne

1515 François Ier conquiert Milan et invite des artistes italiens dans la Loire

1532 La Bretagne et Nan sont rattachés à la Fran

1475 — 1500 — 1525

Charles VIII, premier roi de la Renaissance

1491 Mariage de Charles VIII et d'Anne de Bretagne. La Bretagne autonome est rattachée à la couronne de France

1508 Louis XII fait de Blois la capitale royale de la Renaissance

Salière de Cellini

1519 François Ier commence la construction de Chambord. Mort de Léonard de Vinci

Henri IV
Courageux, astucieux et aimable, Henri IV de Navarre, 10 ans après son accession au trône en 1589, raffermit habilement l'autorité de la couronne sur un royaume désagrégé. Rubens (1577-1640) le représente ici recevant le portrait de fiançailles de Marie de Médicis.

Où voir la Loire de la Renaissance

La région est parsemée d'élégantes constructions de la Renaissance. Amboise *(p.110)* et Blois *(p.126-127)* sont parmi les plus anciens châteaux d'influence italienne. Chenonceau *(p.106-109)* et Azay-le-Rideau *(p.96-97)* comptent parmi les réussites de la Renaissance française. Les exemples de plus petite taille, comme Beauregard *(p.130-131)*, sont répandus. Chambord *(p.132-135)* est le plus spectaculaire de tous.

Château de Chambord
Cet impressionnant château est situé sur les rives du Cosson.

Toits élevés et lucarnes : persistance de l'influence française.

Cour centrale en arcades : base des palais de style italien.

Reliquaire d'Anne de Bretagne
En épousant successivement Charles VIII et Louis XII, Anne de Bretagne, dont le reliquaire est à Nantes (p.191), *rattache à la France son duché farouchement indépendant.*

Diane de Poitiers
Ce portrait flatteur de la maîtresse d'Henri II la représente en Diane chasseresse.

1547 Début du règne d'Henri II, qui fait cadeau de Chenonceau à Diane de Poitiers

1550

1559 À la mort d'Henri II 'engage une lutte pour le pouvoir entre sa veuve, therine de Médicis, et les catholiques, partisans du duc de Guise

1562 Les guerres de Religion commencent par des batailles le long de la Loire

1572 Après le massacre des protestants la nuit de la Saint-Barthélemy, la cour se transporte à Fontainebleau

1575

1576 Henri, duc de Guise, fonde la Sainte Ligue catholique. Les États généraux, réunis à Blois, échouent à établir une formule de paix

1588 La Sainte Ligue prend pratiquement le pouvoir. Henri III fait assassiner le duc de Guise et son frère à Blois

Henri IV : pièce de monnaie

1594 Henri IV est couronné à Chartres, après s'être converti au catholicisme pour mettre fin aux guerres de Religion

1598 L'Édit de Nantes donne aux protestants le droit à leur culte

Développement et prospérité

La Loire perdit son rôle central quand la cour se transporta dans la région parisienne à la fin du XVIe siècle. Pendant la Révolution, la Vendée fut cependant le lieu d'un violent soulèvement populaire contre les abus républicains : relèvement des impôts, persécution des prêtres et conscription. Le trafic du fleuve restait quand même important, surtout pour le port de Nantes, de plus en plus prospère. À la fin du XIXe siècle, on se mit à creuser des canaux pour relier Nantes et la Loire directement avec Paris, dont le pont-canal de Briare, le plus esthétique de tous. L'industrie se développait lentement, mais l'agriculture restait prédominante.

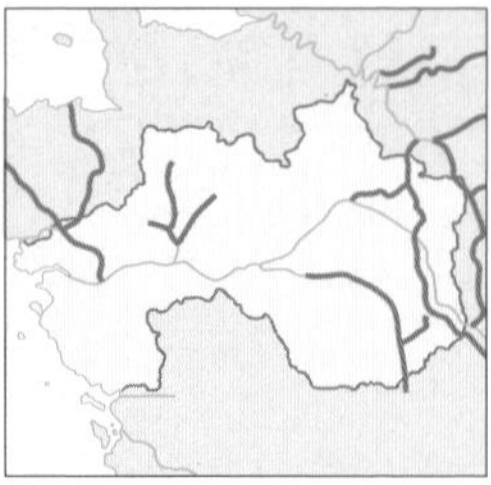

VOIES FLUVIALES AU XIXe

— *Rivières*

— *Canaux creusés avant 1900*

Le cardinal de Richelieu
Premier ministre de Louis XIII de 1624 à 1642, le cardinal de Richelieu contribua à mettre de l'ordre dans le gouvernement de la France.

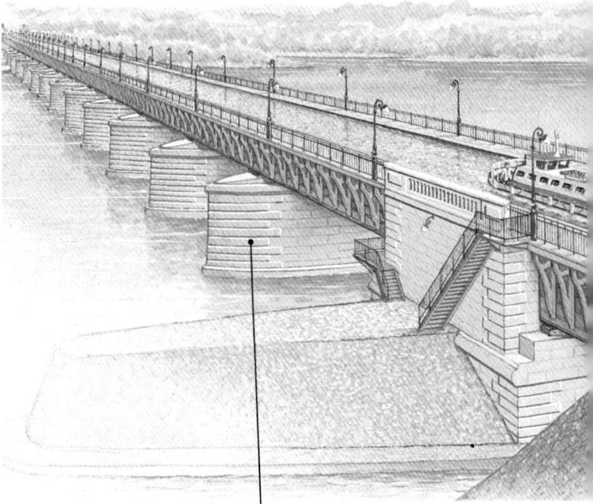

Les 15 piliers de granit qui soutiennent la construction ont été scellés suivant une vieille technique d'air comprimé.

Vinification dans la Loire
Au XVIIIe siècle, la vinification était un passe-temps pour riches oisifs qui employaient des paysans mal payés à récolter et presser le raisin.

CHRONOLOGIE

1610–1616 Régence de Marie de Médicis pendant la minorité de Louis XIII

1617 Louis XIII exile sa mère à Blois. Richelieu les réconcilie en 1621

1631 Richelieu met en œuvre les plans d'un village et d'un château en Touraine

1720 La Loire redevient un centre de vie campagnarde pour la noblesse

1600 — 1650 — 1700

Louis XIII

1648–1653 La Fronde - une série de guerres civiles

Montre fabriquée à Blois au XVIIe siècle

1685 Saumur et d'autres villes perdent leur population protestante qui fuit, terrorisée, après la révocation de l'édit de Nantes

Héros vendéen
Bonchamps suppliant qu'on épargne les prisonniers républicains (p.187) *a été sculpté par David d'Angers.*

Les « Inexplosibles » de la Loire
Face à la concurrence du chemin de fer, le bateau à vapeur fut le dernier espoir de garder à la Loire son rôle de grande route commerciale.

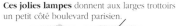

Ces jolies lampes donnent aux larges trottoirs un petit côté boulevard parisien.

Passage Pommeraye
L'élégance de ces arcades commerçantes du XIXe siècle reflète la richesse de Nantes.

LE PONT-CANAL DE BRIARE

Gustave Eiffel dessina ce pont de 662 m qui enjambe la Loire. Ouvert en 1896, il venait à l'appui d'un système de voies fluviales, engagé au XVIIe siècle afin d'unir la Seine et le Rhône. Sa structure métallique faisait appel à une nouvelle technologie de l'acier.

Omnibus à vapeur
L'Obéissante *d'Amédée Bollée a été la première voiture construite au Mans en 1873.*

1756 Fondation à Tours de l'École Royale de Chirurgie

1789 Révolution française

1846 La voix ferrée arrive jusqu'à Tours

1793–1794 Soulèvement de la Vendée

1897 Ouverture du pont-canal d'Eiffel, qui enjambe la Loire à Briare

1852 Napoléon III couronné empereur

1856 Inondations de la Loire

750 — 1800 — 1850

1770–1790 Nantes atteint le sommet de sa richesse

1804 Napoléon fait de La Roche-sur-Yon la capitale de la Vendée pacifiée et encourage le drainage du Marais poitevin

1829 *La Loire*, premier bateau à vapeur, fait le trajet de Nantes à Angers en 16 heures

Le cœur, emblème de la Vendée

1863 Fin des compagnies de bateaux à vapeur

1870 Guerre franco-prussienne : exil de Napoléon

1873 Au Mans, Amédée Bollée commence la fabrication de voitures à vapeur

Les temps modernes

Productions de la vallée de la Loire

Bien que la construction navale, à Nantes et à Saint-Nazaire, ait atteint son apogée dans les années 20 et que l'industrie légère se soit régulièrement développée autour d'Orléans, du Mans et d'Angers, la région n'a vraiment prospéré qu'après la Deuxième Guerre mondiale. Ses plus grandes villes furent occupées par les Allemands en 1940 et bombardées en 1944. Son rapide redressement, après 1960, a encouragé l'essor du tourisme dans ce traditionnel « jardin de la France ». Des châteaux privés ont été ouverts au public et l'État a subventionné de nombreuses restaurations, comme celle de l'abbaye de Fontevraud.

Wilbur Wright
Ce pionnier des pilotes américains galvanisa l'aviation européenne avec ce prototype commercial dont il fit la démonstration, près du Mans, en 1908.

Le TGV
Avec des arrêts à Vendôme, Tours, Angers et Nantes, la Loire est bien desservie par le TGV.

Des feux d'artifice illuminent le ciel nocturne.

Orléans 1944
Les ponts sur la Loire ont été les cibles principales des bombardements pendant la Deuxième Guerre mondiale.

SON ET LUMIÈRE
La Cinéscénie du Puy-du-Fou est la version moderne, au laser, d'une tradition inaugurée à Chambord, en 1952, par Robert Houdin, le fils du magicien de Blois. Les soirées dans les divers châteaux *(p.42-43)* attirent les spectateurs par milliers.

CHRONOLOGIE

1905 Déclin de l'agriculture avec la chute des prix du blé et le ravage des vignes par le phylloxera

1908 Wilbur Wright fait des vols d'essai à Auvours, près du Mans

1920 Cheverny ouvert au public

Cheverny (p.130), château appartenant à des particuliers

1900 | 1910 | 1920 | 1930 | 1940

Alain-Fournier (1886–1914)

1914 Début de la Première Guerre mondiale. Alain-Fournier est un des premiers morts *(p.23)*

1923 Première course des 24 H du Mans

1929 La Baule se dote d'une promenade et devient une importante station balnéaire

1936 Renault ouvre son usine du Mans

1940 L'avance des Allemands oblige le gouvernement provisoire à se transporter de Paris à Tours

Le Jour de la Terre manifeste sur la Loire
Les gens du cru soucieux de leur environnement s'efforcent de préserver les richesses naturelles du fleuve.

L'énergie nucléaire
Depuis longtemps, la Loire sert à refroidir les réacteurs. La centrale d'Avoine date de 1963.

Des ordinateurs de contrôle de la lumière, des lasers et des jets d'eau ajoutent leur touche de modernité.

À chaque séance de Cinéscénie, plus de 2 000 résidents deviennent acteurs, agents de la sécurité ou guides bénévoles.

Le Vinci
La modernisation du centre de Tours prouve qu'on peut très bien marier ancienne et nouvelle architectures.

Le Mans
La fameuse course des 24 H du Mans attire les passionnés d'automobiles du monde entier.

44 La libération s villes de la re met fin à ns d'occupation mande

1963 Première centrale nucléaire française à Avoine, près de Chinon

1970 L'exportation des vins de la Loire, le muscadet surtout, monte en flèche

1994 Le gouvernement démantèle un barrage de la Vienne pour permettre aux saumons de frayer

1950	1960	1970	1980	1990

1952 Premier spectacle « son et lumière » à Chambord

1959 André Malraux est nommé ministre de la Culture. Il accélère les travaux de restauration des monuments de la Loire

Muscadet de l'est de Nantes

1989–1990 Inauguration du TGV Atlantique, qui met Angers à 90 mn de Paris

Voyages dans la vallée de la Loire

La vallée de la Loire d'un coup d'œil

Riche d'histoire et d'architecture, la Loire doit surtout sa célébrité aux somptueux châteaux Renaissance que sont Chambord ou Chenonceau. Mais on y trouve aussi des vestiges plus anciens (dolmens du néolithique, forteresses médiévales comme le château d'Angers) et un impressionnant héritage d'architecture religieuse, dont les splendides cathédrales gothiques de Chartres et de Bourges. Les touristes qui désireraient s'affranchir de ce passé peuvent se délecter d'un paysage plein de surprises (le Marais poitevin par exemple). Parmi les merveilles dont regorge cette région, en voici quelques-unes de tout premier ordre.

Les flèches gothiques de la cathédrale de Chartres, qui domine une ville très attrayante ***(p.172-175)***

Le château d'Angers, à l'abri de ses énormes murs-rideaux ***(p.74-77)***

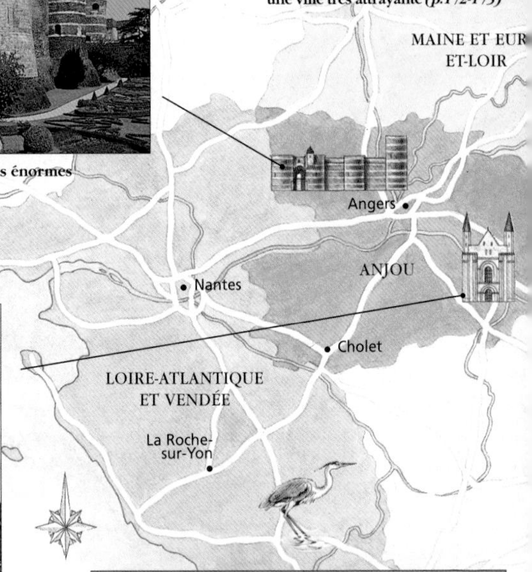

L'abbaye de Fontevraud, le plus grand ensemble de France ***(p.86-87)***

0 50 km

Le Marais poitevin, un labyrinthe de canaux ombragés ***(p.182-185)***

Le fameux escalier Renaissance du château de Blois *(p.126-127)*

Chambord, la plus vaste résidence royale de la Loire *(p.132-135)*

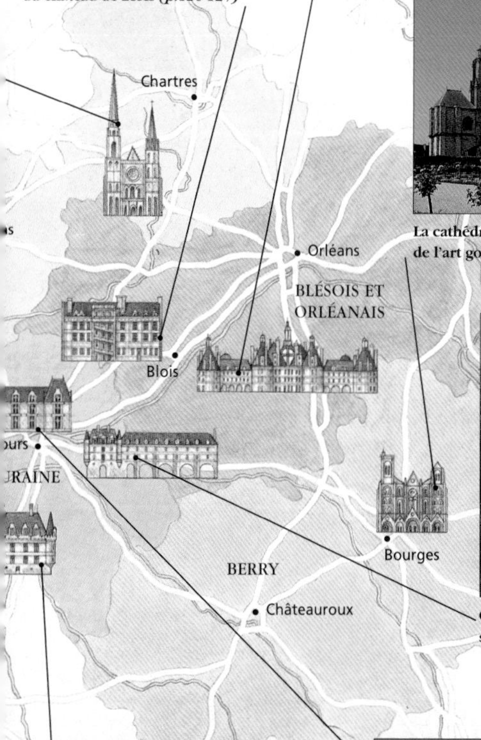

La cathédrale de Bourges, chef-d'œuvre de l'art gothique *(p.152-153)*

Chenonceau s'étale avec nonchalance sur le Cher *(p.106-109)*

La gracieuse symétrie d'Azay-le-Rideau *(p.96-97)*

Restitution spectaculaire des jardins de la Renaissance à Villandry *(p.94-95)*

L'Anjou

Les paysages de l'Anjou sont aussi doux et plaisants que son climat. Entre Massif armoricain et Bassin parisien, ses plaines ondulées sont entrecoupées de rivières qui irriguent une terre déjà fertile. Au nord d'Angers, en hiver, le confluent de la Sarthe, de la Mayenne et du Loir forme un lit majeur, véritable port d'escale pour des milliers d'oiseaux migrateurs.

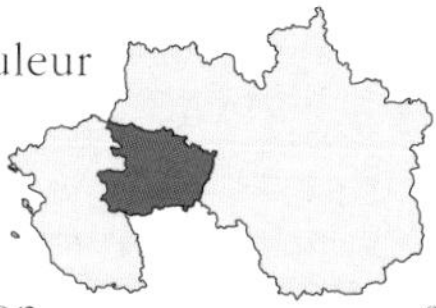

Le mariage du tuffeau couleur crème utilisé pour la construction des grands châteaux et de l'ardoise grise des toitures donne à l'architecture angevine son caractère distinctif. Les carrières de calcaire ont donné naissance à des centaines de cavernes que l'on a transformées en champignonnières ou en habitations troglodytiques, dont certaines sont ouvertes au public.

On cultive ici quelques-uns des plus beaux fruits et légumes de la Loire. Arbres et fleurs s'y épanouissent aussi – magnolias blancs, mimosas, palmiers – et les jardins de roses de Doué sont légendaires. Les vins pétillants de Saumur et de Saint-Cyr-en-Bourg viennent de la région. Les touristes peuvent assister au processus compliqué de la *méthode champenoise* chez les principaux producteurs des environs de Saumur. L'Anjou est plein de l'histoire des rivalités entre les puissantes dynasties du Moyen Âge. Angers, dominée par sa forteresse, était déjà le centre de la région, capitale féodale des Plantagenêts, parmi lesquels Henri d'Anjou qui devint Henri II d'Angleterre. Quinze membres de la famille, dont Henri II, sa femme Aliénor d'Aquitaine et leurs fils, Richard Cœur de Lion et Jean sans Terre, sont enterrés dans l'abbaye de Fontevraud. Le château de Saumur est la toile de fond féerique de « Septembre », une miniature des *Très Riches Heures du duc de Berry*. Parmi les châteaux impressionnants de la région, citons Brissac, le plus haut de tous, et Le Plessis-Bourré, charmant château qui marque le passage du Moyen Âge à la Renaissance.

Le château de Saumur domine la ville et la Loire

◁ **Prairies angevines**

À la découverte de l'Anjou

Le nord de l'Anjou est traversé par la Mayenne, la Sarthe et le Loir qui convergent vers la Maine, puis la Loire. Angers, centre géographique et administratif de l'ancienne province, qui correspond aujourd'hui au département du Maine-et-Loire, construite de part et d'autre de la Maine, est aujourd'hui une cité animée et une ville universitaire importante. Les deux autres grandes agglomérations sont Saumur (au sud-ouest) et Cholet (au sud-est). La plupart des sites touristiques sont situés entre Angers et Saumur mais les régions de Segré et Baugé méritent aussi qu'on s'y attarde.

L'église Saint-Maurille, à Chalonnes-sur-Loire

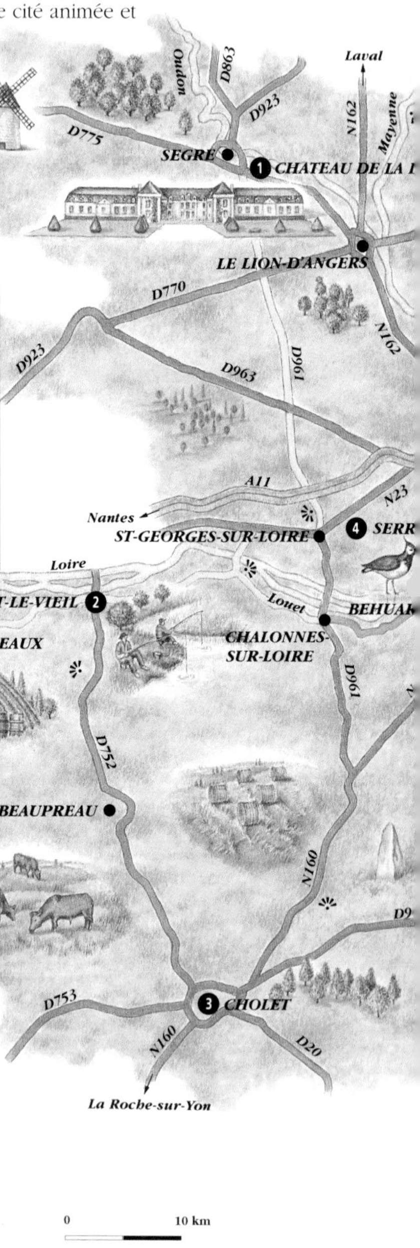

La région d'un coup d'œil

Angers p. 72–77 8
Béhuard 5
Brissac 9
Château de la Lorie 1
Cholet 3
Cunault 11
Fontevraud (abbaye de) p. 86–87 16
Gennes 10
Montgeoffroy 7
Montreuil-Bellay 13
Montsoreau 14
Plessis-Bourré 6
St-Florent-le-Vieil 2
Saumur p. 80–83 12
Serrant 4

Excursion
Habitations troglodytiques 15

La Loire en crue

Circuler

Angers est à 1 h 30 de Paris en TGV. L'autoroute A11 (l'Océane), via Le Mans, est l'accès routier le plus rapide. La D776 relie assez rapidement Tours à Angers, via Baugé. La façon la plus agréable d'aller de Saumur à Angers est d'emprunter la D751 qui suit la rive gauche de la Loire. Elle prend ensuite le nom de Corniche angevine et offre de splendides panoramas de la Loire en direction de Champtoceaux. On propose des croisières agréables sur les affluents de l'Oudon et de la Mayenne.

Légende

- Autoroute
- Route principale
- Route secondaire
- Route pittoresque
- Cours d'eau
- Point de vue

Une terrasse de café à Angers

À Saint-Florent-le-Vieil, église du XVIIIe siècle perchée sur une colline

Le château de la Lorie ❶

Carte routière B3. *Segré, puis taxi.* *02 41 92 10 04.* *juil. à mi-sept. : mer. à lun. ; Pâques à oct. : groupes sur r.-v.*

D'élégants jardins à la française mènent à ce château privé, aux douves asséchées, à 2 km au sud-est de la vieille ville de Segré, sur l'Oudon. Le bâtiment original a été construit au XVIIe siècle par René Le Pelletier, grand prévôt d'Anjou ; une statue de Minerve surmonte la porte centrale.

Un siècle plus tard, on y ajouta deux ailes pour former une cour, et une salle de bal en marbre décoré, couronnée, pour les musiciens, par une galerie en rotonde. Le château fut achevé en 1779 par des artisans italiens, quelques années seulement avant que la Révolution ne mette fin à ces extravagants étalages de richesse et de pouvoir personnel.

St-Florent-le-Vieil ❷

Carte routière B3. *2 650.* *Varades, puis taxi* *Pavillon de la Mairie (02 41 72 62 32).* *ven. apr.-midi.* *Festival de Musique (juin à juil.).*

La promenade par les rues étroites de la vieille ville, bordées de bâtiments datant du XVIe au XVIIIe siècle, s'arrête net au sommet d'une colline où se dresse une grande église du XVIIIe, théâtre d'événements dramatiques pendant l'insurrection de Vendée. Le soulèvement commença devant l'église, en mars 1793, par une révolte populaire contre la conscription dans l'armée républicaine.

Sept mois plus tard, battue à Cholet, l'armée royaliste traversa la Loire à cet endroit avec 40 000 hommes de troupe et autant de partisans. Ils furent arrêtés dans leur intention de massacrer les Républicains réfugiés dans l'église par le marquis de Beauchamps, un de leurs chefs qui, mourant, leur cria :

La Corniche angevine

La Corniche angevine (D 751), l'une des routes les plus pittoresques de la région, contourne les falaises qui dominent le sud de la Loire, offrant à la vue les îles dispersées sur le fleuve et la rive opposée avec ses vignobles et ses domaines seigneuriaux. Accrochée au coteau, cette route, dominant la rivière du Louet, un affluent de la Loire, traverse des villages, des vignobles et des champs.

À l'extrémité ouest, Chalonnes-sur-Loire est un ancien village où se trouve la jolie église Saint-Maurille, dont certaines parties remontent au XIIe siècle. Le quai voisin est un parfait endroit pour pique-niquer. Plus loin, La Haie Longue offre des vues particulièrement belles du fleuve.

À l'extrémité est de la Corniche, à Rochefort-sur-Loire, le clocher de l'église date du XVe siècle et la place du Pilori est bordée de vieilles maisons à tourelles. De puissantes forteresses se dressaient autrefois sous le village, sur des affleurements de rochers, et l'on peut visiter les ruines de certaines d'entre elles.

Vue par-dessus le fleuve, à La Haie-Longue

« Épargnez les prisonniers ! »

La statue de Bonchamps par David d'Angers, dont le père figurait parmi les rescapés, a été placée dans l'église en 1825 *(p.57)*. Ces événements sont racontés sur les vitraux du chœur et au musée d'Histoire locale et des Guerres de Vendée.

Musée d'Histoire Locale et des Guerres de Vendée
Pl. J.-et-M.-Sourice. 02 41 72 62 32, 02 41 72 50 20. *juil. à mi-sept. : t.l.j., l'apr.-midi seulement ; mi-sept. à juin : sam., dim. et vac. scol., l'apr.-midi seulement.*

Peinture de Boutigny (1899) : le soulèvement de la Vendée à Cholet

Cholet ❸

Carte routière B4. *58 000.* *pl. de Rougé (02 41 62 22 35).* *sam.* *Festival de l'Arlequin (avril); L'Été Cigale (juin) ; L'Aqua Festival (juil.).*

Capitale de la région des Mauges et deuxième ville de l'Anjou, Cholet était florissante jusqu'à ce qu'elle perde la moitié de sa population dans l'insurrection de Vendée. Elle doit sa renaissance à l'industrie textile. Les mouchoirs de Cholet, rouges bordés de blanc, rappellent une bataille cruciale livrée ici en 1793.

Une remarquable série de portraits, de scènes de batailles et de maquettes commémorent, au musée d'Art et d'Histoire de la ville, le soulèvement de Vendée.

Le tombeau du marquis de Vaubrun dans la chapelle de Serrant

Musée d'Art et d'Histoire
27, av. de l'Abreuvoir. 02 41 49 29 00. *mer. à lun.* *vacances scol.*

Le château de Serrant ❹

Carte routière B3. *Angers, puis taxi.* *St-Georges-sur-Loire* 02 41 39 13 01. *avril à juin, sept. à oct.: mer. à lun. ; juil. à août : t.l.j.*

Le plus à l'ouest des grands châteaux de la Loire, Serrant a été entrepris en 1546, sur des plans de Philibert de l'Orme, et développé pendant trois siècles dans un style harmonieux. Ses façades de calcaire clair et de schiste foncé, avec des tours massives couronnées de dômes, lui donnent un air de dignité cérémonieuse. Le pavillon central contient un des plus beaux escaliers Renaissance de la région. Le château possède aussi une magnifique collection de meubles XVIIIe et de tapisseries flamandes, ainsi qu'une bibliothèque de quelque 12 000 livres.

Le plus célèbre propriétaire de Serrant a été le marquis de Vaubrun, dont la mort, au cours de la bataille d'Altenheim (en 1675), est commémorée dans la chapelle, œuvre de l'architecte Hardouin-Mansart, par un splendide tombeau, sculpté par Antoine Coysevox. Au XVIIIe siècle, le château fut acquis par les Walsh, famille irlandaise jacobite, armateurs de Nantes. En 1830, Serrant devint la propriété du duc de La Trémoille, et il appartient toujours à un de ses descendants.

Façade sud du château de Serrant, avec ses énormes tours

Statue de la Madone dans le mur de l'église, à Béhuard

Béhuard ❺

Carte routière C3. *Baiche Maine, puis taxi.* *Angers (02 41 23 51 11).*

Les étroites ruelles du village médiéval qui se trouve sur cette merveilleuse île de la Loire n'ont pas été prévues pour des voitures mais pour les pèlerins qui venaient faire leurs dévotions dans une petite église bâtie sur une pointe de rocher. On venait y prier, avant la christianisation, pour la sauvegarde des marins qui naviguaient sur ce fleuve perfide.

D'une simplicité émouvante, cette église a été construite au XVe siècle, avec le soutien de Louis XI qui avait lui-même échappé à un naufrage sur la Loire.

Le château du Plessis-Bourré 6

Carte routière C3. *Angers, puis taxi.* *02 41 32 06 72.* *mars à juin, sept. à nov. : jeu. apr.-midi à mar. ; juil. à août : t.l.j. ; déc. et fév. : jeu. à mar., l'apr.-midi seulement.* *r. de-chaus. seulement.*

Installé sur une douve si large qu'on dirait un lac, avec ses murs blanc argenté et ses toits d'ardoises noires, le château du Plessis-Bourré a l'air de flotter sur l'eau. Construit en cinq ans, à partir de 1468, par Jean Bourré dont ce fut la demeure, c'est son œuvre la mieux préservée, et peut-être la plus parfaite.

En sa qualité de conseiller et de trésorier du roi, Bourré supervisa aussi la création de Langeais *(p.92)* et de Jarzé, et usa de son influence pour transformer les anciennes forteresses en châteaux de plaisance. Le château du Plessis-Bourré est lui-même fortifié, ce qui ne l'empêche pas d'avoir été conçu pour une vie élégante. Son état de conservation est dû à la qualité de ses matériaux et à l'habileté de ses artisans.

Après avoir traversé un grand pont à sept arches, on pénètre sous les arcades de la cour par un des deux ponts-levis qui fonctionnent encore et que le propriétaire ferme tous les soirs grâce à un remarquable mécanisme. Les pièces de réception sont quant à elles légères, aériennes et décorées de pierres gravées. Le plafond peint de la salle des Gardes représente des scènes allégoriques ou d'alchimie, comme celle du loup-démon Chicheface, horriblement maigre parce qu'il ne pouvait manger que les femmes qui obéissaient toujours à leur mari ! Il reste quelques meubles du XVIIIe. Pendant la Révolution, les armoiries qui figuraient sur les cheminées de la bibliothèque ont été barbouillées et l'on y voit encore des graffiti.

Plafond de la salle des Gardes

Château du Plessis-Bourré, dans sa large douve

L'observation des oiseaux dans les basses vallées angevines

Au confluent de la Sarthe, du Loir et de la Mayenne, les basses vallées angevines – 4 500 hectares – sont inondées chaque année d'octobre à mai. C'est un exceptionnel poste d'observation des milliers d'oiseaux migrateurs qui s'y rendent.

Le plus rare de tous, l'insaisissable râle des genêts, arrive en mars. Il en existe plus de 300 couples dans la région, plus que dans tout le reste de l'Europe. Cette espèce est protégée par des méthodes de culture éclairées, telles qu'une fenaison tardive. Les insectes des prés, des douves et des rivières attirent les martinets, les hobereaux, les traquets et les bergeronnettes. Au début de l'été, leurs chants résonnent dans les basses vallées et l'on peut entendre, le soir, le cri étrange du râle des genêts.

Plaines inondées de l'Anjou au crépuscule

Le château de Montgeoffroy ❼

Carte routière C3. *Angers ou Saumur, puis taxi.* *02 41 80 60 02.* *mi-mars à mi-nov. : t.l.j.*

Montgeoffroy est un petit chef-d'œuvre de la fin du XVIIIᵉ, construit par l'architecte Nicolas Barré pour le maréchal de Contades, et remarquablement entretenu par ses descendants. Ce qui frappe aussitôt, c'est son équilibre et sa légèreté, avec ses subtiles harmonies de gris et de rose, ses grandes portes-fenêtres et son ravissant parc.

Façade symétrique du château de Montgeoffroy

Le bâtiment central est flanqué de pavillons aux toits plats qui permettent aux deux ailes latérales de communiquer avec la maison principale ; les ailes se terminent par des tours du XVIᵉ siècle. Dans une de ces tours, une salle de harnachement conduit à des étables où sont exposées des voitures. La chapelle qui se trouve dans l'autre aile date aussi du XVIᵉ siècle. La cuisine possède une collection de 260 pichets de cuivre et d'étain. Les pièces les plus importantes sont animées par des tableaux, des tapisseries et des meubles réalisés spécialement pour le château. Dans la salle à manger, le maréchal a rapporté de Strasbourg, où il était gouverneur, un poêle en forme de palmier. Dans le grand salon, ses bâtons entrecroisés servent de motif décoratif. Dans les appartements de Mme Hérault, l'« amie » du maréchal, on peut voir le portrait de leur petit-fils naturel, Marie Jean Hérault de Séchelles.

Hérault de Séchelles par Hubert Drouais

Étables de Montgeoffroy abritant la collection de voitures

Bécassine

Vanneau

Les espèces d'oiseaux

Canards, cormorans et foulques sont visibles toute l'année. En hiver s'y ajoutent des oies et des cygnes, ainsi que des pluviers dorés. Février voit arriver 30 000 barges à queue noire. Des pilets, des oies sauvages, des vanneaux et des mouettes rieuses passent aussi par là, de même que des échassiers : bécassines, chevaliers gambette ou bécasseaux.

Pluvier doré

MODE D'EMPLOI

Carte routière C3. *Angers, puis taxi ou voiture louée.* *Ligue pour la Protection des Oiseaux, 84, rue Blaise-Pascal, Angers (02 41 44 44 22).* *Excursions jour, soir et week-end, y compris sorties spéciales pour enfants.* *Réservations nécessaires pour programmes LPO.* *Meilleur point de vue (fév.-fin juil.) : confluent du Loir et de la Sarthe. Prendre la D 107 d'Angers à Cantenay-Epinard. Tourner à droite juste avant le village et suivre la direction du vieux Cantenay. Reprendre la D 107 via Vaux. Continuer au nord vers Noyant, d'où toutes les petites routes qui traversent les prairies mènent à la Sarthe. Retourner à Noyant et se diriger vers Les Chapelles et Soulaire-et-Bourg. Puis prendre la D 109 pour Briollay, si la route est praticable.*

Angers 8

Sculpture de la cathédrale

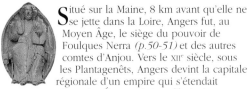

Situé sur la Maine, 8 km avant qu'elle ne se jette dans la Loire, Angers fut, au Moyen Âge, le siège du pouvoir de Foulques Nerra *(p.50-51)* et des autres comtes d'Anjou. Vers le XIIe siècle, sous les Plantagenêts, Angers devint la capitale régionale d'un empire qui s'étendait jusqu'en Écosse. Aujourd'hui, c'est une ville universitaire florissante, avec de larges boulevards, de magnifiques jardins publics et de vieilles rues étroites évocatrices de sa longue histoire.

La Maison d'Adam, avec sa façade sculptée

À la découverte d'Angers

Angers est coupée en deux par la Maine. La vieille ville se trouve en grande partie sur la rive gauche, avec le **château** aux allures de forteresse *(p.74-75)*. L'Apocalypse, la plus ancienne et la plus grande tapisserie française, qui date du XIVe siècle *(p.76-77)*, est dans ses murs. À quelques pas de là se dresse la **cathédrale Saint-Maurice**.

Angers compte quarante-six maisons à colombage, pour la plupart situées dans les environs de la cathédrale, et dont la principale, la **Maison d'Adam**, se trouve au n° 1 de la place Sainte-Croix. Cette maison du XVe siècle, qui appartenait à un marchand, est décorée de nombreuses figures sculptées représentant des sirènes, des musiciens et des amants. Cette très coûteuse ornementation était destinée à faire étalage de la richesse de son propriétaire. La façade de la Maison d'Adam, devenue un centre de l'industrie textile, reste son charme essentiel.

Sur la rive droite de la Maine, le vieux quartier de **la Doutre** (« d'outre Maine » ou « l'autre côté de la Maine ») mérite certainement le détour. Autrefois quartier de maisons de commerce habité seulement par des miséreux, il a été restauré et possède de nombreux bâtiments à colombage bien conservés.

De la rue Gay-Lussac à la place de la Laiterie, la promenade vaut la peine. On passe de nombreuses maisons historiques, dont l'élégant **Hôtel des Pénitentes** (jadis refuge pour prostituées repenties), une **apothicairerie** du XIIe siècle et l'église restaurée de **la Trinité** qui jouxte les ruines romanes de l'**abbaye du Ronceray**, abbaye bénédictine de Foulques Nerra réservée aux filles de la noblesse.

Cathédrale Saint-Maurice

4, rue Saint-Christophe.
02 41 87 58 45. t.l.j.

Cette impressionnante cathédrale date de la fin du XIIe siècle bien que la tour-lanterne centrale ait été ajoutée à la Renaissance. Les sculptures gothiques de la façade sont encore impressionnantes malgré les dégâts subis au cours des années et les éclats d'obus dont elles sont criblées.

La voûte élégante de la nef et du transept est un des premiers et meilleurs exemples du genre et donne au très haut plafond une forme arrondie de coupole. L'intérieur de la cathédrale est éclairé par des vitraux, dont une splendide rosace du XVe siècle au nord du transept.

Musée des Beaux-Arts

10, rue du Musée. 02 41 88 64 65. mi-juin à mi-sept. : t.l.j. ; mi-sept. à mi-juin : mar. à dim. 1er mai, 8 mai.

Angers conserve ses collections dans un belle maison du XVe siècle, le Logis Barrault. Au premier étage, une exposition d'antiquités religieuses, dont une croix d'Anjou lapidaire, un masque de femme du XIIIe siècle en cuivre doré et des sceptres provenant des abbayes de Toussaint et de Fontevraud *(p.86-87)*.

Parmi les tableaux des galeries supérieures on trouve un certain nombre de portraits, dont celui d'Agnès Sorel, maîtresse de Charles VII *(p.104)* ; des natures mortes de Jean-Baptiste Chardin ; *Les Génies des Arts,* œuvre vaste et amusante de François Boucher ; et de Jean Auguste Dominique Ingres : *Paolo Malatesta et Francesca da Rimini,* illustration de *l'Enfer* de Dante.

L'un des nombreux jardins publics d'Angers

Le Cointreau

Angers, la ville du Cointreau, en produit environ 30 000 bouteilles chaque année. La distillerie a été fondée en 1849 par les frères Cointreau, dont les fortifiants exotiques et curatifs étaient célèbres autour d'Angers. Mais la recette originale du Cointreau est due à Édouard, le fils de l'un d'eux. Le parfum unique de cette liqueur incolore repose sur un mélange d'écorces d'oranges douces et amères.

Mode d'emploi

Carte routière C3. *200 000.* *pl. de la Gare.* *pl. de la République.* *pl. Kennedy (02 41 23 51 11).* *ven. à dim., mer.* *Festival d'Anjou (juil.).*

Galerie David-d'Angers

37 bis, rue Toussaint. *02 41 87 21 03.* *mi-juin à mi-sept. : t.l.j. ; mi-sept. à mi-juin : mar. à dim.* *vac. scol.*

Sous les verrières qui recouvrent les ruines du XIIIe siècle de l'ancienne église Toussaint, sont conservés les moules en plâtre des œuvres de Pierre-Jean David (1788-1856), dit David d'Angers. Ses bustes et ses silhouettes idéalisés étaient très recherchés. Il représenta de nombreux hommes illustres comme le marquis de Bonchamps *(p. 57)*. Leurs lignes sont de parfaits exemples de l'art académique.

Une sculpture de David d'Angers

Hôpital Saint-Jean (Musée Jean Lurçat)

4, bd Arago. *02 41 87 41 06.* *mi-juin à mi-sept. : t.l.j. ; mi-sept. à mi-juin : mar. à dim.* *vacances scol.*

Cet élégant bâtiment, chef-d'œuvre gothique de La Doutre, a été un hôpital jusqu'en 1875. C'est le plus vieux de ceux qui ont survécu. Fondé en 1175 par Henri II d'Angleterre, les armoiries des Plantagenêts voisinent avec celles d'Anjou juste à l'entrée du ravissant rez-de-chaussée. Une reconstruction de la pharmacie occupe un coin de la Salle des Malades et, au fond de la galerie, une porte mène à la chapelle et à un cloître du XIIe siècle. L'hôpital Saint-Jean abrite le musée Jean Lurçat, un ensemble de tapisseries de l'artiste qui a inspiré la renaissance de cette forme d'art *(p. 77)*.

Espace Cointreau

Bd des Brétonnières. *02 41 43 25 21.* *mi-juin à mi-sept. : lun. au ven., sam. et dim. et vac. scol. : l'apr.-midi seulement ; mi-sept. à mi-juin : (l'apr.-midi seulement)*

Dans la seule distillerie, située dans le quartier Saint-Barthélemy, on peut assister à la fabrication du Cointreau, depuis ses matières premières jusqu'à sa mise en bouteilles. L'échelle de l'opération est impressionnante, avec ses 19 alambics de cuivre et son énorme matériel d'embouteillage. En sortant, on peut goûter cette fameuse liqueur et visiter le musée adjacent où des documents, des rappels d'événements et des informations audio-visuelles retracent l'évolution du Cointreau.

Le Centre d'Angers

Cathédrale Saint-Maurice ③
Château ②
Galerie David-d'Angers ⑤
Hôpital Saint-Jean (Musée Jean Lurçat) ①
Maison d'Adam ④
Musée des Beaux-Arts (Logis Barrault) ⑥

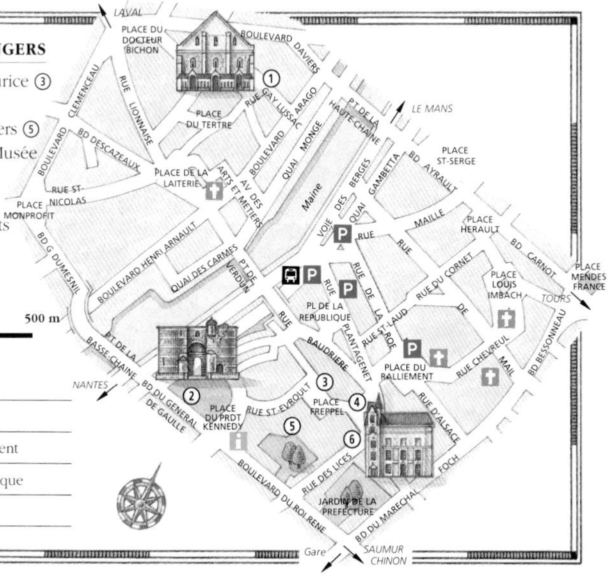

Légende

- Arrêt d'autobus
- P Parc de stationnement
- Information touristique
- Église

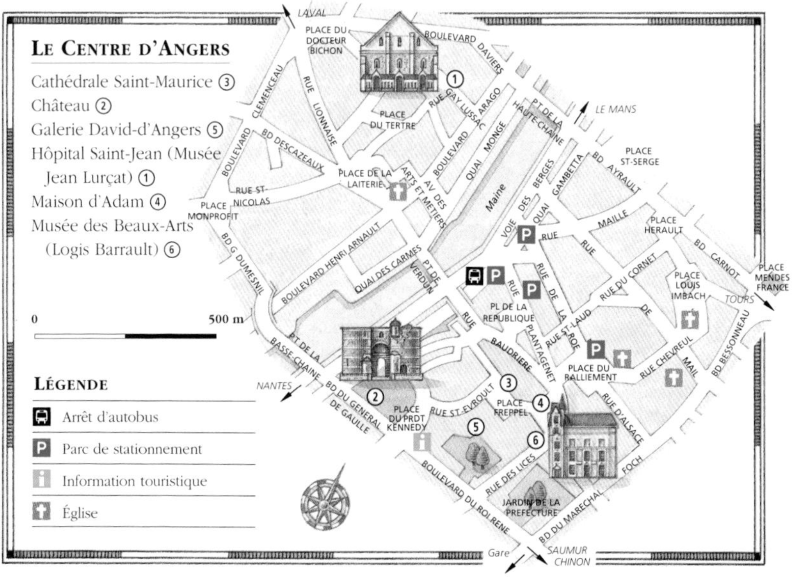

Le château d'Angers

Cerf vivant dans la douve asséchée

Cette puissante forteresse féodale, avec ses énormes tours en tambour et ses murs-rideaux, a été construite entre 1228 et 1240, sur ordre de Blanche de Castille, mère de Louis IX et régente pendant la minorité du futur roi. Plus tard, dans son périmètre de 650 m, on lui donna son aspect actuel qui contraste avec ses tours menaçantes. Le roi René Ier, dernier duc d'Anjou, y ajouta de jolis bâtiments, des jardins, des volières et une ménagerie. Après avoir servi de prison pendant plusieurs siècles, cette citadelle-château abrite aujourd'hui les plus importantes tapisseries de France.

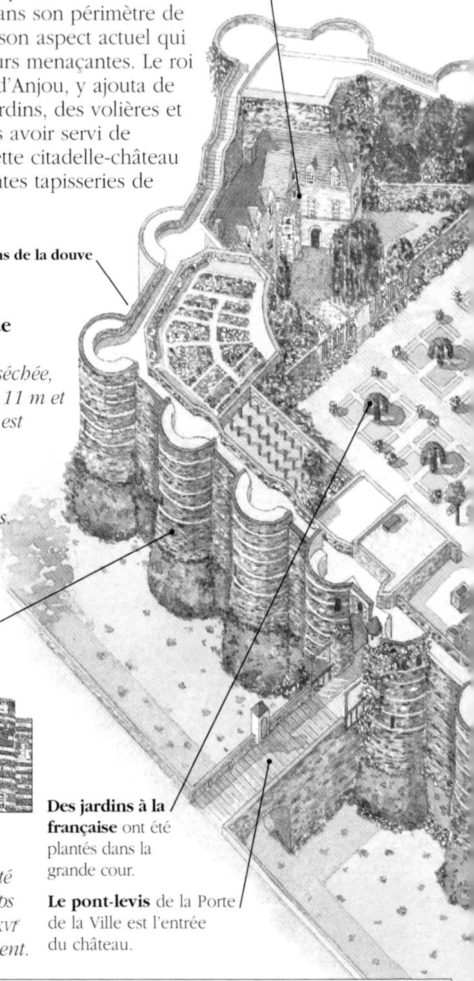

Le logis du gouverneur a été construit au XVe siècle et modifié au XVIIIe.

Jardins de la douve

★ Jardins de la douve

La douve asséchée, profonde de 11 m et large de 30, est remplie maintenant de parterres géométriques.

Les tours

Il y en a 17, de 60 m de hauteur. Elles ont perdu leur toit en poivrière et ont été raccourcies, histoire de gagner du temps avant d'obéir à l'ordre du roi qui, au XVIe siècle, voulait les supprimer complètement.

Des jardins à la française ont été plantés dans la grande cour.

Le pont-levis de la Porte de la Ville est l'entrée du château.

Chronologie

1228–1240 Construction d'une forteresse, là où les comtes d'Anjou avaient déjà bâti d'autres châteaux

1360 Louis Ier d'Anjou fait percer des portes et des fenêtres pour atténuer l'aspect lugubre des murs

1410 Louis II et Yolande d'Aragon reconstruisent la chapelle et le logis royal

1450–1465 René Ier rénove l'intérieur, ajoute des jardins et de nouveaux bâtiments

Henri III

1585 Les huguenots s'emparent de la forteresse. En représailles, le gouverneur fait raccourcir les tours

1648–1652 Louis XIV convertit la forteresse en prison

1875 Classé monument historique

1945 Utilisée par les Allemands, la forteresse est endommagée par des bombardements alliés

1952–1954 Bernard Vitry construit une galerie pour exposer la tapisserie de l'Apocalypse

1200 | 1300 | 1400 | 1500 | 1600 | 1700 | 1800 | 1900

★ L'Apocalypse
Cette tapisserie est exposée dans la galerie de l'Apocalypse de Bernard Vitry (p.76-77).

MODE D'EMPLOI

Promenade du Bout-du-Monde. 02 41 87 43 47. *mi-avril à mai : 9 h à 12 h 30, 14 h à 18 h 30 t.l.j. ; juin à mi-sept. : 9 h à 19 h ; mi-sept. à oct. : 9 h 30 à 12 h 30, 14 h à 18 h ; nov. à mars : 9 h 30 à 12 h 30, 14 h à 17 h 30, (dernière entrée : 45 mn av. la ferm.).* vac. scol.

Le vitrail représente René Ier, roi de Naples, et sa femme, Jeanne de Laval, s'agenouillant devant la Vierge.

Un chemin pédestre s'étend dans toute la largeur des murs, sur plus d'un kilomètre. Beaux aperçus de la ville et de quelques magnifiques jardins.

On grimpe dans les tours par des escaliers en spirale.

Le Logis Royal abrite les merveilleuses tapisseries mille fleurs (p.77).

★ Châtelet
Construite par René Ier en 1450, la porte a conservé ses jolis toits en poivrière.

★ L'oratoire ducal
L'oratoire ducal donne sur la chapelle Sainte-Geneviève. Équipé d'une cheminée et décoré de statues des anciens propriétaires du château, il était réservé au duc et à sa famille.

À NE PAS MANQUER

- ★ La tapisserie de l'Apocalypse
- ★ L'oratoire ducal
- ★ Les jardins de la douve
- ★ Le châtelet

L'Apocalypse d'Angers

Cette tapisserie, tissée au XIVe siècle pour le duc Louis Ier d'Anjou et considérée comme un chef-d'œuvre, illustre les visions de saint Jean dans l'*Apocalypse*. Dans le chambardement de la Révolution, elle fut mise au rebut, taillée en pièces et servit aussi bien de baldaquins que de couvertures de cheval. Sa restauration date du milieu du XIXe. Les parties sauvées occupent 103 m d'une salle construite pour elle dans le château. Près de 600 ans après sa création, elle a inspiré à Jean Lurçat sa propre suite de tapisseries, *Le Chant du Monde*.

Détails de l'œuvre
Chaque démon dévorant Babylone a son caractère propre. Cette tapisserie est si habilement tissée que l'image de derrière est presque le miroir de celle de devant.

Saint Jean est le narrateur de chaque vision.

Un ange dicte ses instructions à saint Jean : la couleur de son vêtement, passée avec le temps, est devenue beige.

Les oiseaux impurs qui habitaient Babylone s'échappent et les esprits mauvais s'élèvent dans les airs.

LA CHUTE DE BABYLONE ENVAHIE PAR LES DÉMONS
L'*Apocalypse* a été tissée (1375-1383) dans des ateliers parisiens. Dessinée par Hennequin de Bruges qui s'inspira des enluminures d'un manuscrit carolingien, elle représente la fin du monde et la nouvelle Jérusalem. À l'origine, ses 90 panneaux comportaient 6 chapitres de 14 scènes chacun. La scène 66 dépeint la chute de Babylone : « Elle est tombée, elle est tombée la grande Babylone, et elle est devenue la demeure des démons » (Apocal. 18-2).

Les tapisseries à mille fleurs
Ces éclatantes tapisseries flamandes (fin du XVe s.) sont exposées dans le Logis Royal.

Les tours de Babylone, en s'écroulant, dévoilent un nid de démons.

Des fonds bleus alternent avec des fonds rouges, affirmant l'unité de la série.

Le Chant du Monde

Jean Lurçat (1892-1966)

Le grand espace voûté du musée Jean Lurçat *(p. 73)* offre une stupéfiante toile de fond au *Chant du Monde*. C'est après avoir vu l'*Apocalypse*, en 1937, que Lurçat réalisa cette tapisserie en laine de 79 m de long. Tissée dans les ateliers d'Aubusson de 1957 à 1963, elle est composée de 10 panneaux de 4 m de hauteur qui s'étendent sur trois côtés du hall. Elle met en images les horreurs du génocide nazi et des bombardements sur Hiroshima, jusqu'à la conquête de l'espace, conçue comme l'aube d'une ère nouvelle.

« Ornamentos Sagrados » dans *Le Chant du Monde* de Lurçat

L'ART DE LA TAPISSERIE

Tisserand au Moyen Âge

Au Moyen Âge, les tapisseries, commandées par les familles royales ou la noblesse pour les châteaux et les églises, étaient symboles de magnificence. Tendues sur les épais murs de pierre de leurs vastes salles, elles contribuaient à entretenir la chaleur.

À Paris ou en Flandres, des ouvriers hautement qualifiés suivaient un dessin grandeur nature, le « carton » fourni par l'artiste. Les fils étaient tendus verticalement (la chaîne) sur un métier à tisser de la longueur de l'ouvrage, puis on passait horizontalement entre eux des fils de couleur (la trame). La tapisserie a décliné à partir du XVIe siècle, mais a connu un renouveau au XXe, quand des artistes comme Picasso ou Matisse s'y essayèrent.

Manufacture Saint-Jean à Aubusson : fils de couleur pour tapisseries

Les caves à vin de Brissac

Le château de Brissac ❾

Brissac-Quincé. **Carte routière** C3.
Angers, puis taxi.
02 41 91 22 21. *mer. à lun.*

Le château des ducs de Brissac, qui domine l'Aubance à 18 km au sud-est d'Angers, est le plus élevé de ceux qui bordent la Loire et sans doute le plus grandiose des édifices encore privés. La lignée de ses propriétaires remonte à Charles de Cossé, gouverneur de Paris et maréchal de France. À sa mort, en 1621, ce vaste palais, à l'édification duquel travaillaient de nombreux artistes, demeura inachevé.

À l'entrée, un pavillon à dôme, du XVIIe siècle, de 37 m de haut, est flanqué de deux tours rondes à mâchicoulis du XVe siècle. Dix des 150 pièces du château sont ouvertes au public ; meubles, tableaux, tapisseries et autres trésors y sont exposés. On y accède par un bel escalier Louis XIII. La salle des gardes est la plus frappante, avec ses 32 m de long, ses tapisseries des Flandres, des Gobelins et d'Aubusson et ses plafonds dorés. La chambre à coucher de Louis XIII et le petit théâtre (1883), où l'on donne encore aujourd'hui des concerts, sont aussi remarquables. Dans la galerie des portraits figure celui de la veuve Clicquot, créatrice du fameux champagne et lointaine ancêtre du présent duc. La visite se termine dans les caves du XIe siècle, par une dégustation de vins.

Gennes ❿

Carte routière C3. *1 900.*
Saumur, Les Rosiers-sur-Loire.
square de l'Europe (02 41 51 84 14). *mar.*

À l'époque gallo-romaine *(p.48-49)*, le village de Gennes (Genina Loca) était un important sanctuaire rural. Dans son **amphithéâtre**, bâti à flanc de coteau il y a plus de 1 800 ans, se succédèrent des combats de gladiateurs du Ier au IIIe siècle. Les fouilles entreprises en 1985 ont mis au jour un stade, assez bien conservé, qui pouvait accueillir au moins 5 000 spectateurs sur ses gradins, avec des vestiaires et un système efficace de drainage. Devant l'arène de 2 160 m², les marais de l'Avort étaient probablement inondés en vue de jeux aquatiques.

La région de Gennes est également très riche en sites mégalithiques de type angevin. Le **dolmen de la Madeleine**, parmi la vingtaine de tombeaux et de menhirs alentour, est un des plus grands d'Anjou. Utilisé encore récemment comme le prouve la présence d'un four à l'intérieur, il se trouve à 1 km à l'est, après l'**église Saint-Vétérin**, du Moyen Âge, sur la D 69.

L'église médiévale Saint-Vétérin, à Gennes

De la tour de **Saint-Eusèbe** – église en ruine (XIe-XVe siècle) située sur une colline – on jouit d'un magnifique panorama, qu'on distingue encore mieux en montant au clocher, ouvert en été. À côté de la vieille nef : émouvant monument à la mémoire des cadets de l'école d'équitation de Saumur *(p.83)*, morts en essayant d'empêcher l'armée allemande de passer la Loire en juin 1940.

On a découvert sur la colline une statue en bronze de Mercure, ce qui donne à penser qu'à l'époque gallo-romaine un temple lui avait été dédié à cet endroit.

Amphithéâtre
02 41 51 83 33. *juillet à août : ven. à lun. ; avril à juin et septembre : dimanche et vacances scolaires l'après-midi.*

Dolmen de la Madeleine
02 41 51 84 14. *tous les jours.*
limité.

Le dolmen néolithique de la Madeleine, près de Gennes

Aux environs
À 4 km de Gennes, à l'Orbière, on doit au sculpteur Jacques Warminsky **l'Hélice Terrestre**, une œuvre monumentale de 875 m², un labyrinthe en spirale découpé dans le calcaire tendre de la colline. Warminsky et ses assistants ont creusé toute une série de galeries, dont certaines à 14 m de profondeur.

L'hélice se poursuit à l'extérieur en une spirale de sens contraire. Ces deux espaces complémentaires sont l'expression de la philosophie de l'artiste.

Cette visite est l'occasion de découvrir l'architecture troglodytique grâce à des maquettes.

L'Hélice Terrestre
L'Orbière, St-Georges-des-Sept-Voies. **Carte routière** C3. *Saumur, Les Rosiers-sur-Loire, puis taxi. Gennes, puis taxi.* *02 41 57 95 92.* *mai à septembre : tous les jours ; octobre à avril : tous les jours, l'après-midi seulement.*

Jacques Warminsky travaillant à *L'Hélice Terrestre*

Cunault ⓫

Carte routière C3. *1 000.* *Les Rosiers-sur-Loire, puis taxi.* *pl. Victor-Daillaut (02 41 67 92 55).* *Les Heures Musicales (juillet à août), mois de l'orgue (mai).*

L'église priorale Notre-Dame de Cunault a la réputation d'être la plus majestueuse des églises romanes d'Anjou, sinon de toute la vallée de la Loire. Elle a été construite au XIIe siècle par les moines bénédictins de Tournus, en Bourgogne. Ils y incorporèrent un clocher du XIe siècle, provenant d'un édifice plus ancien, et, au XVe siècle, on y ajouta une courte flèche.

Cunault a l'église romane sans transept la plus longue de France. À l'intérieur, c'est sa simplicité et son élégance qui frappent d'abord. La hauteur des piliers est impressionnante. Ils sont coiffés de 223 chapiteaux, sculptés d'animaux fabuleux, de démons et de sujets religieux, placés assez haut pour ne pas altérer la pure architecture des lieux. Des jumelles sont nécessaires pour en apprécier le détail.

Trois nefs d'égale dimension étaient destinées à accueillir la foule des pèlerins qui venaient là admirer les reliques, dont l'anneau de mariage de la Vierge Marie ; le sol est d'ailleurs profondément usé au pied des marches de l'entrée, à côté d'un bénitier en marbre du XIIe siècle. Le déambulatoire est pavé en bordure de carreaux de terre cuite. Il reste des traces de fresques du XVe siècle, dont une représentation de saint Christophe. Parmi les autres trésors, des meubles en chêne et en frêne, un reliquaire en bois sculpté du XIIIe siècle et une statue en bois polychrome de sainte Catherine (XVe siècle).

La nef centrale de l'église de Cunault, du XIIe siècle

La culture des champignons

Environ 75 % des champignons cultivés proviennent d'Anjou. Les excavations humides et sombres de ses falaises calcaires sont des terrains privilégiés pour les champignons de Paris, ainsi dénommés parce qu'ils ont été cultivés d'abord, au XIXe siècle, dans des carrières abandonnées de la région parisienne. Aujourd'hui, dans la vallée de la Loire, la culture des champignons est une activité florissante qui emploie environ 5 000 personnes de la région. Pour répondre à la demande d'une clientèle d'amateurs, les producteurs se sont diversifiés et cultivent aujourd'hui d'autres champignons tels que les pleurotes.

Les pleurotes vivent sur le bois

Saumur pas à pas ⓬

Son château de conte de fées se dresse très au-dessus de la ville, sur une colline d'où l'on aperçoit sans mal le vieux quartier, situé pour sa plus grande partie entre le château, le fleuve et la rue principale qui prend naissance juste devant le pont central de la Loire. Les rues qui en serpentant montent et descendent la colline méritent qu'on s'y attarde. La modeste taille de Saumur, qui engage à visiter la ville à pied, n'est qu'un de ses nombreux charmes.

Le théâtre
Le théâtre de Saumur, construit sur le modèle de l'Odéon à Paris, date de la fin du XIXe siècle.

La rue Saint-Jean est le cœur du centre commerçant de Saumur.

L'hôtel des Abbesses de Fontevraud a été construit au XVIIe siècle, avec un merveilleux escalier en colimaçon.

La maison du Roi
Derrière la façade XIXe de cette banque de la rue Dacier, un bâtiment Renaissance, jadis demeure royale, est aujourd'hui le siège de la Croix-Rouge. Dans la cour, une plaque célèbre René Ier d'Anjou qui y tenait souvent sa cour.

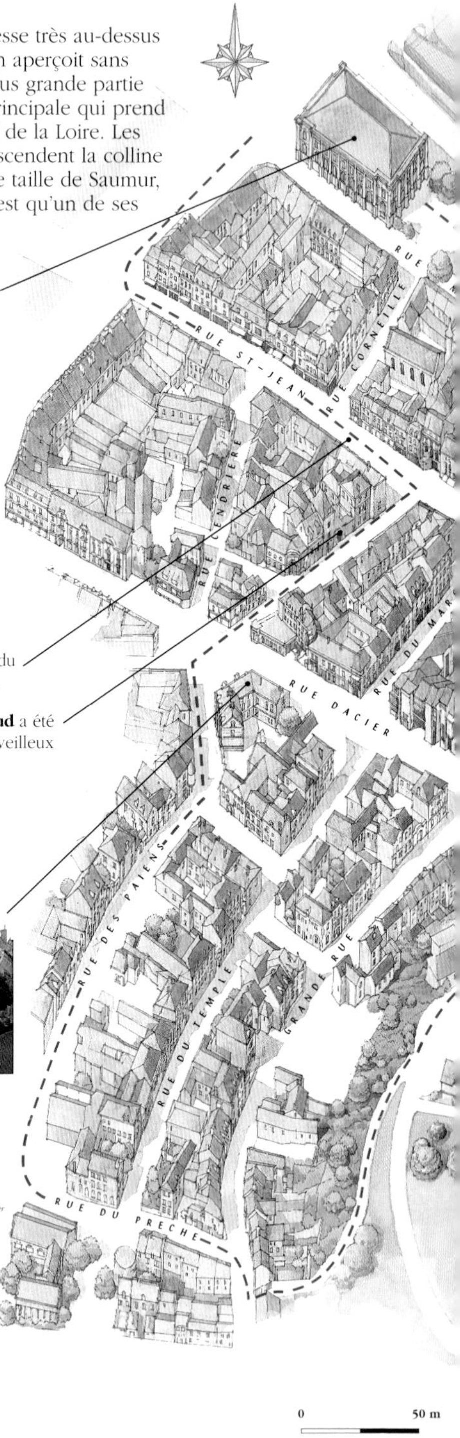

À NE PAS MANQUER

- ★ Château de Saumur
- ★ Église Saint-Pierre

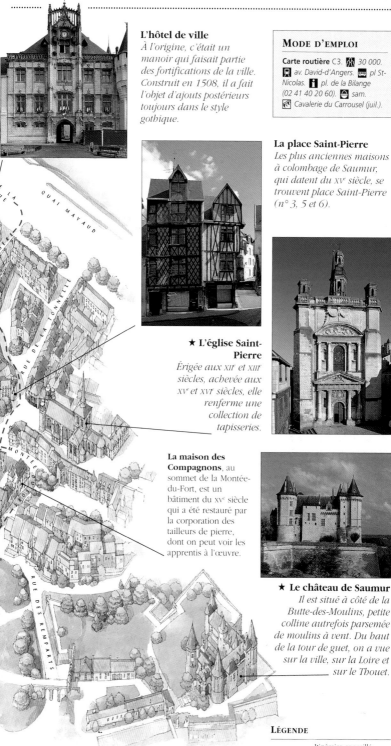

L'hôtel de ville
À l'origine, c'était un manoir qui faisait partie des fortifications de la ville. Construit en 1508, il a fait l'objet d'ajouts postérieurs toujours dans le style gothique.

MODE D'EMPLOI

Carte routière C3. 30 000. av. David-d'Angers. pl St-Nicolas. pl. de la Bilange (02 41 40 20 60). sam. Cavalerie du Carrousel (juil.).

La place Saint-Pierre
Les plus anciennes maisons à colombage de Saumur, qui datent du XVe siècle, se trouvent place Saint-Pierre (n° 3, 5 et 6).

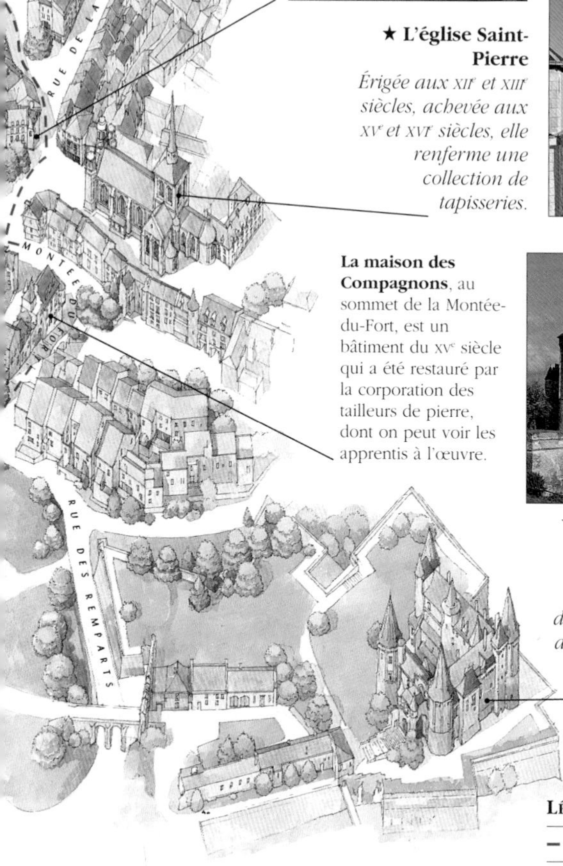

★ L'église Saint-Pierre
Érigée aux XIIe et XIIIe siècles, achevée aux XVe et XVIe siècles, elle renferme une collection de tapisseries.

La maison des Compagnons, au sommet de la Montée-du-Fort, est un bâtiment du XVe siècle qui a été restauré par la corporation des tailleurs de pierre, dont on peut voir les apprentis à l'œuvre.

★ Le château de Saumur
Il est situé à côté de la Butte-des-Moulins, petite colline autrefois parsemée de moulins à vent. Du haut de la tour de guet, on a vue sur la ville, sur la Loire et sur le Thouet.

LÉGENDE

— — — Itinéraire conseillé

À la découverte de Saumur

Aujourd'hui, Saumur est réputée pour ses vins pétillants, ses champignons et son Cadre noir. Aux XVIe et XVIIe siècles, c'était un grand port et un centre d'études protestantes, jusqu'à ce que la révocation de l'édit de Nantes, en 1685, en chasse la plupart des protestants. Une promenade dans les rues du vieux quartier vous donnera un aperçu de ce riche héritage.

Panneau d'une stalle du XVe siècle, dans l'église Saint-Pierre

Le vieux quartier

L'**église Saint-Pierre**, qui date du XIIe siècle, est au cœur du vieux quartier de Saumur. L'entrée principale a été malheureusement détruite par la foudre en 1674, mais des origines subsiste encore, sur le côté sud, une porte romane. Les stalles en bois sculpté du XVe siècle font partie de ses trésors tout comme les quelques tapisseries du XVIe siècle qui illustrent les vies de saint Pierre et de saint Florent, dont l'importance dans l'histoire monastique de la région fut considérable. Saint Pierre est représenté sauvé des persécutions romaines, tuant un dragon et fondant un monastère.

Façade de l'église Notre-Dame-de-Nantilly

Dans la **Grande-Rue** voisine, les maisons de pierre calcaire et d'ardoise évoquent la prospérité de Saumur à la fin du XVIe siècle, sous la houlette des protestants. Le « pape des huguenots », Philippe Duplessis-Mornay, gouverneur de la ville de 1589 à 1621, habitait au n° 45.

Notre-Dame-de-Nantilly, la plus vieille église de Saumur, a été pendant des siècles le principal lieu de dévotion. Ses lignes sévères datent du début du XIIe siècle. Au XIVe, Louis XI fit construire une nef gothique et un oratoire royal. L'église renferme des tapisseries des XVIe et XVIIe siècles. On peut admirer les chapiteaux sculptés et l'épitaphe, gravée sur la troisième colonne du côté sud de la nef, composée par le roi-poète René Ier *(p.53)* pour sa nourrice.

Statuette du musée des Arts décoratifs

Le château de Saumur

02 41 51 30 46. juin à sept. : t.l.j. ; oct. à mai : mer. au lun.

1er jan., 25 déc.

La célèbre miniature des *Très Riches Heures du duc de Berry (p.23)* le représente en palais blanc de conte de fées. Il a été construit dans la deuxième partie du XIVe siècle par Louis Ier, duc d'Anjou, sur d'anciennes fortifications. Sa forêt d'étincelantes souches

Ligne des toits du château

de cheminées et de pinacles a été réduite plus tard à une ligne d'horizon plus vigoureuse de tours pointues, sans pour autant lui faire perdre de sa grâce. Les appartements des ducs ont une vue très romantique sur la Loire. Les impressionnants communs rappellent les rôles moins plaisants de bastion protestant, de prison d'État et, finalement, de caserne que l'édifice a joués par la suite.

Deux musées très différents occupent le château. Le **musée des Arts décoratifs** expose les collections du comte Charles Lair, lequel en a fait don au château en 1919 : tableaux, tapisseries, meubles, petites sculptures et céramiques, du XIIIe au XIXe siècle. Et, délice des amoureux du cheval, le **musée du Cheval** est installé sous les poutres du plafond des greniers. Fondé par un vétérinaire de l'École de Saumur, il retrace l'histoire de cet animal et de ses relations avec l'homme, des temps préhistoriques à nos jours. Y sont également exposés un magnifique traîneau russe sculpté et le squelette de l'invincible Flying Fox, vainqueur du Derby d'Epsom en 1899 et ancêtre de champions français du XXe siècle. Sans oublier une collection de selles splendides, provenant du monde entier.

Musée des Blindés
1043, rte de Fontevraud.
02 41 53 06 99. *t.l.j.* *1er jan., 25 déc.*
Ce musée, aux airs d'écuries, héberge des centaines de tanks. Propriété de l'École d'application de l'arme blindée et de la cavalerie, il expose plus de tanks historiques et de véhicules de transport en état de marche que toute autre collection militaire au monde.
Depuis le FT 17 Renault de 1917 jusqu'aux monstres contemporains, en passant par les panzers allemands, ce musée offre la possibilité de contempler de près ces vétérans de nombreux conflits.

Un tank Renault de 1917 au musée des Blindés

Dolmen de Bagneux
56, rue du Dolmen, Bagneux.
02 41 50 23 02. *5 jan. au 20 déc. : t.l.j.*
La route principale de Saumur (N 147) mène directement dans les faubourgs de Bagneux. Et là, étrangement situé dans le jardin d'un bar, se trouve l'un des plus impressionnants des tombeaux néolithiques d'Europe. Le touriste peut siroter sa boisson dans le jardin, tout en contemplant ce dolmen et ses dalles de grès, pesant jusqu'à 40 tonnes, qui ont été mises en place il y a quelque 5 000 ans.

Vers le dolmen de Bagneux

Aux environs
Le village de Saint-Hilaire-Saint-Florent, à 2 km au nord-ouest de Saumur sur la D 751, mérite le détour pour ses musées et sa fameuse école d'équitation, ainsi que pour ses caves où le visiteur peut goûter et acheter le fameux saumur brut, un vin pétillant produit par la méthode champenoise. La pierre calcaire, dont le sol où poussent les raisins est chargé, augmenterait encore, dit-on, sa tendance naturelle à pétiller.

Musée du Champignon
D 751, St-Hilaire-St-Florent.
02 41 50 31 55. *mi-fév. à mi-nov. : t.l.j.*
Ce musée unique au monde nous entraîne dans un réseau de caves calcaires. On y voit comment les champignons, issus de sacs ou de boîtes de compost, s'épanouissent dans l'humidité et la température constante de cet environnement *(p.79)*. Le musée possède une vaste collection d'espèces vivantes de champignons, de même que de fossiles trouvés pendant les travaux. La spécialité locale – les galipettes farcies, gros champignons remplis de farces diverses – mérite qu'on y goûte.

Le dolmen de Bagneux, vieux de 5 000 ans

Musée du Masque
Rue de l'Abbaye, St-Hilaire-St-Florent.
02 41 50 75 26. *Pâques à mi-oct. : t.l.j. ; mi-oct. à mi-déc. : sam. et dim.*
Saumur tient une place importante dans la création de masques et ce petit musée, lié à la fabrique de masques Jules César de Saint-Hilaire-Saint-Florent, est un vrai délice. Spécialisée dans les masques d'acteurs, de rois et d'hommes politiques, cette société fabrique aussi bien des caricatures que des portraits. Sont exposés aussi des tableaux représentant des modèles en costumes de cirque, de carnaval, de théâtre ou de cinéma, avec des masques remontant jusqu'à 1870.

Tintin au musée du Masque

École nationale d'Équitation
Terrefort, St-Hilaire-St-Florent.
02 41 53 50 60. *avril à sept. : lun. ap.-midi au sam. matin (également juin à août : sam. apr.-midi). Le matin : spectacles et bâtiments ; apr.-midi : bâtiments seul.*
Le Cadre noir de l'académie, fondée en 1767, et dont est issue l'école ouverte en 1972, est renommé dans le monde entier pour son élégant uniforme de cérémonie noir et or. Les chevaux sont dressés selon une méthode particulière qui remonte au XIXe siècle. On leur enseigne une maîtrise et un équilibre parfaits, ainsi que des mouvements chorégraphiques qui révèlent leur grâce naturelle.
En été, on peut assister à une scéance d'entraînement et à leur spectaculaire exhibition.

Montreuil-Bellay ⓭

Carte routière C4. *4 300.* *pl. du Concorde (02 41 52 32 39) ; mardi, dimanche.*

À 18 km au sud de Saumur, Montreuil-Bellay est une ville close parcourue de rues étroites qui a conservé son enceinte médiévale construite du XIIIe siècle au XVe siècle. Le château et ses dépendances occupent un site fortifié au XIe siècle par Foulques Nerra et assiégé par Geoffroy Plantagenêt au siècle suivant. Il fut ceinturé au XIIIe par de puissants murs et 11 autres tours, dont une grande tour d'entrée (le Château-Vieux). À l'intérieur de ses remparts, une série de bâtiments, pour la plupart du XVe siècle, ont vue sur des jardins en terrasses qui descendent jusqu'au Thouet.

Fresques de l'oratoire du château de Montreuil-Bellay

Le Château-Neuf est une élégante construction de la fin du XVe siècle, à la façade Renaissance et dont la tourelle doit sa célébrité à la belle et scandaleuse Anne de Longueville (1619-1679) qui, un jour, grimpa à cheval jusqu'au sommet de son escalier en colimaçon.

Le château est meublé et compte bon nombre de cheminées de style flamboyant ainsi que des plafonds peints et sculptés. D'une beauté émouvante, le petit oratoire est décoré de fresques du XVe siècle représentant la crucifixion et des anges musiciens. La cuisine médiévale a été conçue sur le modèle de celles de l'abbaye de Fontevraud. Elle est surmontée d'une voûte pyramidale *(p.86-87).*

Château de Montreuil-Bellay
02 41 52 33 06. *avril à oct. : mer. au lun.*

Les troglodytes ⓯

Les excavations creusées dans les falaises de tuffeau des bords de la Loire et de l'Anjou riches en calcaire servent de colombiers, de chapelles, de fermes, de caves à vin et même d'habitations. Très anciennes, celles-ci remontent jusqu'au XIIe siècle et n'ont guère changé depuis. Certaines fermes troglodytiques sont aujourd'hui ouvertes à la visite, ce qui permet de découvrir les aspects du troglodytisme de plaine où la roche locale, le falun, a été creusée verticalement.

Dénézé-sous-Doué ⑥
Au XVIe siècle, pendant les guerres de Religion, plus de 400 personnages ont été sculptés sur les murs, les sols et les plafonds de ces grottes, par des tailleurs de pierre protestants.

Personnages sculptés à Dénézé-sous-Doué

La Fosse ⑦
Cette ferme troglodytique inhabitée est ouverte au public.

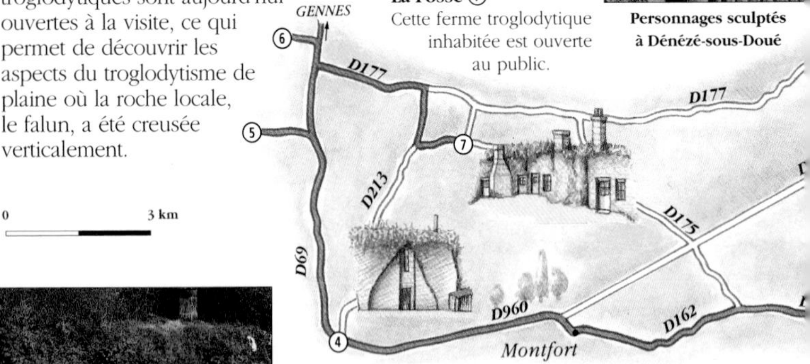

Habitations à Rochemenier

Rochemenier ⑤
Cette ancienne communauté de fermiers troglodytes a été transformée en un musée qui déploie sous terre des cours de ferme, des granges, des maisons et une chapelle.

Doué-la-Fontaine ④
La rue des Perrières a été excavée dans une couche de falun. Ses voûtes « cathédrales » ont été creusées d'en haut, verticalement. La ville possède aussi un amphithéâtre taillé dans le roc et un zoo exceptionnel installé dans d'anciennes carrières.

Le château de Montsoreau ⓮

Carte routière C3. *Saumur, puis taxi.* *02 41 51 70 25.* *mars – avril, oct.–nov. : mer. au lun., l'apr.-midi seulement ; mai à sept. : mer. au lun.* **Musée des Goums marocains**

Il reste encore un mur impressionnant des remparts qui entouraient ce château, achevé par Jean de Chambes en 1455. Vu de la cour, il offre cependant un aspect moins menaçant. La tour de l'escalier d'honneur, ajouté vers 1520, est percée de fenêtres en anse de panier, avec un amusant bas-relief représentant des singes travaillant à sa construction. Dans *la Dame de Montsoreau,* Alexandre Dumas raconte que le comte Charles de Chambes, jaloux de sa femme, l'obligea à y attirer son amant, Bussy d'Amboise, gouverneur de l'Anjou, pour le mettre à mort. Bien que cette histoire ait un fondement historique, le meurtre eut lieu en fait dans un château de la rive opposée du fleuve, disparu depuis longtemps.

Le château héberge le **musée des Goums marocains**, qui retrace l'histoire des régiments de cavalerie marocaine de 1908 à 1954.

Le château de Montsoreau sur la Loire

LÉGENDE

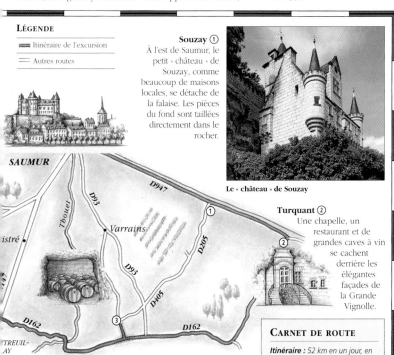

Itinéraire de l'excursion

Autres routes

Souzay ①
À l'est de Saumur, le petit « château » de Souzay, comme beaucoup de maisons locales, se détache de la falaise. Les pièces du fond sont taillées directement dans le rocher.

Le « château » de Souzay

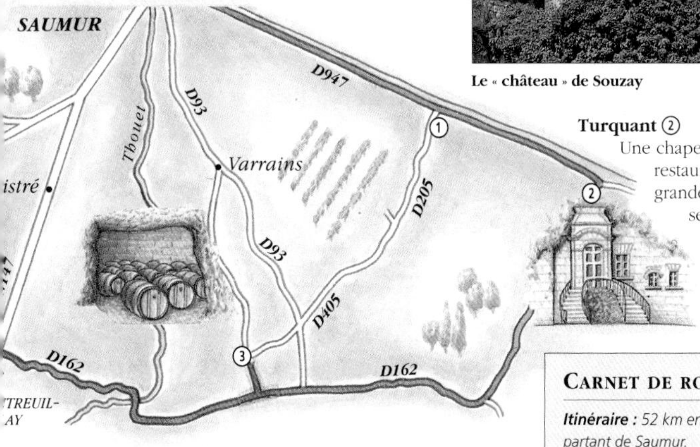

Turquant ②
Une chapelle, un restaurant et de grandes caves à vin se cachent derrière les élégantes façades de la Grande Vignolle.

Saint-Cyr-en-Bourg ③
Une des rares carrières de tuffeau encore en activité, vaste réseau de galeries souterraines, est occupée par la coopérative vinicole de Saint-Cyr, qui fabrique là toute une série de vins de Saumur d'appellation contrôlée.

CARNET DE ROUTE

Itinéraire : *52 km en un jour, en partant de Saumur.*
Où faire une pause ? *À Doué-la-Fontaine, agréable endroit où déjeuner. Le restaurant La France et l'auberge Bienvenue sont d'excellentes tables.*

L'abbaye de Fontevraud ⓰

Vitraux de l'église

Fondée pour hommes et femmes, en 1101, par l'ermite Robert d'Arbrissel, l'abbaye de Fontevraud est en France la plus grande et la plus extraordinaire dans son genre. Pendant près de 700 ans, elle fut dirigée par des abbesses, aristocrates pour la plupart de sang royal. Elles étaient à la tête d'un prieuré de moines, de quatre communautés de nonnes et de sœurs converses – de la riche veuve à la prostituée repentante –, d'une infirmerie et d'une léproserie. La restauration en cours s'applique à réparer les ravages de la Révolution et des 150 années suivantes, où cette « reine des abbayes » servit de prison.

Le grand réfectoire, avec ses voûtes d'ogives, est long de 60 mètres.

Les sœurs infirmières de l'ordre de saint Benoît soignaient les invalides dans cette partie de l'abbaye.

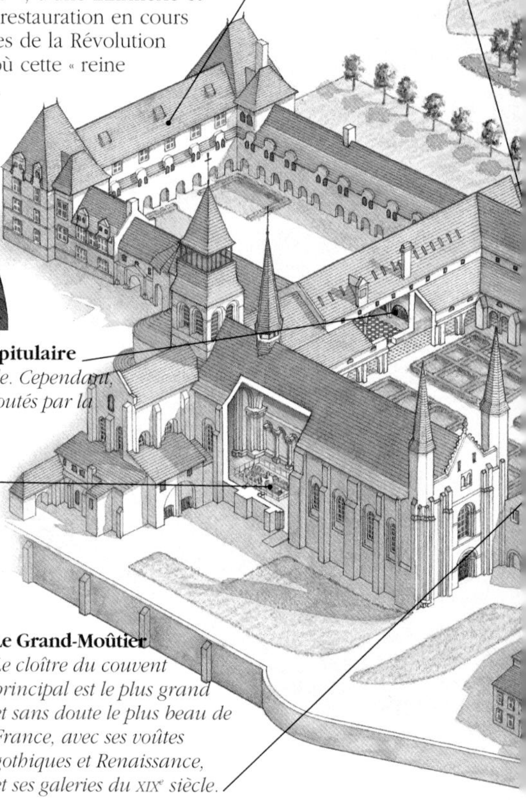

★ Les peintures de la salle capitulaire
Ses peintures datent du XVIe siècle. Cependant, quelques personnages ont été ajoutés par la suite.

★ Les gisants des Plantagenêts
Ces quatre gisants, des portraits réalistes, sont exposés dans la nef de l'église.

Le Grand-Moûtier
Le cloître du couvent principal est le plus grand et sans doute le plus beau de France, avec ses voûtes gothiques et Renaissance, et ses galeries du XIXe siècle.

À NE PAS MANQUER

- ★ Les gisants des Plantagenêts
- ★ Les peintures de la salle capitulaire
- ★ Les cuisines romanes

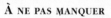

LES SÉPULTURES DES PLANTAGENÊTS

Le gisant peint d'Henri II Plantagenêt repose auprès de l'effigie de sa femme, Aliénor d'Aquitaine, morte à Fontevraud en 1204. À côté d'eux gisent leur fils, le roi Richard Cœur de Lion (1157-1199), et Isabelle, la femme de son frère, le roi Jean. Quinze membres de la famille sont enterrés dans la nef.

Effigies d'Aliénor d'Aquitaine et d'Henri II

Le prieuré Saint-Lazare
Destiné à hospitaliser des lépreux, ce prieuré est aujourd'hui un hôtel de 52 chambres, avec une chapelle romane et un élégant escalier du XVIIIe siècle.

Mode d'emploi

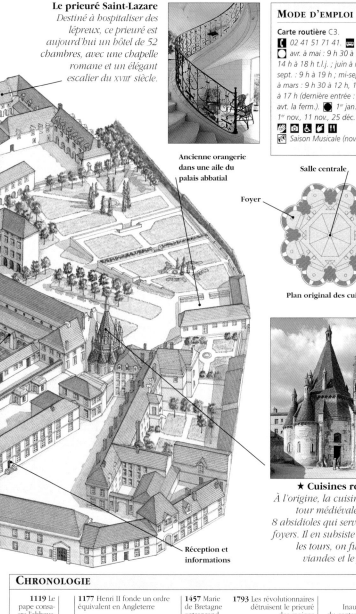

Carte routière C3.
02 41 51 71 41.
avr. à mai : 9 h 30 à 12 h, 14 h à 18 h t.l.j. ; juin à mi-sept. : 9 h à 19 h ; mi-sept. à mars : 9 h 30 à 12 h, 14 h à 17 h (dernière entrée : 30 mn avt. la ferm.). *1er jan., 1er nov., 11 nov., 25 déc.*
Saison Musicale (nov. à juin).

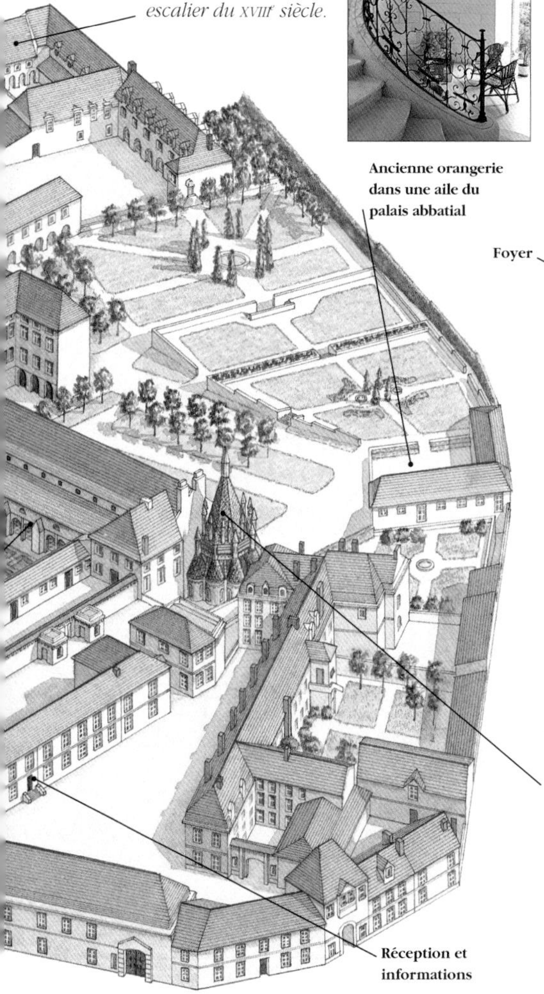

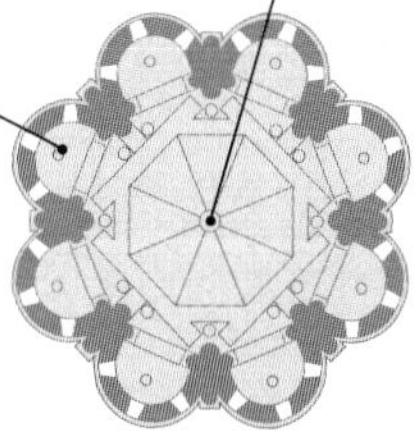

Plan original des cuisines

★ Cuisines romanes
À l'origine, la cuisine – une tour médiévale – avait 8 absidioles qui servaient de foyers. Il en subsiste 6. Dans les tours, on fumait les viandes et le poisson.

Chronologie

1119 Le pape consacre l'abbaye, l'église, et bénit le cimetière

1177 Henri II fonde un ordre équivalent en Angleterre

1204 Aliénor d'Aquitaine meurt dans l'abbaye et y est enterrée

1457 Marie de Bretagne entreprend ses réformes

1793 Les révolutionnaires détruisent le prieuré des moines

1561 Les huguenots profanent l'abbaye

1973 Inauguration du centre culturel de l'Ouest

1100 | 1300 | 1500 | 1700 | 1900

1115 Première abbesse nommée à la tête de chacun des cinq ordres

1099–1101 Robert d'Arbrissel (1045-1116) fonde l'ordre de Fontevraud

L'abbesse Gabrielle de Rochechouart - XVIIe siècle

1792 L'ordre est interdit par les révolutionnaires

1804 Napoléon convertit les bâtiments en prison d'État

1963 Fermeture de la prison, la restauration commence

LA TOURAINE

La Touraine est réputée surtout pour les splendides châteaux qui s'échelonnent le long de la Loire et de ses affluents. Viennent s'y ajouter la richesse de son histoire et ses paysages, qui en font l'archétype de la région. Ses terres onduleuses et ses forêts luxuriantes, qui séduisirent jadis les rois et les reines, continuent aujourd'hui à exercer leur charme sur les visiteurs du monde entier.

Les châteaux féodaux qui existent encore, Loches et Chinon par exemple, rappellent que cette région tranquille fut autrefois un champ de bataille sur lequel les comtes ennemis de Blois et d'Anjou se livrèrent plus d'un combat épique. C'est également ici, à Chinon, que Jeanne d'Arc pressa le futur Charles VII de lever une armée qu'elle allait conduire à la victoire sur les Anglais.

François Ier introduisit la Renaissance italienne en France et un style architectural auquel nous devons les plus fameux châteaux de la région. Les plus enchanteurs – Azay-le-Rideau, tout en finesse, Chenonceau à cheval sur le Cher et Villandry avec ses extraordinaires jardins à la française – datent de cette époque. À la fin du XVIe siècle, l'engouement de l'aristocratie pour la Touraine diminua, et les habitants adoptèrent un rythme de vie plus paisible. Tours, au cœur de la région, est un point de départ naturel pour le visiteur qui peut se promener dans la vieille ville, restaurée avec goût, et admirer la cathédrale Saint-Gatien, un chef-d'œuvre de l'art gothique.

La nature du terrain et la douceur du climat encouragent les activités de plein air, y compris la marche à pied, la navigation et la pêche. La région est également renommée pour ses primeurs, les asperges par exemple, cultivées sur son sol fertile et à basse altitude. Ses nombreux vins, dont les célèbres appellations contrôlées bourgueil, chinon et vouvray, sont l'accompagnement parfait de l'excellente cuisine de la région.

Vue du château de Chinon, sur une falaise au-dessus de la Vienne

◁ **Les toits de Luynes, vus du haut de la colline sur laquelle la ville est construite**

À la découverte de la Touraine

Parcourue d'un réseau de grandes et petites rivières, la Touraine est royalement installée au cœur de la vallée de la Loire. Ses châteaux suivent le cours de ces rivières : Langeais et Amboise sur la Loire, Ussé, Azay-le-Rideau et Loches sur l'Indre, et Chenonceau à califourchon sur le Cher. Tours, la grande ville de la région, se trouve également sur la Loire.
Au nord du fleuve, la magnifique forêt de la Gâtine tourangelle a été progressivement abattue depuis le XIe siècle par les habitants en quête de bois et de terres arables. Mais il reste encore des petites zones boisées, propices à la promenade et au pique-nique.

Candes-Saint-Martin, avec son église des XIIe et XIIIe siècles

LÉGENDE

- Autoroute
- Route principale
- Petite route
- Route pittoresque
- Cours d'eau
- Point de vue

CIRCULER

Il faut une heure en TGV pour aller de Paris à Saint-Pierre-des-Corps, et cinq minutes de plus avec la navette pour atteindre le centre de Tours. On peut louer une voiture à Tours comme à Saint-Pierre-des-Corps. En voiture de Paris, l'A 10 est la voie la plus rapide. La N 152, qui va d'est en ouest le long de la rive nord de la Loire, est le meilleur chemin pour traverser la région. La petite D 751, qui longe la rive sud, passe par de très plaisants paysages. Cependant, les plus beaux trajets sont ceux qui suivent les rives de l'Indre.

Un vignoble réputé de Touraine

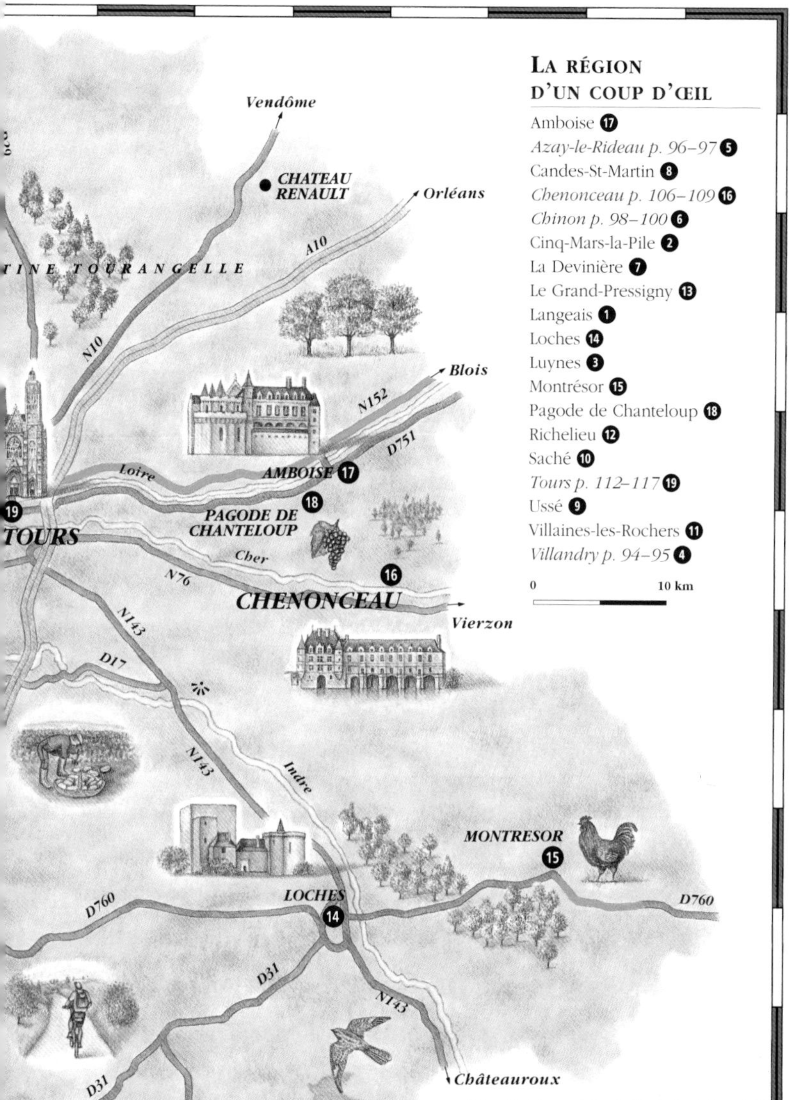
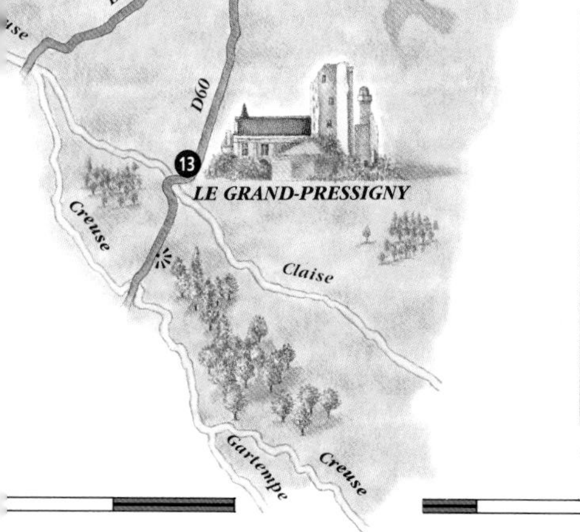

La région d'un coup d'œil

Amboise 17
Azay-le-Rideau p. 96–97 5
Candes-St-Martin 8
Chenonceau p. 106–109 16
Chinon p. 98–100 6
Cinq-Mars-la-Pile 2
La Devinière 7
Le Grand-Pressigny 13
Langeais 1
Loches 14
Luynes 3
Montrésor 15
Pagode de Chanteloup 18
Richelieu 12
Saché 10
Tours p. 112–117 19
Ussé 9
Villaines-les-Rochers 11
Villandry p. 94–95 4

0 10 km

Aux environs de Vouvray

La chapelle du château de Langeais, avec son plafond voûté en bois

Le château de Langeais ❶

Carte routière D3. 02 47 96 72 60. *t.l.j.* *25 déc.*

Le château féodal de Langeais, au centre de cette petite ville, a été construit pour Louis XI, entre 1465 et 1490, par Jean Bourré, son trésorier. Il se dresse sur le site d'une forteresse que l'on devait au redoutable Foulques Nerra *(p.50)* et dont il ne reste plus que le donjon rectangulaire.

L'aspect menaçant de ses murs, de ses tours, de ses ponts-levis et de ses chemins de ronde aux pesants mâchicoulis contraste avec l'élégance de sa cour intérieure. L'ensemble a traversé les siècles sans dommage. Contrairement à la plupart des châteaux de la région, Langeais est largement pourvu de meubles d'époque et offre un fascinant tableau de la vie des aristocrates à la fin du Moyen Âge et à la Renaissance. Ses collections de meubles, tableaux et tapisseries des XVe et XVIe siècles ont été constituées à la fin du XIXe siècle par son dernier propriétaire privé, Jacques Siegfried, banquier alsacien.

Le coffre de mariage d'Anne de Bretagne qui, à 14 ans, à l'aube du 6 décembre 1491, épousa le chétif Charles VIII, fait partie des trésors du château. Des mannequins en cire ainsi qu'une copie de sa robe, en drap d'or doublé de 160 peaux de zibeline, rappellent cette cérémonie clandestine (ils étaient tous les deux promis à un autre).

Des parapets du château, on plonge sur la ville. En saison, au marché du dimanche matin, on trouve de délicieux melons de la région.

La tour gallo-romaine près de Cinq-Mars-la-Pile

Les tours du château de Cinq-Mars-la-Pile

Le château de Cinq-Mars-la-Pile ❷

Carte routière D3. 02 47 96 40 49. *t.l.j.* *1er au 15 fév. ; fin oct. à déb. nov.*

Henri Ruzé d'Effiat, marquis de Cinq-Mars et héros éponyme du roman d'Alfred de Vigny, fut le plus célèbre occupant du château féodal de Cinq-Mars. Cet élégant marquis, favori de Louis XIII, se laissa impliquer dans un complot contre le cardinal de Richelieu, et fut décapité en 1642, à l'âge de 22 ans. Richelieu donna l'ordre de tronquer aussi le château, et on raconte qu'on étêta même les arbres. Il reste encore deux tours, avec trois salles voûtées dans chacune, entourées d'une douve extrêmement large. Dans les jardins romantiques et odorants du château, les arbres sont taillés de façon ornementale.

Le mot *Pile,* dans le nom de la ville, fait référence à une étrange tour de brique gallo-romaine de près de 30 mètres

L'impressionnant château de Luynes dominant le village

de haut, située à l'est, sur une colline. Le côté sud de cette tour – dont la destination et la date précises sont toujours un mystère – a été décoré de 12 panneaux polychromes aux formes géométriques, dont quatre sont encore intacts aujourd'hui.

Luynes ❸

Carte routière D3. *4 800.* *bibliothèque, rue Paul-Louis-Courier (02 47 55 77 14).* *sam.*

Ce joli petit village est dominé par un château, reconstruit au début du XIIIe siècle. Fermé au public, il est encore habité par les descendants du duc de Luynes, qui l'avait acheté en 1619. Avec ses puissantes tours, ce château n'a pas l'air très différent de ce qu'il était au Moyen Âge. Au sud, à son pied, commence la vieille ville, qui a conservé son marché couvert du XVe siècle.

À 1 km au nord-est de Luynes, seules au milieu des champs, les 44 piles qui subsistent d'un **aqueduc gallo-romain** offrent un spectacle saisissant.

Le **château de Champchevrier**, à 10 km au nord-ouest de Luynes, a été bâti sur les fondations d'une forteresse féodale. Le manoir Renaissance actuel, avec les diverses additions qu'on lui a apportées au XVIIIe siècle, est situé dans une forêt luxuriante. Il est merveilleusement meublé, de portraits de famille et de tapisseries de Beauvais en particulier. On y entretient une meute de chiens qui font régulièrement des démonstrations de leur savoir-faire.

Château de Champchevrier

Cléré-les-Pins. *02 47 24 93 93.* *avril à mi-juin : dim. et vac. scol. ; mi-juin à mi-sept. : t.l.j. ; mi-sept. à fin sept. : dim.* *le matin.* *r. d. c.*

La chambre royale du château de Champchevrier

La vie dans un château médiéval

En temps de paix, les châtelains menaient une vie agréable. Des jeux de société meublaient les longues journées d'hiver : échecs, jeux de dames ou de cartes. Les femmes, quand elles ne faisaient pas de la musique ou de la broderie, avaient des nains pour les distraire, tandis que le bouffon de la cour amusait les invités en se moquant de tous, y compris du roi. Les mystères (drames basés sur la vie du Christ) avaient beaucoup de succès et une représentation pouvait durer plusieurs semaines. L'été, on pratiquait des jeux de plein air, mais c'était les tournois qui remportaient les plus ardents suffrages. Les rois et les nobles adoraient aussi la chasse à laquelle ils se livraient dans les forêts de la vallée de la Loire.

Enluminure des *Très Riches Heures du duc de Berry* pour le mois d'août

Le château de Villandry ❹

***Jeune infante* par Pantoja de la Cruz**

Le château de Villandry, qui date de la fin de la Renaissance, est d'une élégance presque classique. Mais il est renommé surtout pour ses magnifiques jardins, restaurés par la famille espagnole des Carvallo, qui l'ont acquis en 1906. Travaillant d'après des dessins du XVIe siècle, d'habiles jardiniers ont mélangé fleurs et légumes de façon strictement géométrique, recréant ainsi un jardin typiquement Renaissance. Celui-ci est à trois niveaux : au sommet, un jardin d'eau bordé de vieux citronniers ; au niveau intermédiaire, un jardin d'agrément ; et, au-dessous, le plus grand potager ornemental au monde.

★ Le jardin d'amour
Les fleurs, ici, symbolisent quatre formes d'amour : tragique, adultère, tendre et passionné.

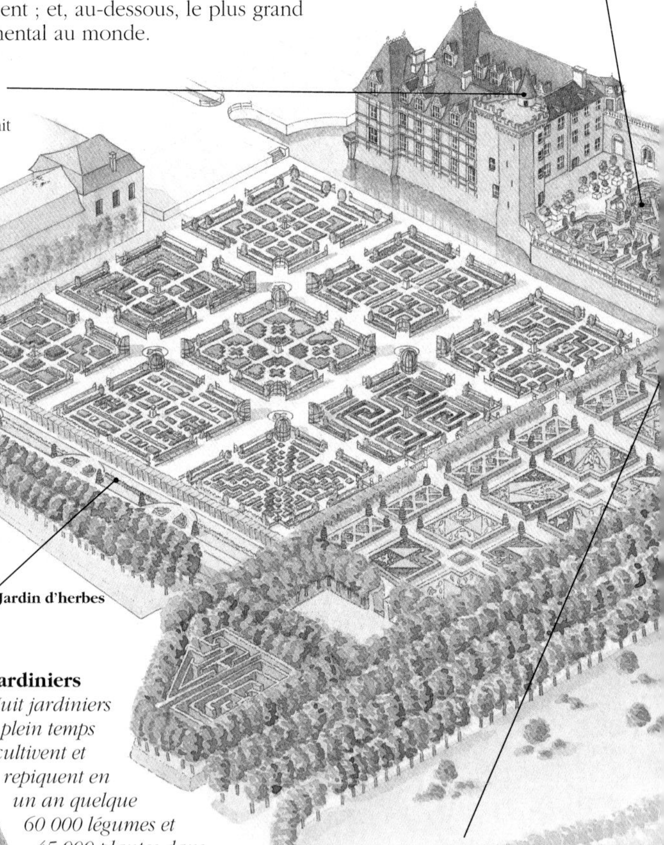

Une collection de tableaux espagnols enrichit le château.

Jardin d'herbes

Jardiniers
Huit jardiniers à plein temps cultivent et repiquent en un an quelque 60 000 légumes et 45 000 plantes dans le potager et le jardin d'agrément.

À NE PAS MANQUER

★ Le jardin d'amour

★ Le potager ornemental

★ Jardin potager ornemental
L'état présent du jardin est indiqué sur un plan, près de la douve. Il donne, en couleurs, une liste des plantes et des légumes qui figurent dans chaque carré.

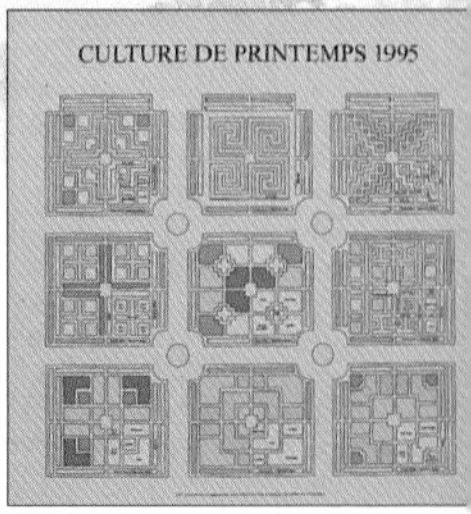

Potagers et jardins d'herbes Renaissance

Les traités de diététique du XVIe siècle nous apprennent que les légumes que l'on trouve dans les potagers de Villandry aujourd'hui étaient aussi présents sur les tables à la Renaissance. Les herbes étaient largement utilisées pour leurs vertus tant médicinales que culinaires. Elles poussaient en bordure des potagers des monastères. Celui de Solesmes *(p.162)* fut le premier à présenter des plantations géométriques. Le jardin des simples de Villandry se trouve au deuxième niveau.

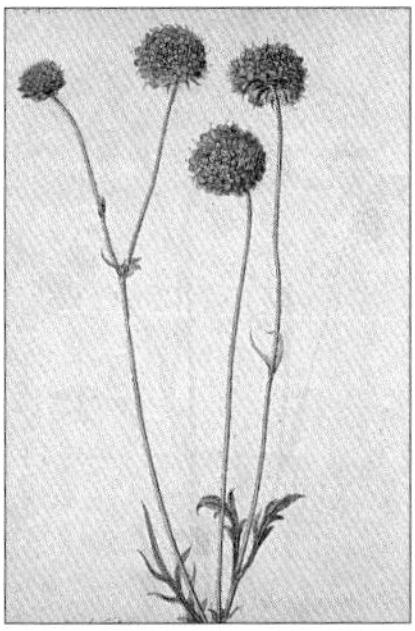

***Knautia dipsacifolia*, d'après un manuel de botanique du XVIe s.**

Mode d'emploi

Carte routière D3. *02 47 50 02 09.* *Savonnières, puis taxi.* *été seul.* **Château** *mi-fév. à mai et mi-sept. à mi-nov. : 9 h à 17 h 30 ; juin à mi-sept. : 9 h à 18 h 30 t.l.j.* **Jardins** *juin à mi-sept. : 8 h 30 à 20 h ; mi-sept. à mai : 9 h à 18 h t.l.j.*

Poiriers taillés
À Villandry, la nature est sous contrôle strict. Les poiriers sont soigneusement taillés pour donner des fruits d'un bel ovale.

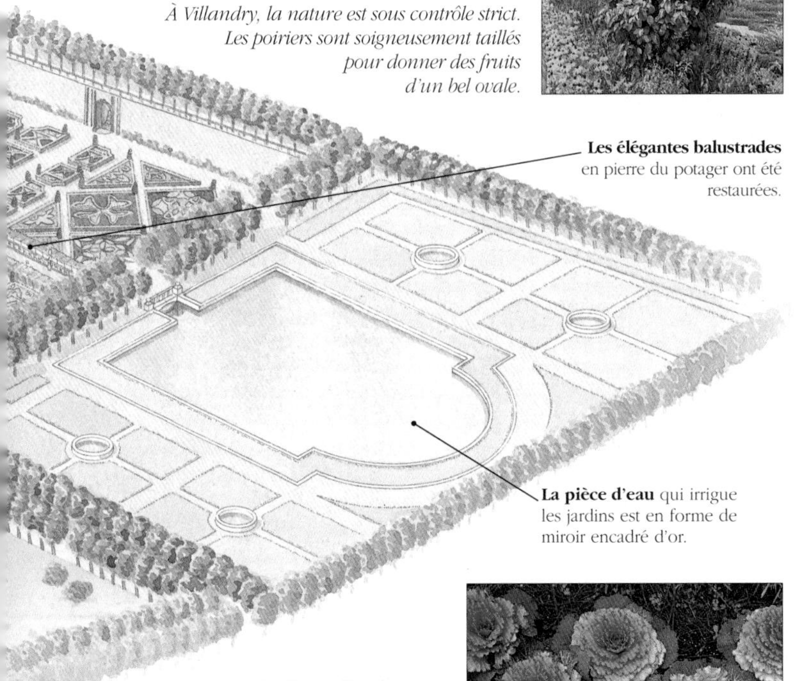

Les élégantes balustrades en pierre du potager ont été restaurées.

La pièce d'eau qui irrigue les jardins est en forme de miroir encadré d'or.

Le jardin d'agrément ainsi que le jardin d'amour avec en arrière plan la façade sud du château

Choux décoratifs
La femme du propriétaire actuel a fait venir des choux japonais pour que des couleurs égayent le potager toute l'année.

Le château d'Azay-le-Rideau 5

Décrit par Balzac comme « un diamant taillé à facettes serti par l'Indre », Azay-le-Rideau est un des châteaux les plus célèbres de la Loire. Sa silhouette gracieuse et ses façades décorées se reflètent dans les eaux paisibles de son lac – ancienne douve médiévale. Commencé vers 1518 par Gilles Berthelot, il fut confisqué par François Ier en 1527.
Un architecte inconnu, s'inspirant de l'Italie et inaugurant l'escalier droit, transforma les éléments défensifs d'un âge plus guerrier en charmants motifs décoratifs. Bien que succinctement meublé, le château renferme quelques objets Renaissance d'importance et le fameux portrait de Gabrielle d'Estrées, maîtresse d'Henri IV.

La cuisine
La cuisine, avec sa voûte d'ogives et son immense cheminée, est située dans l'aile ouest du château.

Gabrielle d'Estrées
Ce beau portrait dans le style de François Clouet représente la maîtresse d'Henri IV.

Ces élégantes tourelles décorent le château plus qu'elles ne le protègent, au contraire des robustes tours médiévales.

À NE PAS MANQUER

★ **L'escalier central**

★ **La face sud**

Les créateurs d'Azay-le-Rideau

Gilles Berthelot, trésorier de François Ier et maire de Tours, entra en sa possession lorsque sa femme, Philippa Lesbahy, hérita des ruines d'un château médiéval. Il entreprit aussitôt, guidé par elle, d'en faire un château de plaisance. On grava dans la pierre, au-dessus de différentes portes, les emblèmes de François Ier et de Claude de France, en guise de flatterie envers ces souverains. Hélas ! la flatterie ne suffit pas à sauver Berthelot : accusé de détournement de fonds, il fut obligé de s'enfuir, laissant l'édifice inachevé.

La salamandre de François Ier

La façade
L'entrée est dominée par la cage d'escalier à galeries, surmontée d'un grand pignon. La décoration, qui regorge de coquillages, de médaillons et de candélabres, a été influencée par les artistes italiens de la Renaissance.

Mode d'emploi

Carte routière D3. 02 47 45 42 04. 14 mars à juin : 9 h 30 à 18 h, t.l.j. ; juil. et août : 9 h à 19 h ; sept. au 13 mars : 9 h 30 à 12 h 30, 14 h à 17 h 30 (dernière entrée 30 mn avant la ferm.). 1er jan., 25 déc. Les Imaginaires d'Azay-le-Rideau (t.l.j., mi-mai à juil. : 22 h 30 à minuit ; août à sept. : 22 h à 0 h 30).

Entrée

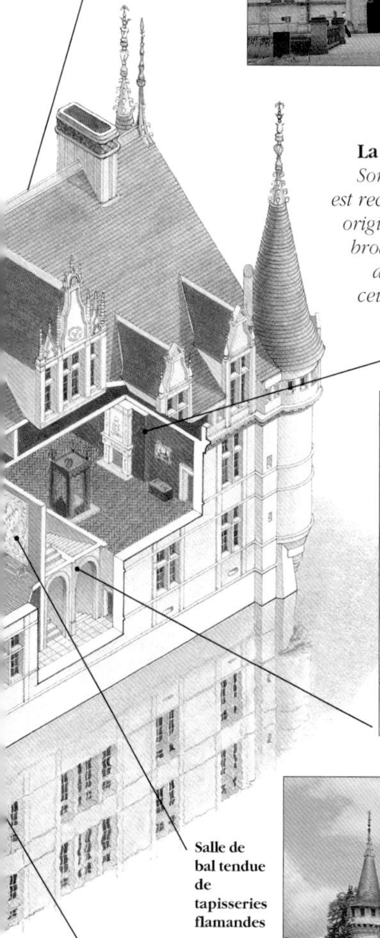

La chambre rouge
Son lit du XVIIe siècle est recouvert d'un tissu original de soie rouge brodée d'or. Au mur, des portraits, dont ceux de François Ier, Henri II et Henri III.

★ L'escalier central
Principale caractéristique d'Azay-le-Rideau, l'escalier est formé de trois volées droites au lieu de la spirale en vigueur à l'époque.

Salle de bal tendue de tapisseries flamandes

★ La façade sud
Son dessin en souligne la symétrie, avec ses tourelles jumelles et ses bandes décorées à l'imitation de mâchicoulis.

Chinon pas à pas ❻

Le château est perché au-dessus de la Vienne, sur une falaise dorée. En contrebas, les vieilles rues tortueuses de Chinon racontent son histoire. Charles VII avait fait de Chinon une de ses résidences préférées. Jeanne d'Arc *(p.137)* arriva dans la cité le 6 mars 1429 et, fatiguée, descendit de cheval dans le Grand-Carroi, près d'un puits. On peut voir aujourd'hui sur la place du marché la statue équestre de Jeanne. Richard Cœur de Lion repose, depuis 1199, dans la maison des États Généraux voisine, aujourd'hui musée du Vieux-Chinon et de la Batellerie. Son père, Henri II Plantagenêt, était mort quelques années auparavant dans le château, d'où il régnait à la fois sur la vallée de la Loire et l'Angleterre.

La tour de l'Horloge
La tour de l'Horloge du XIVe siècle, qui présente maintenant une petite exposition sur la vie de Jeanne d'Arc, constitue l'entrée du château.

★ Le château
Les murs entourent trois citadelles distinctes, dont certaines en ruine, avec une vue splendide sur la rivière. C'est ici, dans le grand hall, que Jeanne d'Arc reconnut le dauphin (p.52), *scène magnifiquement représentée sur une tapisserie du XVIIe siècle.*

L'église Saint-Maurice
Henri II reconstruisit l'édifice avec des voûtes angevines, gardant la partie romane de ce qui est maintenant le clocher.

Les remparts
Vus de la rive opposée de la Vienne, les remparts du château sont très impressionnants.

★ Le musée du Vieux-Chinon
Aujourd'hui musée de l'histoire locale, cet édifice fut autrefois le siège de la première ébauche d'un parlement, qui se réunit là en 1428 pour financer la guerre contre les Anglais.

MODE D'EMPLOI

Carte routière D3. 8 500. bd Gambetta. bd Gambetta. *12, rue Voltaire (02 47 93 17 85 ou 02 47 93 36 91). jeu.*

L'hôtel Torterue de Langardière a une façade classique ornée de balcons de fer forgé.

Musée Animé du Vin
Une démonstration de la vinification et de la technique de la tonnellerie au XIXe siècle est faite par des automates.

La Maison rouge est un édifice médiéval magnifiquement restauré avec des poutres sculptées en travers de sa façade de brique rouge.

Le Grand Carroi
C'est dans ce carrefour, au cœur de la vieille ville fortifiée, que Jeanne d'Arc est supposée avoir mis pied à terre près d'un puits.

François Rabelais
Cette statue commémorative en bronze, œuvre d'Émile Hébert, date de 1882.

À NE PAS MANQUER

- **★ Le château**
- **★ Le musée du Vieux-Chinon**

LÉGENDE

– – – Itinéraire conseillé

À la découverte de Chinon

Une promenade dans les rues étroites, à l'est du château, vous donnera une idée de ce que Chinon peut offrir. La chapelle Sainte-Radegonde, au-dessus de la place Jeanne-d'Arc, a été taillée au XIIe siècle dans la falaise et décorée de fresques. À l'arrière, d'anciennes grottes d'ermites (où l'on expose aujourd'hui l'artisanat traditionnel) et un escalier qui mène à un puits souterrain. Plus bas, le monastère roman de Saint-Mexme, le plus ancien bâtiment de la ville. La rue Jean-Jacques-Rousseau, qui conduit à l'église Saint-Étienne, du XVe siècle, est bordée de maisons médiévales.

Château de Chinon

02 47 93 13 45. *t.l.j.* *1er janvier, 25 décembre* *cour et r.-de-chaus. seulement.*

Aujourd'hui presque en ruine, il a été construit en grande partie par Henri II Plantagenêt, comte d'Anjou, qui devint roi d'Angleterre en 1154. Il se composait de trois édifices – le fort Saint-Georges, le château du Milieu et le fort du Coudray – séparés par des douves. Après les ruines du fort Saint-Georges, on entre dans le château du Milieu par la tour de l'Horloge. Dans les logis royaux, le mur ouest est tout ce qui reste du grand hall où, à la lueur de 50 torches fumantes, Jeanne distingua le dauphin parmi ses courtisans. Des personnages en cire, dans les pièces restaurées, rappellent cet épisode. Des fenêtres et des ruines à l'ouest du fort du Coudray, vues magnifiques de Chinon.

Jeanne d'Arc par Jules Roulleau

Musée du Vieux-Chinon et de la Batellerie

44, rue Haute-St-Maurice. *02 47 93 18 12.* *Pâques à oct. : t.l.j.*

Ce fascinant musée d'histoire locale se trouve dans la maison des États Généraux, bâtiment du XVe siècle ainsi dénommé parce que le dauphin y convoqua les représentants de son royaume déclinant, espérant qu'ils l'aideraient à réunir les fonds nécessaires pour chasser les Anglais.

Parmi les trésors exposés : la « chape de Saint-Mexme », la plus ancienne et la plus grande des tapisseries arabes importées, et le portrait de Rabelais par Delacroix, ainsi que des modèles d'anciens bateaux à vapeur *(p.57)*, surnommés « inexplosibles » parce qu'il ne leur prenait pas fantaisie, contrairement à leurs prédécesseurs, d'exploser en plein milieu de la rivière.

Musée animé du Vin et de la Tonnellerie

12, rue Voltaire. *02 47 93 25 63.* *avril à sept. : t.l.j.*

On peut goûter ici le vin rouge sec et fruité de Chinon tout en regardant les automates retracer, à l'aide d'ustensiles du XIXe siècle, les différentes étapes de la vinification et de la tonnellerie.

À deux pas de là, dans une auberge troglodytique des Caves Painctes (fermée aux visiteurs), une confrérie de viticulteurs, les Bons Entonneurs rabelaisiens, organise encore régulièrement des banquets. Ces caves sont censées avoir inspiré Rabelais dans sa description du Temple de la Dive Bouteille.

La tour de l'Horloge, qui mène au château du Milieu

François Rabelais (1483-1553)

Prêtre, médecin, humaniste et écrivain truculent, Rabelais est partout présent en « Rabelaisie », comme on surnomme la région de la Devinière. Ses admirateurs reconnaîtront dans sa vieille ferme le château de Grandgousier, assiégé par les hordes du roi Picrochole et sauvé par l'arrivée du géant Gargantua, qui noya la plupart d'entre elles dans les prodigieuses urines de sa jument. Gargantua et Pantagruel *(p.22)* sont imprégnés de la soif de connaissance de Rabelais dont la très riche érudition allait de pair avec une immense joie de vivre.

Gargantua enfant

Vue du château d'Ussé depuis le pont de l'Indre

Le musée de la Devinière ❼

Carte routière D3. *Chinon, puis taxi.* *02 47 95 91 18.* *mai à sept. : t.l.j. ; oct. à avr. : jeudi à mardi*

Rabelais est probablement né dans cette modeste ferme, à 2 km au sud-ouest de Chinon. Un petit musée lui est consacré, ainsi qu'à son œuvre, et à d'autres de ses contemporains. Un colombier, avec des boulins creusés dans le mur, et quelques habitations troglodytiques en augmentent encore l'intérêt.

La ferme de la Devinière

Candes-St-Martin ❽

Carte routière C3. *250.* *Port Boulet, puis taxi.* *Chinon (02 47 93 17 85, 02 47 93 36 91).*

Dominant les eaux miroitantes de la Loire et de la Vienne qui convergent à cet endroit, le pittoresque village de Candes doit sa renommée à saint Martin qui y mourut en 397 et qu'on enterra en secret. Dans l'église du XIIe siècle, des vitraux illustrent le transport de son corps vers Tours. Le porche de l'église, orné de têtes sculptées, a été fortifié au XVe siècle. Le plafond est un bel exemple de voûte angevine.

Le château d'Ussé ❾

Carte routière D3. *Chinon, puis taxi.* *02 47 95 54 05.* *fin fév. à mi-nov. : t.l.j.* *jardin et r.-d.-c. seulement.*

Avec ses innombrables tourelles blanches et pointues qui brillent sur le fond sombre des arbres de la forêt de Chinon, le château d'Ussé est censé avoir inspiré à Charles Perrault le conte de *la Belle au Bois dormant*. Ce château fortifié a été entrepris en 1462 par Jean de Bueil sur l'emplacement d'un château médiéval, puis vendu, en 1485, à la famille d'Espinay, chambellans de Louis XI et de Charles VIII. Son côté cour est adouci par des ornements Renaissance qui se marient parfaitement avec le gothique précédent.

Au XVIIe siècle, l'aile nord a été abattue, ouvrant la cour principale sur l'Indre et la vallée de la Loire. On y ajouta une orangerie et des jardins à la française, plantés en terrasses jusqu'à la rivière, achevant ainsi la transformation de cette forteresse en demeure aristocratique *(p.17)*.

L'intérieur du château présente aussi différents styles. Certaines pièces, bien meublées, sont peuplées de personnages en cire.

En bordure de la forêt, on trouve une charmante chapelle, d'un gothique tardif avec quelques ornements Renaissance, qui abrite une Vierge en terre cuite, œuvre de Luca Della Robbia (1400-1482).

Le gothique tardif de la chapelle d'Ussé

Mobile de Calder (1898-1976) à Saché

Saché ⑩

Carte routière D3. *880.*
Azay-le-Rideau, puis taxi.
Azay-le-Rideau (02 47 45 44 40).

Ce charmant village doit sa renommée à Balzac et, au XXe siècle, à Alexandre Calder – le sculpteur dont un mobile occupe la grande place – qui l'avaient élu comme deuxième domicile.

Le **château de Saché**, manoir simple mais confortable, bâti au XVIe et au XVIIIe siècles, était un endroit tranquille, propice au travail et fut pour Balzac la source d'inspiration de nombre de ses plus célèbres romans, parmi lesquels *Le Lys dans la vallée*. La maison a été très bien restaurée, avec une copie du papier mural vert, à frise pompéienne, qui était là à l'époque.

Y abondent les bustes, les dessins et les souvenirs, sans oublier la cafetière qui l'aidait à soutenir ses longues séances de travail. Au dernier étage sont exposés des manuscrits, des lettres et les portraits des femmes de sa vie : sa mère, jolie et désinvolte ; Mme de Berny, son premier amour; et sa fidèle amie, Madame Hanska, qu'il épousa peu de temps avant sa mort, en 1850.

Château de Saché
02 47 26 86 50. fév. à nov. : t.l.j. jardin seulement.

Villaines-les-Rochers ⑪

Carte routière D3. *930.*
Azay-le-Rideau, puis taxi.
Azay-le-Rideau (02 47 45 44 40).

Dans ce paisible village, depuis le Moyen Âge, on fabrique des paniers avec l'osier local. En 1849, un prêtre créa pour les artisans la première coopérative, permettant à la production de se développer. Ici, les vanniers font encore tout à la main. C'est ce qui explique les prix relativement élevés des meubles et des paniers en vente dans la boutique de la **coopérative**. On peut voir les artisans, hommes et femmes, à l'œuvre dans l'atelier voisin. En été, on peut également visiter le petit **musée de l'Osier et de la Vannerie.** Les différents matériaux utilisés y sont notamment présentés.

Le château de Saché, souvent visité par Balzac

Coopérative de Vannerie de Villaines
1, rue de la Cheneillère.
02 47 45 43 03.
avril à mi-octobre : tous les jours ; mi-octobre à mars : tous les jours : l'après-midi seulement.
1er janvier, 25 décembre.

Musée de l'Osier et de la Vannerie
22, rue des Caves-Fortes.
02 47 45 23 19.
mai à mi-septembre : mardi au dimanche, l'après-midi seulement.

Le travail de vannerie

Richelieu ⑫

Carte routière D4. *2 300. Chinon. Richelieu. 6, Grande-Rue (02 47 58 13 62). lun., ven.*

Il serait difficile de trouver un meilleur exemple d'urbanisme au XVIIe siècle que cette ville, à la frontière de la Touraine et du Poitou. Son plan symétrique répond au souhait d'Armand Jean du Plessis, cardinal de Richelieu et premier ministre, qui était l'homme le plus puissant du royaume.

Le cardinal avait décidé de faire construire un gigantesque palais à la place de la modeste propriété de la famille Richelieu. En 1625, il en confia la charge à l'architecte Jacques Lemercier et, en 1631, le roi donna l'autorisation de commencer les travaux, non seulement du palais, mais d'une ville nouvelle avec un mur d'enceinte. Lemercier avait déjà dessiné les plans du Palais-Royal et de l'église de la Sorbonne à Paris, et il allait devenir l'architecte principal du roi. On confia à ses frères, Pierre et Nicolas, le soin de mener à bien les travaux, qui occupèrent 2 000 ouvriers pendant plus de dix ans.

La ville qui sortit de terre est un immense rectangle, entouré de murs et de douves (la plupart transformées aujourd'hui en jardins), où l'on entre par trois portes monumentales. La Grande-Rue, qui court du nord au sud en passant par le centre, et qui relie deux grandes places, est bordée de manoirs classiques identiques. Au sud, sur la place du Marché, se trouvent l'**église Notre-Dame**, la halle avec sa superbe charpente de bois et les anciennes cours de justice, sièges aujourd'hui de l'**hôtel de ville** et d'un petit **musée historique**. Au nord, sur la place des Religieuses, se dressent un couvent et l'Académie Royale, fondée par Richelieu en 1640.

Pendant les mois d'été, un vieux train à vapeur circule de Richelieu à Chinon.

Richelieu avait voulu que son palais soit d'un luxe incomparable. Il l'avait rempli de meubles sans prix et d'œuvres d'art, dont des tableaux du Caravage et de Mantegna. *Les Esclaves* de Michel-Ange, destinés à l'origine au tombeau du pape Jules II (maintenant au Louvre), décoraient le côté cour du palais. Craignant la concurrence, Richelieu fit raser la plupart des châteaux de la région. Alors que la ville avait traversé sans dommage la Révolution, le palais fut quant à lui confisqué, ravagé et démantelé. Aujourd'hui, il ne reste que quelques pavillons de jardin dispersés sur les 475 hectares du **domaine du parc de Richelieu**. L'histoire architecturale de ce qui fut un jour un somptueux édifice est exposée dans le dôme, la seule partie du château qui existe encore.

La halle à charpente de bois de Richelieu

Le cardinal de Richelieu (1585-1642)

Musée de l'Hôtel-de-Ville
place du Marché. *02 47 58 10 13.* *sept. à juin : lun. à sam. ; juil. à août : t.l.j.* *vac. scol.*

Domaine du Parc de Richelieu
5, pl. du Cardinal. *02 47 58 10 09.* *mai à mi-sept. : t.l.j. ; mi-sept. à avr. : sam., dim. et vac. scol..* **Jardins** *mer. à lun.* *limité.*

Aux environs
Champigny-sur-Veude, situé à 6 km au nord de Richelieu, fait partie des châteaux qui furent démolis sur ordre du cardinal. La chapelle du château, l'impressionnante **Sainte-Chapelle**, chef-d'œuvre de la Renaissance, avec les superbes vitraux ornant onze fenêtres, fut épargnée grâce à l'intervention du pape.

Sainte-Chapelle
Champigny-sur-Veude. *(mairie) 02 47 95 73 48.* *avril à oct. : t.l.j.*

Balzac à Saché

Les séjours réguliers de Balzac (1799-1850) au château de Saché, de 1829 à 1837, coïncident avec sa période la plus productive. Loin de ses créanciers, il travaillait au moins douze heures par jour. Bien qu'il commençât aux premières heures de la matinée, il était encore capable, le soir, de distraire ses hôtes, M. et Mme de Margonne, en leur lisant, ainsi qu'à leurs invités, le fruit de son travail de la journée, en même temps qu'il leur en mimait les personnages.

Deux de ses principaux romans, *Le Père Goriot* et *Le Lys dans la Vallée*, ont été écrits à Saché. Le dernier se situe dans la vallée de l'Indre, qu'on aperçoit de la maison et qui possède quelque chose, en effet, de cette « qualité mystérieuse intangible » à laquelle Balzac fait allusion.

La chambre à coucher de Balzac

Le Grand-Pressigny ⓭

Carte routière D4. 1 100. Châtellerault, puis taxi. la Mairie, pl. des Halles (02 47 94 90 37). jeu.

Perché au-dessus des rues en pente de la ville, le **château du Grand-Pressigny** domine les paisibles vallées de la Claise et de l'Aigronne.

Le château lui-même se compose pour partie de ruines médiévales (un pan du donjon s'est écroulé en 1988), pour partie d'un château du XVe siècle et pour partie d'une résidence Renaissance. Ce qui reste de la tour carrée du XIIe siècle offre un contraste frappant avec l'élégante aile italienne du XVIe. Ses grands jardins se visitent aussi.

D'importantes découvertes préhistoriques ont été faites dans la région, et les fouilles ont montré qu'elle était le principal centre de fabrication sur une grande échelle d'instruments en silex, notamment de lames, qu'on exportait en Bretagne et même en Suisse et en Belgique.

Le château héberge le **musée de la Préhistoire**, réorganisé en 1992 et très bien disposé. Y sont exposés divers objets préhistoriques ainsi que des blocs de silex, d'obsidienne et de jaspe multicolore. Les morceaux de silex jaunâtre, familièrement surnommés des « livres de beurre », sont particulièrement impressionnants. Des reconstitutions de villages montrent comment vivaient les peuples préhistoriques, et une aile séparée abrite des fossiles, dont certains vieux de 60 millions d'années.

Les après-midi d'été, on peut visiter l'**Archéolab**, site couvert d'un dôme transparent, habité par des tailleurs de pierre entre 2800 et 2400 av. J.-C., à 6 km au nord-ouest d'Abilly-sur-Claise.

Côté Renaissance de la Galerie, château du Grand-Pressigny

Château du Grand-Pressigny
02 47 94 90 20. fév. à nov. : t.l.j. jardin et r.-de-chaus. seulement.

Archéolab
Abilly-sur-Claise. 02 47 59 80 82, 02 47 91 03 74. mi-juin à mi-sept. : t.l.j., l'apr.-midi seulement.

Outil néolithique du musée de la Préhistoire

Loches ⓮

Carte routière D3. 7 100. mairie (02 47 59 07 98). mer., sam.

À la limite de la forêt, Loches, avec ses rues médiévales bordées de maisons pittoresques, s'étend près de l'Indre. Grâce à sa situation stratégique, elle devint au Moyen Âge une importante citadelle, avec un donjon mis en chantier au XIe siècle par Foulques Nerra *(p.50)*. Le **château** resta dans les mains des comtes d'Anjou jusqu'en 1194, date à laquelle Jean sans Terre en fit don au roi Philippe Auguste. Le frère de Jean, Richard Cœur de Lion, le récupéra grâce à une attaque surprise en 1195. Il fallut ensuite près de dix ans à Philippe Auguste pour le reprendre de force, et il devint finalement résidence royale. C'est dans le **Logis Royal**, du XVe siècle, que Jeanne d'Arc, forte de son triomphe à Orléans, persuada le futur Charles VII de se rendre à Reims et de se faire couronner roi de France. Événement commémoré par la tapisserie de la salle Jeanne d'Arc.

Agnès Sorel, représentée en Vierge par Jean Fouquet

Une autre femme compta dans la vie de Charles VII : sa maîtresse, Agnès Sorel, dont le tombeau de marbre gothique se trouve dans le château. Cette célèbre beauté est représentée avec des agneaux à ses pieds. La toute petite chapelle privée d'Anne de Bretagne, deux fois reine et dont l'emblème, une queue d'hermine, fait partie de la décoration, est dans une pièce adjacente. Se trouve également dans le château une belle *Crucifixion*, triptyque de Jean Fouquet (v.1420-1480) ou de l'un de ses élèves, et une copie de sa *Vierge à l'Enfant*, pour laquelle Agnès Sorel aurait servi de modèle.

Le donjon massif et les tours qui l'environnent sont célèbres par leurs chambres de torture. Les prisonniers y auraient été enfermés pendant des années dans des petites cages de bois et de fer. Ludovic Sforza, duc de Milan, mourut enfermé dans la **tour Martelet**, sur les murs de laquelle on peut encore voir ses peintures à la détrempe.

La collégiale Saint-Ours, à côté du château, est une curieuse église avec quatre flèches en forme de pyramide et un beau portail roman. Le **musée Lansyer**, près de la Porte Royale, maison natale du peintre Emmanuel Lansyer, expose quelques-unes de ses toiles. Le département folklorique du musée présente également nombre d'intérieurs typiques du XIXe siècle.

♜ Château de Loches
☎ **Logis Royal** *02 47 59 01 32 ;* **Donjon** *02 47 59 07 86.* ○ *fév. à nov. : t.l.j.* ● *1er jan., 25 déc.* ▣ ▣
Spectacle d'été (juil., août, ven. et sam.).
☎ *pour réserver (02 47 59 07 98)*
🏛 Musée Lansyer
1, rue Lansyer. ☎ *02 47 59 05 45.*
○ *fév. à nov. : mar. à dim.* ▣ ▣

Montrésor ⓯

Carte routière *E3.* ▣ *360.* ▣ *Loches, puis taxi.* ℹ *Grande Rue (02 47 92 71 04). Mairie (02 47 92 60 19)* ▣ *sam.*

Le **château de Montrésor**, fut élevé au début du XVIe siècle sur des fortifications médiévales du comte Foulques Nerra *(p.50)* par Imbert de Bastarnay qui l'avait acquis en 1493. Le château fut acheté, au milieu du XIXe, par le comte Branicki, un financier polonais émigré, étroitement lié au futur Napoléon III. Il est toujours propriété des descendants Branicki et sa décoration Second Empire n'a pratiquement pas changé.

Une collection d'anciens tableaux italiens et de portraits voisine avec de nombreuses pièces d'orfèvrerie. Avec leurs têtes de cerfs et de loups aux murs et leurs panneaux sombres, ces pièces ont encore un parfum d'Europe centrale. La terrasse du château et les jardins à la française offrent de belles vues de la rivière.

Un bâtiment, qui, autrefois, abritait le pressoir à vin, est devenu la Maison du Pays, centre d'informations et vitrine de la vallée de l'Indre et de ses produits.

La petite église gothique et Renaissance du village a été érigée par Imbert de Bastarnay, seigneur de Montrésor, conseiller de François Ier et grand-père de Diane de Poitiers *(p.108)*. Les magnifiques gisants en marbre d'Imbert de Bastarnay, de son épouse et de son fils, les pieds posés sur des lévriers, sont veillés par des anges. Le tombeau, attribué à Jean Goujon, sculpteur de la Renaissance (v.1510-1568), est orné de statues des apôtres. L'église contient aussi quelques splendides tableaux flamands et italiens, et une remarquable *Annonciation* du XVIIe siècle par Philippe de Champaigne (1602-1674).

À 4 km à l'ouest de Montrésor se trouvent les ruines de la **chartreuse du Liget**, monastère chartreux fondé par le roi d'Angleterre Henri II Plantagenêt, en expiation du meurtre de l'archevêque Thomas Becket. La chapelle voisine de **Saint-Jean-du-Liget** est décorée de fresques du XIIe siècle.

Fermes et champs de coquelicots près de Montrésor

♜ Château de Montrésor
☎ *02 47 92 60 04.* ○ *avril à nov. : t.l.j.* ▣ ♿ *jardin et r.-d.-c. seulement.*
⛪ Chartreuse du Liget et chapelle Saint-Jean-du-Liget
☎ *02 47 92 60 02.* ○ *t.l.j.* ▣ ♿

Château de Montrésor, construit sur des fortifications médiévales

Le château de Chenonceau ⓰

Chenonceau, qui s'étire au-dessus du Cher, est considéré par beaucoup comme le plus joli des châteaux de la Loire. Entouré de bois et d'élégants jardins à la française, ce bâtiment pure Renaissance, de modeste manoir et de moulin à eau qu'il était, s'est mué au cours des siècles en château de plaisance. Les visiteurs sont autorisés à circuler librement dans ses pièces somptueusement meublées. Un petit musée de cire retrace son histoire. Un restaurant est installé dans les anciennes écuries, et un train miniature circule dans la charmante allée bordée d'arbres. On peut acheter du vin provenant des vignobles de Chenonceau.

★ Le Cabinet Vert
Les murs de ce cabinet de travail de Catherine de Médicis étaient à l'origine tendus de velours vert.

La chapelle
La chapelle a un plafond voûté et des plâtres sculptés de feuilles d'acanthe et de coques. Les vitraux, bombardés en 1944, ont été remplacés en 1953.

La chambre de Louise de Lorraine fut, après la mort de son mari, peinte en noir et décorée de monogrammes, de larmes et de nœuds blancs.

La tour des Marques est une survivance du château du XVe siècle, de la famille Marques.

À NE PAS MANQUER

- ★ Le Cabinet Vert
- ★ La Grande Galerie
- ★ Les jardins

Les Trois Grâces
Ce tableau de Charles André Van Loo (1705-1765) représente les jolies sœurs Mailly-Nesle, toutes maîtresses du roi.

Les tapisseries
Comme d'habitude au XVIe siècle, des tapisseries flamandes ornent et réchauffent à la fois les salles très bien meublées de Chenonceau.

Mode d'emploi

Carte routière D3. 📞 *02 47 23 90 07.* 🚆 *Chenonceaux-Chisseaux.* 🕒 *jan. et mi-nov. à déc. : 9 h à 16 h 30 t.l.j. ; 1er au 15 fév. et 1er au 15 nov. : 9 h à 17 h ; 16 au 28 fév. et 16 au 31 oct. : 9 h à 17 h 30 ; 1er au 15 mars et 1er au 15 oct. : 9 h à 18 h ; mi-mars à mi-sept. : 9 h à 19 h ; 16 au 30 sept. : 9 h à 18 h 30.* ♿ *jardin et r. d. c. seul.* *Au Temps des Dames de Chenonceau (juil. août : 22 h 15)*

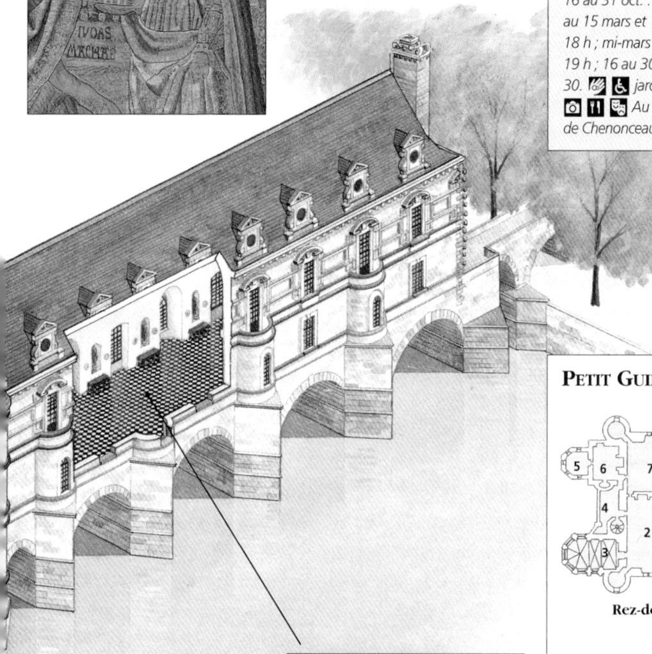

★ La Grande Galerie
Catherine de Médicis fit rajouter cette élégante galerie au pont dessiné par Philibert de l'Orme, de 1556 à 1559, pour Diane de Poitiers.

La galerie de Chenonceau, de style florentin, avec ses 60 mètres qui s'étirent sur le Cher

Petit Guide

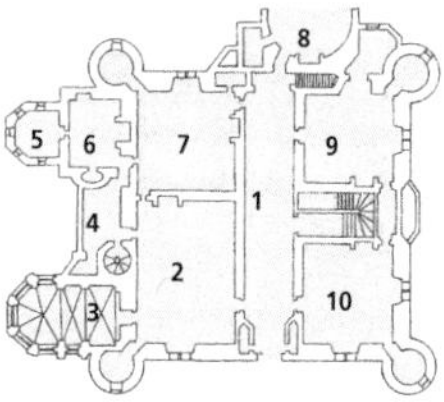

Rez-de-chaussée

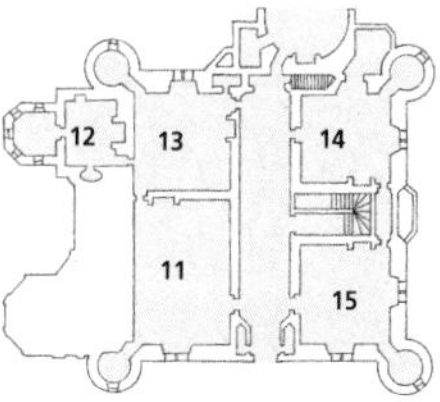

Premier étage

1 Vestibule
2 Salle des Gardes
3 Chapelle
4 Terrasse
5 Librairie de Catherine de Médicis
6 Cabinet Vert
7 Chambre de Diane de Poitiers
8 Grande Galerie
9 Chambre de François Ier
10 Salon Louis XIV
11 Chambre des Cinq Reines
12 Cabinet des Estampes
13 Chambre de Catherine de Médicis
14 Chambre de Vendôme
15 Chambre de Gabrielle d'Estrées

La naissance de Chenonceau

Ce gracieux château porte la marque de cinq femmes. D'abord celle de Catherine Briçonnet, épouse du chambellan du roi, qui en supervisa la construction. Ensuite celle de Diane de Poitiers, la maîtresse d'Henri II, qui créa un jardin à la française et fit bâtir un pont sur le Cher. Après la mort d'Henri, sa veuve, Catherine de Médicis, récupéra le château et fit surmonter le pont d'une galerie. Chenonceau traversa sans dommages la Révolution – grâce au respect qu'inspirait Louise Dupin, épouse d'un percepteur – et fut restauré au XIXe siècle par Mme Pelouze.

Les sphinx
Les sphinx de pierre qui, impénétrables, gardent l'entrée des jardins, viennent du château de Chanteloup, détruit au XIXe siècle (p.111).

Diane de Poitiers
On doit à la maîtresse d'Henri II un grand jardin à la française ainsi que le pont sur le Cher.

★ Les jardins à la française
Le plan actuel des jardins à la française de Diane de Poitiers et de Catherine de Médicis date du XIXe siècle.

Chronologie

1513 Thomas Bohier acquiert le Chenonceau médiéval. Sa femme, Catherine Briçonnet, le reconstruit

1533 Mariage de Catherine de Médicis (1519-1589) et d'Henri II (1519-1559).Chenonceau devient palais royal de la Loire

1547 Henri II offre Chenonceau à Diane de Poitiers, qui fut sa maîtresse durant toute sa vie

1559 À la mort d'Henri, Catherine chasse Diane

1575 Louise de Lorraine (1553-1601) épouse Henri III, le fils de Catherine

Henri II

1730 – 1799 Louise Dupin tient un salon littéraire au château

1789 Grâce à Louise Dupin, Chenonceau est épargné par la Révolution

1863 Mme Pelouze restaure le château selon le plan original

1913 Le château est acheté par les chocolatiers Menier, qui en sont encore propriétaires aujourd'hui

1944 La chapelle de Chenonceau est bombardée

1500 | 1600 | 1700 | 1800 | 1900

Catherine de Médicis
Après en avoir évincé Diane de Poitiers, Catherine de Médicis mit son empreinte sur Chenonceau. Elle fit construire la Grande Galerie sur le Cher et ajouta un jardin pour rivaliser avec celui de Diane.

Louise Dupin
Cultivée, d'une grande beauté, Louise Dupin recevait toutes les célébrités littéraires de son temps, y compris Montesquieu et Voltaire. L'un de ses invités, J.-J. Rousseau, demeura précepteur de ses enfants. Il appréciait particulièrement la cuisine du château et déclarait qu'il était devenu « gras comme un moine ».

Emblème de Catherine de Médicis

Mme Pelouze acheta le château en 1863 et entreprit de le restaurer selon son plan initial. Elle s'arrêta, heureusement, avant d'avoir démoli la Grande Galerie.

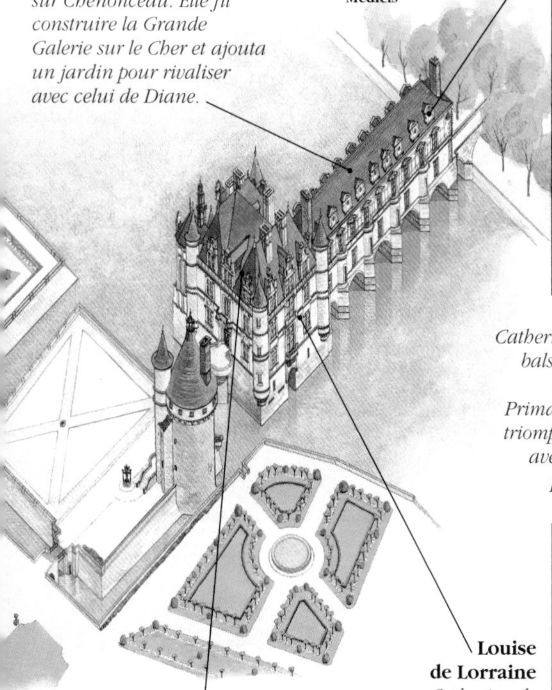

Les festivités de la cour
Catherine de Médicis organisait des bals somptueux et des fêtes, dont certaines avec des plâtres du Primatice, représentant des arches triomphales et des statues, d'autres avec des nymphes bien vivantes pourchassées par des satyres.

Catherine Briçonnet supervisa le plan novateur du château, dont les pièces donnaient, à chaque étage, sur un vestibule central.

Louise de Lorraine
Catherine de Médicis laissa Chenonceau à sa belle-fille, Louise de Lorraine. À la mort d'Henri III, son mari, celle-ci fit refaire sa chambre en noir.

Le château d'Amboise, qui domine la ville et la Loire

Amboise ⑰

Carte routière D3. 11 000. quai du Général-de-Gaulle (02 47 57 09 28). ven., sam.

Le château est la principale attraction de cette petite ville animée, mais n'est certainement pas la seule.

Château d'Amboise

02 47 57 00 98. t.l.j. 1er jan., 25 déc. À la Cour du Roy François (juil. – août, mer. et sam.).

Le château appartient au comte de Paris. En grande partie détruit, il garde cependant quelque chose de sa splendeur, du temps où Charles VIII, puis François Ier importèrent d'Italie à la cour l'amour du luxe et de l'élégance.

Amboise a joué aussi un rôle historique tragique. En 1560, on y découvrit un complot de protestants qui voulaient enlever François II pour obtenir des concessions religieuses. 1 200 conspirateurs furent pendus aux murs du château et de la ville, aux arbres et même au balcon du Logis du Roi.

Détail des sculptures du Logis du Roi

Cet épouvantable épisode sonne la fin des jours glorieux d'Amboise, et le château fut peu à peu démantelé pendant les années qui suivirent. La délicieuse **chapelle Saint-Hubert**, de style gothique flamboyant, perchée sur ses remparts, où Léonard de Vinci est censé être enterré, a heureusement survécu. Ses linteaux extérieurs sculptés représentent saint Hubert et saint Christophe. Quelques-unes des salles des gardes et des pièces de réception, dans la partie moitié gothique, moitié Renaissance du **Logis du Roi**, sont ouvertes au public, ainsi que les appartements XIXe siècle qui furent occupés par le roi Louis-Philippe. La **tour des Minimes**, qui flanque le Logis du Roi, était à l'origine l'entrée du château, avec une impressionnante rampe en spirale que l'on pouvait gravir à cheval.

La chapelle Saint-Hubert avec son toit très ouvragé et sa flèche

Musée de la Poste

6, rue Joyeuse. 02 47 57 00 11. mi-jan. à déc. : mar. à dim.

Cet intéressant musée est logé dans un manoir du XVIe siècle. Il est surtout consacré à l'époque des malles-poste et permet de comprendre la vie périlleuse des cochers.

Château du Clos-Lucé

2, rue du Clos-Lucé. 02 47 57 62 88. fév. à déc. : t.l.j.

Ce gracieux manoir de pierre et de brique rose des faubourgs d'Amboise fut le dernier domicile de Léonard de Vinci. En 1516, François Ier attira l'artiste à la cour d'Amboise et, l'année suivante, l'installa au Clos-Lucé (appelé alors Cloux) où il vécut jusqu'à sa mort en 1519. C'est pendant ce séjour qu'il conçut les plans du château de Chambord *(p.132-135)*. On sait qu'il avait fait plusieurs dessins d'escaliers doubles, semblables à celui qui y fut construit. Sa chambre à coucher, sa salle de réception, son cabinet de travail, sa cuisine et une petite chapelle, offerte par Charles VIII à Anne de Bretagne, sont ouverts au public. Au sous-sol, on peut voir des modèles fabriqués d'après des dessins techniques de Léonard, dont un hélicoptère et un tank.

Aquarium de Touraine

Lussault-sur-Loire. *02 47 23 44 44.* *t.l.j.*

À Lussault-sur-Loire, à 6 km à l'ouest d'Amboise, cet aquarium expose plus de 10 000 poissons d'eau douce dans ses 35 réservoirs. C'est la plus grande collection de ce genre en Europe.

Chambre à coucher de Léonard de Vinci au Clos-Lucé

Léonard de Vinci (1452-1519)

Portrait gravé de Léonard de Vinci

François Ier, qui s'était épris de la Renaissance italienne pendant sa campagne d'Italie, persuada Léonard de Vinci de venir vivre à Amboise, moyennant une pension annuelle et la libre disposition du manoir de Clos-Lucé. Léonard arriva à Amboise en 1516 avec quelques bagages précieux, dont *la Joconde* que François Ier devait lui acheter et ajouter à sa collection (d'où sa présence au Louvre aujourd'hui).

Léonard passa les trois dernières années de sa vie à écrire et à dessiner au Clos-Lucé, en qualité de Premier peintre, Architecte et Mécanicien du Roi. Comme il était gaucher, la paralysie qui affecta sa main droite ne lui fut pas un handicap majeur. Passionné d'hydrologie, il fit le projet de relier les résidences de la vallée de la Loire par des voies navigables et proposa même de détourner le fleuve. Il organisa aussi à la cour une série de festivités, où il veillait au moindre détail, avec le même soin méticuleux qu'il prodiguait à ses dessins scientifiques.

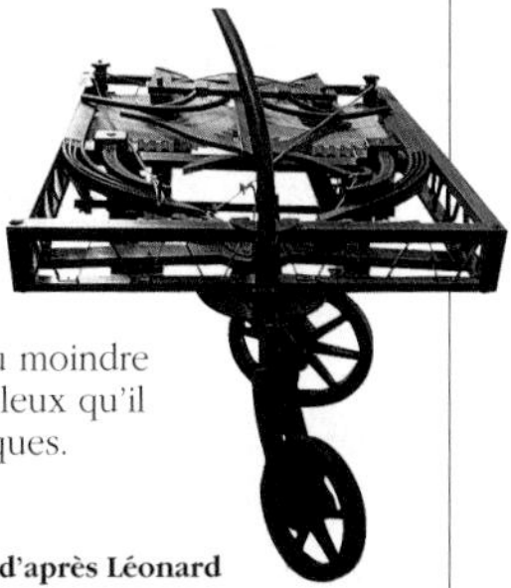

Prototype de « voiture », d'après Léonard

La pagode de Chanteloup ⓲

Forêt d'Amboise. *02 47 57 20 97.* *mi-fév. à mi-nov. : t.l.j.*

Au sud-ouest d'Amboise, dans la forêt, se trouve une curieuse pagode de style chinois, de plus de 44 m de haut et de 7 étages reliés entre eux par des escaliers tournants en pente raide. Chaque palier est plus petit que le précédent et contient une pièce aérée, octogonale, au plafond en dôme. De la pagode, qui se reflète dans un grand lac semi-circulaire, sept chemins conduisent dans la forêt.

C'est tout ce qui reste d'un splendide château, construit par le duc de Choiseul, ministre de Louis XV. Dans les années 1770, Choiseul se fâcha avec Mme du Barry, la maîtresse du roi – il avait été le protégé de la précédente, Mme de Pompadour –, et fut exilé. En 1761, il se retira dans le château qu'il avait acheté à Chanteloup et le fit reconstruire. Il occupa son temps à recevoir sur un grand pied et à se mêler des travaux de la ferme. Après sa mort, le château fut abandonné, puis démoli en 1823.

Dans la pagode, une exposition retrace l'histoire de ce magnifique château et les visiteurs assez courageux pour grimper jusqu'à son sommet bénéficient alors de vues impressionnantes sur la vallée de la Loire.

La pagode de Chanteloup, au cœur de la forêt d'Amboise

Tours, pas à pas ⓳

Le vieux Tours médiéval est parcouru de petites rues étroites bordées de belles maisons à colombage. Intelligemment restauré, c'est un quartier très vivant aujourd'hui, avec de nombreux cafés, bars et restaurants qui attirent aussi bien la clientèle locale que les touristes. On y trouve également nombre d'élégants magasins de mode ainsi que des petites boutiques d'artisanat. Et par beau temps, au centre du quartier, les terrasses accueillantes de la place Plumereau offrent leurs chaises aux visiteurs.

★ La Maison de Tristan
Cette maison du XVe siècle, en pierre et en brique, est réputée pour son escalier tournant à voûte.

Le musée du Gemmail
Dans l'hôtel Raimbault, couvert de plantes grimpantes, sont exposés des gemmaux fabriqués par des maîtres verriers.

La place Pierre-le-Puellier
Un cimetière gallo-romain et médiéval a été mis au jour sur cette place, qui fit partie autrefois d'un cloître Renaissance.

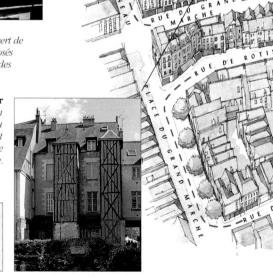

À NE PAS MANQUER

★ La place Plumereau

★ La Maison de Tristan

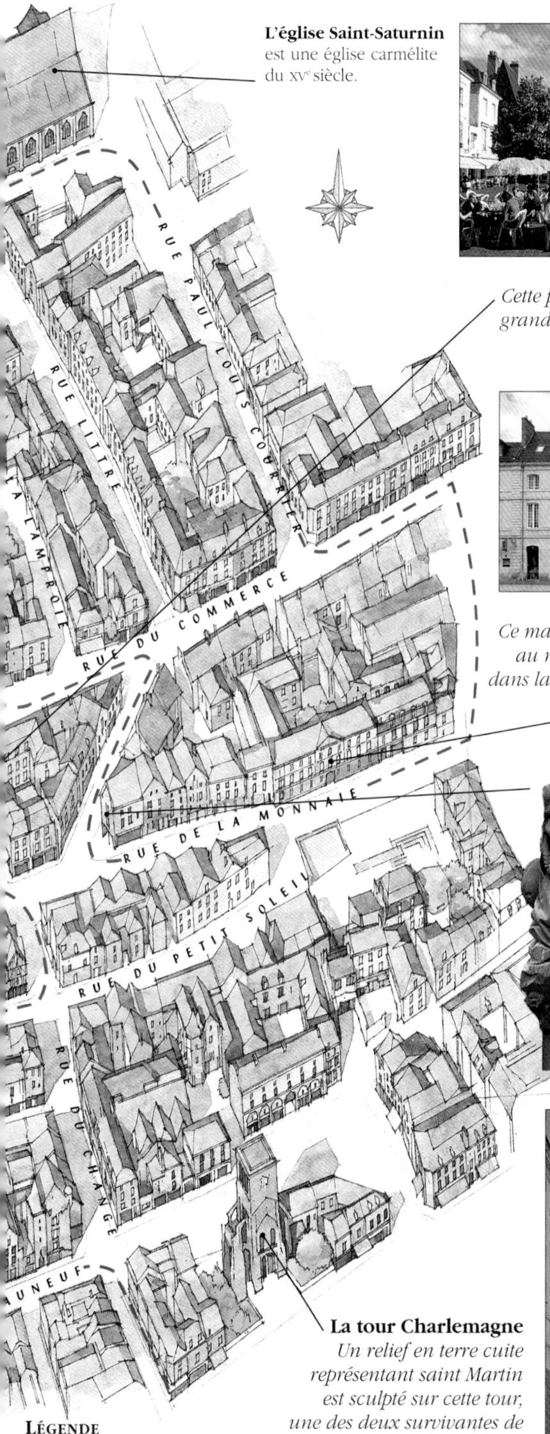

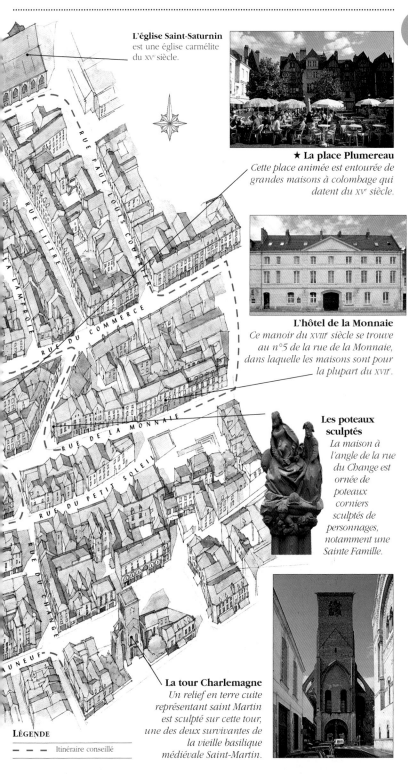

L'église Saint-Saturnin
est une église carmélite du XVe siècle.

★ La place Plumereau
Cette place animée est entourée de grandes maisons à colombage qui datent du XVe siècle.

L'hôtel de la Monnaie
Ce manoir du XVIIIe siècle se trouve au n°5 de la rue de la Monnaie, dans laquelle les maisons sont pour la plupart du XVIIe.

Les poteaux sculptés
La maison à l'angle de la rue du Change est ornée de poteaux corniers sculptés de personnages, notamment une Sainte Famille.

La tour Charlemagne
Un relief en terre cuite représentant saint Martin est sculpté sur cette tour, une des deux survivantes de la vieille basilique médiévale Saint-Martin.

LÉGENDE

Itinéraire conseillé

À la découverte de Tours

La ville de Tours est un parfait point d'ancrage pour explorer les châteaux de Touraine. Mais Tours elle-même, avec sa vieille ville médiévale, mérite aussi l'attention. Important centre gallo-romain autrefois, puis envahie de pèlerins se rendant sur la tombe de saint Martin, elle a toujours été prospère. Aujourd'hui, malgré sa rapide expansion au-delà de la Loire et du Cher et l'animation due aux nombreux étudiants de son université, elle n'a rien perdu de sa tranquillité ni de son charme provincial.

Le pont Wilson, récemment reconstruit, enjambant la Loire

Le centre de Tours
Le quartier de la splendide **cathédrale Saint-Gatien** *(p.116-117)* a des origines gallo-romaines. Au IIIe siècle apr. J.-C., il fut ceint d'un mur dont on peut encore apprécier la forme rue des Ursulines, autour de la cathédrale et du musée des Beaux-Arts. La rue pavée du Général-Meunier, avec ses élégantes maisons occupées naguère par le clergé, épouse la courbure d'un amphithéâtre romain.

Une communauté religieuse s'est développée du côté ouest de Tours, près du sépulcre de saint Martin *(p.49)*. Celui-ci se trouve maintenant dans la crypte de la nouvelle basilique, érigée à la fin du XIXe siècle à l'emplacement de l'ancienne basilique médiévale, beaucoup plus vaste. Les deux tours en pierre – la **tour Charlemagne** et la **tour de l'Horloge** –, de part et d'autre de la rue des Halles, appartenaient à l'ancien édifice. Non loin de là, la **place Plumereau**, aménagée en zone piétonne, avec ses charmantes maisons médiévales et ses cafés, attire en grand nombre les touristes et les étudiants.

Au 39, rue Colbert, l'enseigne en fer forgé dédiée à *la Pucelle Armée* rappelle que Jeanne d'Arc *(p.137)* a acheté là son armure en 1429, avant de se mettre en route pour libérer Orléans. À côté, la **place Foire-le-Roi** qui, grâce à une autorisation du roi de 1545, accueillit un temps des foires régulières. La soie – facteur clé de l'économie de la ville depuis le milieu du siècle précédent – en était la marchandise principale. Des élégantes maisons à pignon qui bordent la place, la plus belle est sans doute l'hôtel Renaissance Babou de la Bourdaisière, du nom du ministre de François Ier qui y vécut. Légèrement plus à l'ouest, l'**église Saint-Julien**, du XIIIe siècle, occupe l'emplacement d'une abbaye du VIe siècle.

Dans la région, on appelle « pont de pierre » le **Pont Wilson**, pont central de la Loire. C'est une réplique exacte de celui du XVIIIe siècle, qui s'effondra soudain en 1978, faisant les gros titres des journaux nationaux. Avec l'accord des résidents qui approuvèrent l'idée par référendum, il fut reconstruit conformément au dessin original.

Musée des Beaux-Arts
18, pl. François-Sicard. 02 47 05 68 73. mer. à lun. 1er jan., 1er mai, 14 juil., 1er et 11 nov., 25 déc.
Le musée des Beaux-Arts se trouve à côté de la cathédrale Saint-Gatien, à l'ombre d'un cèdre du Liban de près de deux cents ans d'âge, et à l'arrière de beaux jardins à la française. Jadis résidence de l'archevêque, ce bâtiment date essentiellement des XVIIe et XVIIIe siècles.

Sa collection de tableaux va du Moyen Âge aux œuvres contemporaines et comprend deux célèbres retables d'Andrea Mantegna, *la Résurrection* et *le Christ au jardin des Oliviers*, peints entre 1456 et 1460 pour l'église de San Zeno, à Vérone.

À droite de la cour d'entrée, une dépendance abrite un énorme éléphant de cirque empaillé qui mourut à Tours au début du XXe siècle.

***Le Christ au jardin des Oliviers* (1456-1460) par Andrea Mantegna**

La façade Renaissance ouvragée de l'hôtel Goüin

🏛 Hôtel Goüin et Musée archéologique

25, rue du Commerce. ☎ *02 47 66 22 32.* ◯ *oct. à mi-mars : sam. à jeu. ; mi-mars à sept. : t.l.j.*

Ce bel exemple d'architecture des débuts de la Renaissance, avec sa façade très ouvragée refaite après les destructions de la Deuxième Guerre mondiale, abrite aujourd'hui le Musée archéologique. Ses collections, qui vont des temps préhistoriques jusqu'au XVIIIe siècle, comprennent d'intéressantes pièces de monnaie celtique de la région de Chartres, dont les valeurs ne sont pas figurées par des chiffres, mais par des animaux. Néanmoins, ses objets les plus renommés sont les instruments scientifiques rassemblés en 1743 par le propriétaire du château de Chenonceau.

🏛 Musée des Vins de Touraine

16, rue Nationale. ☎ *02 47 61 07 93* ◯ *mer. à lun. : t.l.j.* ● *1er jan., 14 juil., 1er et 11 nov., 25 déc.*

Ce musée occupe les caves voûtées et une partie des cloîtres du XIIIe siècle de l'**église Saint-Julien**. Il contient un immense pressoir, vedette de l'histoire ancienne de la viticulture, et des séries d'outils pour la fabrication du vin, allant du Moyen Âge au XIXe siècle. Un authentique pressoir gallo-romain, découvert près d'Azay-le-Rideau en 1946, est exposé dans une cour adjacente.

MODE D'EMPLOI

Carte routière D3. *130 000.* *pl. du Maréchal-Leclerc.* *pl. du Maréchal-Leclerc.* *78, rue Bernard-Palissy (02 47 70 37 37).* *t.l.j.* *Fêtes Musicales de Touraine (juin) ; Foire au Basilic et à l'Ail (26 juil., voir p.117) ; Semaines Musicales de Tours (juil.).*

Objets exposés au musée des Vins de Touraine

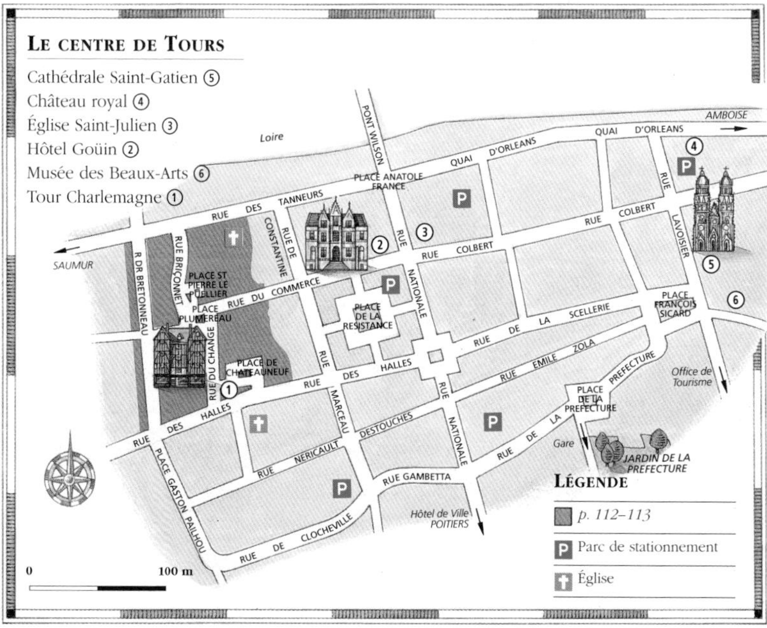

Tours: la cathédrale Saint-Gatien

La première pierre de cette cathédrale, qui doit son nom à saint Gatien, évêque au IIIe siècle, a été posée au début du XIIIe siècle. Comme sa construction s'est poursuivie jusqu'au milieu du XVIe, elle illustre l'évolution du style gothique à travers les siècles. Le chœur, en gothique primitif, a été achevé le premier ; la nef et le transept sont un exemple de gothique à son apogée, et le côté ouest, très ouvragé, de gothique flamboyant (ou tardif).

Le cloître de la Psalette
Le cloître, qui part de la nef latérale nord, est fait de trois galeries datant du milieu du XVe siècle et du début du XVIe.

★ La façade ouest
Ce côté flamboyant, richement ornementé, compte trois portails surmontés chacun d'une belle rosace.

Dans la tour nord, élégant escalier en colimaçon du XVIe siècle.

Le tombeau de Colombe

★ Le tombeau de Colombe *(1499). Les élèves de Michel Colombe y ont sculpté les effigies des enfants de Charles VIII et d'Anne de Bretagne.*

La nef est étroite, avec un plafond voûté de la fin du XVe siècle.

Une fresque
Cette fresque du XIVe siècle, découverte en 1993, représente saint Martin donnant la moitié de son manteau.

Mode d'emploi

02 47 70 37 36. 10 et 11 h 30 dim. ; 19 h lun. à ven. ; 19 h 15 sam. (mai à nov.).

La statue de Colombe
Cette statue du fameux sculpteur tourangeau se dresse sur une place, près de la cathédrale.

Dans le chœur, les vitraux (v. 1265) retracent la passion du Christ ainsi que des vies de saints, dont la légende de saint Martin.

★ Les vitraux
Ces vitraux sont remarquables par la richesse et l'éclat de leurs couleurs, et par leurs panneaux en grisaille que la lumière traverse.

À ne pas manquer

- ★ Le tombeau de Colombe
- ★ Les vitraux
- ★ La façade ouest

Château royal de Tours

25, quai d'Orléans. **Historial de Touraine** 02 47 61 02 95. *mi-mars à oct. : t.l.j. ; nov. à mi-mars : t.l.j. l'apr-midi. seul.* **Atelier Histoire de Tours** *(entrée par les jardins de l'église)* 02 47 64 90 52. *mer, sam. et dim. vac. scol.*

On a récemment restauré les parties du château qui, du XIIIe au XVe siècle, avaient été des résidences royales. La tour de Guise doit son nom au jeune duc de Guise qui, à la suite de l'assassinat de son père en 1588 *(p.126-127)*, y fut emprisonné et s'en évada.

La tour héberge maintenant l'**Historial de Touraine**, musée de cire retraçant l'histoire de la région. Un des tableaux représente le mariage, en 1491, de Charles VIII avec Anne de Bretagne, un autre Jeanne d'Arc *(p.137)* essayant une armure dans une boutique de Tours. Le Logis abrite aussi un aquarium tropical.

Dans le Logis du gouverneur, de style Renaissance, l'**atelier Histoire de Tours** expose des maquettes et des plans qui illustrent la longue évolution de son urbanisation.

Musée du Compagnonnage

8, rue Nationale. 02 47 61 07 93. *jan. à mars : mar. à dim. ; avr. à mi-juin et mi-sept. à déc. : mer. à lun. ; mi-juin à mi-sept.: t.l.j. vac. scol.*

Installé dans une partie de l'abbaye autrefois rattachée à l'**église Saint-Julien**, ce musée possède une remarquable collection de « chefs-d'œuvre » de compagnons itinérants, de ceux qui aspiraient au titre de « maître ». Quelques exemples parmi d'autres : la grille de parc miniature de Léopold le Tourangeau (plus de 2 300 pièces de métal assemblées), une paire de sabots unis par la pointe taillés dans une seule pièce, un château en dentelle d'ardoise, une chaire à prêcher en noyer.

Un tonneau exposé au musée du Compagnonnage

La foire à l'ail et au basilic

Le 26 juillet, le jour de la Sainte-Anne, sur la place du Grand-Marché près des halles, s'installe la traditionnelle foire à l'ail et au basilic. Le basilic en pots forme un grand tapis vert et les étals sont ornés de guirlandes de têtes d'ail, d'oignons pourpres et d'échalotes grises ou dorées.

Étals chargés d'ail et de basilic sur la place du Grand-Marché

Le Blésois et l'Orléanais

Ces deux régions voisines sont d'excellents points de départ si l'on veut explorer le centre de la vallée de la Loire. Depuis des siècles, les amoureux de la nature ont été attirés par ses forêts et ses sites marécageux. Au cours de la Renaissance, on y a construit de magnifiques pavillons de chasse, dont sont issus Chambord, Cheverny ou Beauregard.

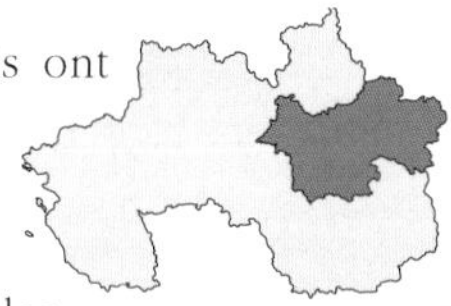

Le Blésois et l'Orléanais ont encore de belles forêts et un gibier abondant, dont lapins, lièvres, cerfs et sangliers. La grande forêt d'Orléans contraste avec les landes et les lacs marécageux de la Sologne, une région secrète de petits villages tranquilles, aux fermes de brique à colombage. C'est le paradis des chasseurs et des pêcheurs, mais les touristes s'y aventurent rarement.

Dans sa partie nord, la Loire passe par des villes dont les noms retentissent à travers toute l'histoire de France. Les ponts et les châteaux de Gien, d'Orléans, de Beaugency, de Blois ont tous joué un rôle stratégique pendant les guerres, du Moyen Âge à nos jours.

C'est à Orléans, en 1429, que Jeanne d'Arc entraîna à sa suite les troupes françaises engagées dans la guerre de Cent Ans. Grâce à la proximité de Paris, la ville moderne est devenue un important centre commerçant, mais après les destructions de la Deuxième Guerre mondiale, sa scrupuleuse reconstruction a néanmoins préservé, dans le vieux quartier, les survivances du passé. Pendant les guerres de Religion, le château de Blois fut noyé dans des intrigues politiques. Aujourd'hui restaurés, ses murs nous renvoient l'écho des événements de 1588 lorsque, sur l'ordre du roi Henri III, le duc de Guise fut assassiné.

À l'ouest, plus court que sa majestueuse voisine, le Loir coule à travers le Vendômois et à travers Vendôme elle-même, une des villes les plus attirantes de la région. La Trinité, sa cathédrale, n'est que l'une des inoubliables églises de la région, dont beaucoup sont décorées de fresques et de mosaïques anciennes.

Pêcheurs prenant part à un concours sur un canal

◁ **La nef de la cathédrale Sainte-Croix à Orléans**

À la découverte du Blésois et de l'Orléanais

Orléans, la plus grande ville du Blésois et de l'Orléanais, est située à l'extrême nord de la Loire. À l'ouest se trouve la petite Beauce, terre à blé, et à l'est la grande forêt d'Orléans, épaisse et grouillante d'animaux sauvages. Blois, en aval d'Orléans, est également entourée de forêts. La Sologne, au sud, est une région de bois et de terres marécageuses, parsemée d'étangs. Le Cher, qui traverse de charmants villages, délimite sa frontière sud.

Ferme en pierre de la région

Pa

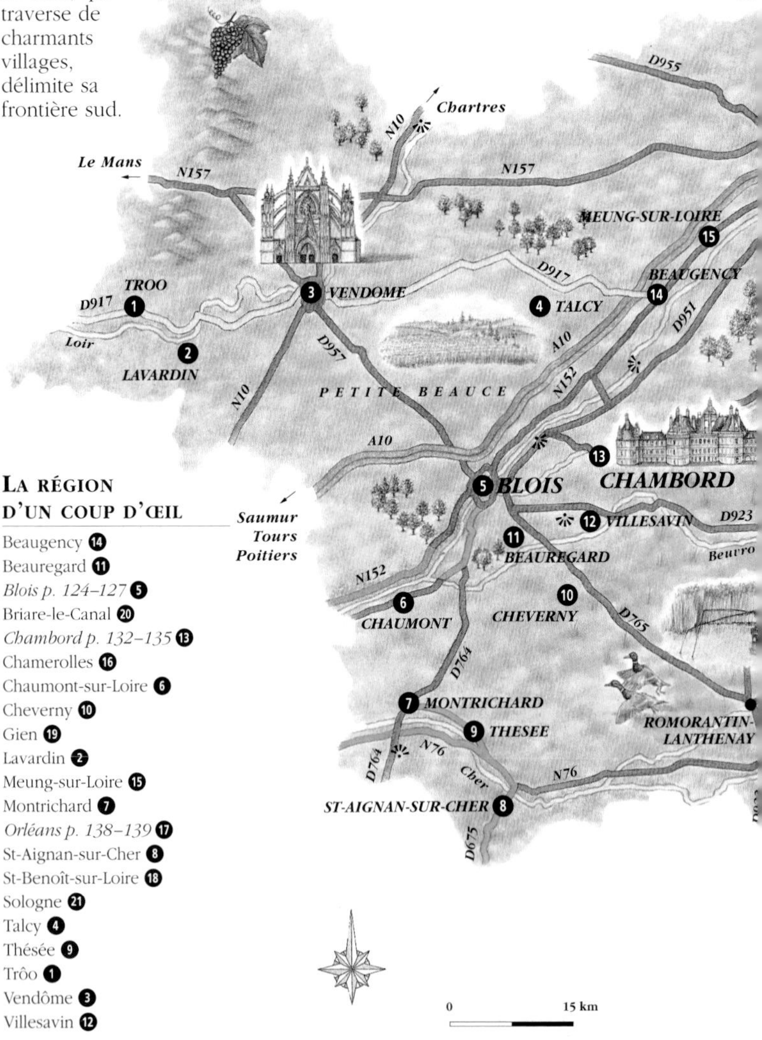

La région d'un coup d'œil

Beaugency 14
Beauregard 11
Blois p. 124–127 5
Briare-le-Canal 20
Chambord p. 132–135 13
Chamerolles 16
Chaumont-sur-Loire 6
Cheverny 10
Gien 19
Lavardin 2
Meung-sur-Loire 15
Montrichard 7
Orléans p. 138–139 17
St-Aignan-sur-Cher 8
St-Benoît-sur-Loire 18
Sologne 21
Talcy 4
Thésée 9
Trôo 1
Vendôme 3
Villesavin 12

Circuler

En voiture, le chemin le plus rapide, en partant de Paris, est *l'Aquitaine*, l'autoroute (A 10) qui traverse Blois et Orléans. Certains TGV Paris-Tours s'arrêtent à Vendôme, après 45 minutes de voyage. Il faut une heure avec le Corail pour atteindre Les Aubrais (un faubourg d'Orléans relié par train au centre-ville) et 40 minutes pour Blois via Beaugency et Meung-sur-Loire. Un autre Corail (de Tours à Nevers) suit le Cher, avec arrêts à Montrichard, Thésée et Saint-Aignan. Les bus sont rares d'une ville à l'autre, surtout pendant les vacances scolaires. La N 76, route parallèle au Cher, est très pittoresque, et les chemins, à travers les zones fraîches et boisées de la région, sont agréables et tranquilles.

Légende

- Autoroute
- Route principale
- Route secondaire
- Parcours pittoresque
- Cours d'eau
- Point de vue

La ville de Blois et son pont caractéristique sur la Loire

Le « puits qui parle » de Trôo

Trôo ❶

Carte routière D3. *320.*
Vendôme, puis taxi. *Montoire-sur-le-Loir (02 54 85 00 29).*

C'est par son sommet, par sa porte médiévale en ruine, qu'il faut entrer dans ce village situé sur une falaise au-dessus du Loir. À gauche de cette porte, un « puits qui parle » : de ses 45 m de profondeur, il renvoie un écho parfaitement perceptible.

Au Moyen Âge, une forteresse occupait cet emplacement. À la fin du XIIe siècle, Philippe Auguste et Richard Cœur de Lion se la disputèrent et ce dernier la perdit au profit du roi de France. En 1590, Henri IV donna l'ordre de la démanteler. Il n'en reste aujourd'hui qu'une motte, d'où l'on a une bonne vue sur la vallée.

L'**église Saint-Martin** voisine a des parties – les murs de la nef par exemple – qui datent du XIe siècle. Les fenêtres de la tour carrée angevine sont ornementées de colonnes.

Des chemins descendent en pente raide vers le **château de la Voûte**, serpentant par les jardins fleuris d'habitations troglodytiques, ouvertes pour certaines au public. Au pied de la colline se trouve la **Grotte pétrifiante** et ses stalactites de 4 000 ans d'âge.

De l'autre côté du Loir, la petite église de **Saint-Jacques-des-Guérets,** du XIIe siècle, est justement célèbre par ses 13 fresques de style byzantin, redécouvertes en 1890 pendant les travaux de restauration. Le *Christ en majesté,* dans l'abside, est particulièrement remarquable.

La chapelle **Saint-Gilles,** à Montoire-sur-le-Loir, mérite aussi le détour. Ses fresques du XIIe siècle sont peut-être encore plus belles.

Lavardin ❷

Carte routière D3. *250.*
Vendôme, puis taxi. *Montoire-sur-le-Loir (02 54 85 00 29).*

Dominant le pont médiéval reconstruit qui conduit au village, les vestiges des fortifications du **château** sont très impressionnants. Située à la frontière des royaumes capétien et angevin, cette forteresse a été pendant des siècles le bastion clé des batailles entre la couronne de France et les Plantagenêts. En 1590, elle partagea le sort du château de Trôo, démantelé sur ordre d'Henri IV.

Parmi ses bâtiments historiques, citons l'hôtel de ville du XIe siècle et les vieilles maisons de pierre sur la route de Villavard. Mais **Saint-Genest,** son église romane, avec ses fresques du XIIe au XVIe siècle, délicates et d'un charme naïf, est le principal trésor de Lavardin. Des scènes de la vie du Christ voisinent avec des signes astrologiques. *Le Baptême du Christ,* à l'entrée de la chapelle de gauche, est l'une des plus anciennes.

Château de Lavardin
02 54 85 07 74 (Mairie). *juin à mi-sept. : t.l.j.* *oct. à mai.*

Fresques de l'église Saint-Genest, à Lavardin

Vendôme ❸

Carte routière D3. *18 000.*
Hôtel du Bellay « Le Saillant » (02 54 77 05 07). *ven..*

Vendôme est une ville pittoresque bâtie sur un groupe d'îles du Loir qui offre à la vue, avec ses ponts, ses portes d'eau et ses vieilles pierres, un merveilleux tableau. Maintenant qu'elle ne se trouve plus qu'à 45 minutes de Paris par le train, elle est devenue un lieu de villégiature à la mode.

Située à la frontière de la France et de l'Angleterre féodales, Vendôme changea souvent de mains. En 1371, pendant la guerre de Cent Ans, elle passa entre celles des Bourbons et devint ensuite, en 1515, un duché.

Possession de la Ligue pendant les guerres de Religion, la ville fut reconquise par Henri IV en 1589 ; les crânes de ses adversaires catholiques sont conservés au **musée de Vendôme**. Installé dans un vieux cloître, ce musée possède

Façade ornementée de l'abbaye de la Trinité, à Vendôme

aussi une harpe sur laquelle Marie-Antoinette se serait exercée, ainsi que quelques fresques.

L'église abbatiale de **la Trinité**, fondée en 1034 par Geoffroy Martel, est le joyau de Vendôme. Elle se dresse à côté d'un clocher roman du XIIe siècle, surmonté d'une flèche de plus de 80 m. Sa façade ornementée, brillante démonstration du style gothique flamboyant, serait l'œuvre de Jean de Beauce.

Sculpture sur bois de la Trinité

À l'intérieur, au-delà du transept du XIe siècle, des stalles sont sculptées d'amusantes figures. À gauche de l'autel se trouvait autrefois un meuble contenant une célèbre relique, une larme versée, disait-on, par le Christ sur la tombe de Lazare.

Les commerces sont groupés autour de la place Saint-Martin, avec son clocher et son carillon du XVe siècle, et sa statue du comte de Rochambeau, commandant des forces françaises pendant la Révolution américaine. Ne manquez surtout pas le gracieux marché couvert fin de siècle.

C'est de la place Belot qu'on a la meilleure vue sur les anciennes fortifications. De là, on aperçoit aussi la porte d'Eau, construite aux XIIIe et XIVe siècles afin de régler le débit des eaux pour les moulins et les tanneries de la ville.

Le parc Ronsard, avec son lavoir des Cordeliers du XVe siècle et son ancien collège des Oratoriens des XVIIe et XVIIIe siècles, se trouve au centre de Vendôme.

Les ruines du château se dressent sur un promontoire qui domine la ville, avec la tour de Poitiers, la mieux conservée, à une extrémité. Les jardins offrent quelques très belles vues panoramiques de la ville.

Musée de Vendôme

Cloître de la Trinité. 02 54 77 26 13. *mer. à lundi.* *1er jan., 1er mai, 25 déc.*

Le lavoir des Cordeliers dans le parc Ronsard

À Talcy, le pressoir en état de marche vieux de 300 ans

Le château de Talcy ❹

Carte routière E3. *Mer, puis taxi.* *02 54 81 03 01.* *avr. à sept. : t.l.j. ; oct. à mars : mer. à lun.* *1er jan., 1er mai, 1er et 11 nov., 25 déc.*

Après les grandioses châteaux de la Loire, Talcy est une délicieuse surprise : une demeure à l'échelle humaine, cachée derrière une sévère façade. Le bâtiment d'origine, le donjon, date du XVe siècle. Il a été transformé par Bernardo Salviati, banquier florentin et cousin de Catherine de Médicis, qui l'acheta en 1517 et y fit beaucoup d'ajouts.

En 1545, Ronsard *(p. 22)* tomba amoureux de la fille de Salviati, Cassandre, âgée de 15 ans. Dans les dix années qui suivirent, son amour pour elle lui inspira les fameux sonnets des *Amours de Cassandre*.

Bernardo Salviati donna à Talcy son aspect féodal en ajoutant un chemin de ronde crénelé et de faux mâchicoulis au corps de garde. Dans la première cour, avec ses galeries en arcades, se trouve un puits recouvert d'un dôme. Dans la seconde, un colombier de 3 000 oiseaux, du XVIe siècle, le mieux conservé de la Loire.

Un gigantesque pressoir en bois, vieux de 300 ans, en état de marche, mérite aussi qu'on y jette un coup d'œil. Les vignobles du château ne produisant plus, elle n'est plus utilisée. Sur les terres du château subsistent aussi de vieux jardins fleuris.

À l'intérieur, les jolies pièces sont encore meublées et décorées comme aux XVIIe et XVIIIe siècles.

Blois pas à pas ❺

Puissante forteresse féodale au XIIe siècle, Blois atteignit la gloire sous Louis XII, lorsque le roi y établit sa cour en 1498. La ville resta le centre de la vie royale et politique pendant plus d'un siècle. Aujourd'hui, important centre commercial agricole pour la Beauce et la Sologne, avec ses harmonieux accords de murs blancs, de toits d'ardoises et de cheminées de brique rouge, Blois représente la quintessence des villes de la Loire. Le vieux quartier montueux et en partie piétonnier, délimité par le fleuve, le château et la cathédrale, est d'un grand intérêt architectural.

L'hôtel d'Alluye
Cette remarquable demeure Renaissance a été construite en 1508 par Florimond Robertet, trésorier de trois rois.

★ Le château de Blois
Sa riche histoire éclate dans la variété de ses styles architecturaux.

La façade des Loges, le côté le plus spectaculaire du château, comporte des baies qui s'étagent jusqu'à une galerie.

Blois vu de la Loire, avec au centre l'église Saint-Nicolas

★ L'église Saint-Nicolas
Cette étonnante église à trois flèches appartenait, au XIIe siècle, à une abbaye bénédictine. Sa nef, haute et étroite, mène à une splendide abside, à l'abri d'élégantes colonnes corinthiennes et éclairée par de jolies vitres bleues.

LÉGENDE

– – – Itinéraire conseillé

L'escalier Denis-Papin
Cet escalier qui offre une vue splendide sur la ville et le fleuve porte le nom de l'inventeur de la machine à vapeur (1647-1714), enfant du pays.

MODE D'EMPLOI

Carte routière E3. 50 000. pl. de la Gare. 3, av. Jean-Laigret (02 54 74 06 49). mer., sam., dim. Le Soleil a rendez-vous avec la Lune (mai à sept.).

Musée d'Histoire Naturelle Couvent des Jacobins. 02 54 74 13 89. juin à août : mar. au dim. ; sept. à mai : l'apr.-midi seul. vac. scol.

Musée Diocésain des Arts Religieux Couvent des Jacobins. 02 54 78 17 14. mar. au sam., l'apr. midi seul. vac. scol.

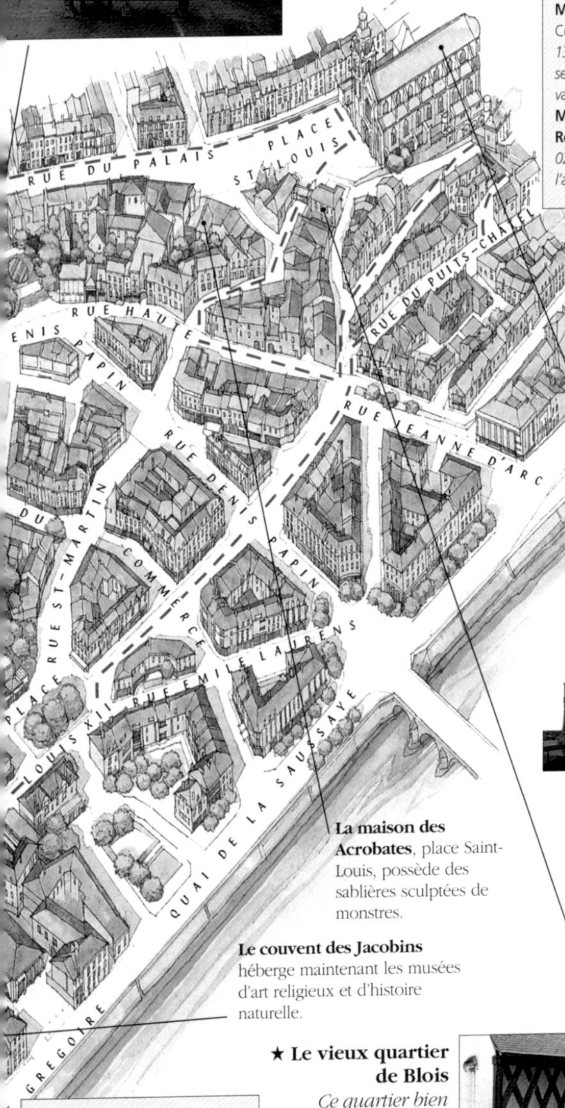

La cathédrale Saint-Louis
Le bâtiment original a été en grande partie détruit, en 1678, par un ouragan. Telle qu'elle est aujourd'hui, la cathédrale a été érigée sous le règne de Louis XIV.

La maison des Acrobates, place Saint-Louis, possède des sablières sculptées de monstres.

Le couvent des Jacobins héberge maintenant les musées d'art religieux et d'histoire naturelle.

★ Le vieux quartier de Blois
Ce quartier bien conservé comprend quelques splendides bâtiments du XVIe siècle. Cette maison à galerie se trouve en haut de la rue Pierre-de-Blois.

À NE PAS MANQUER

- ★ Le château de Blois
- ★ L'église St-Nicolas
- ★ Le vieux quartier

Le château de Blois ❺

Le porc-épic, emblème de la maison d'Orléans

Résidence des rois Louis XII, François Ier et Henri III, aucun autre château de la Loire ne peut se vanter d'avoir été le théâtre d'autant d'intrigues de cour. La plus célèbre s'acheva par l'exécution du duc de Guise, chef de la Ligue catholique *(p.54-55)*, sur ordre d'Henri III. Ce macabre événement, qui eut lieu dans la propre chambre à coucher du roi, sonna le glas de l'importance politique du château. Dans l'édifice lui-même, quatre styles architecturaux se côtoient, du XIIIe siècle à l'âge classique, en passant par le gothique et la Renaissance. Les restaurations majeures, commencées en 1989, sont sur le point d'être achevées.

L'aile Gaston d'Orléans
La simplicité classique de cette aile, que reflète le plafond du hall d'entrée, rompt avec la décoration chargée de la Renaissance.

Le roi Louis XII
Une statue de Louis XII (1462-1515) occupe le centre du portail en forme d'arc de triomphe. En raison de sa politique bienveillante, le roi avait été surnommé le « père du peuple ».

La tour du Foix faisait partie des remparts qui, au XIIIe siècle, entouraient la forteresse féodale.

À NE PAS MANQUER

- ★ L'escalier de François Ier
- ★ Le cabinet de Catherine de Médicis
- ★ La salle des États Généraux

CHRONOLOGIE

1200 Les comtes de Blois reconstruisent la forteresse féodale du IXe siècle

1576 Les États généraux se réunissent dans le hall féodal

1515 François Ier reconstruit l'aile nord

1788 Le château délabré est transformé en caserne

1588 Les États généraux se réunissent. Henri III fait assassiner le duc de Guise

L'architecte Félix Duban

1200 | 1300 | 1400 | 1500 | 1600 | 1700 | 1800 | 1900

1391 Louis d'Orléans entre en possession de la forteresse

1498 Louis XII lui ajoute trois nouvelles ailes et reconstruit la chapelle Saint-Calais

1635 Gaston d'Orléans remplace l'aile ouest par un bâtiment classique

1810 Napoléon rend la ville de Blois responsable du château

1843 Félix Duban commence la restauration du château

1989 Début du programme de restaurations majeures

★ Le cabinet de travail de Catherine de Médicis
Les boiseries cachent quatre placards secrets dont la tradition romanesque a fait les « placards à poison » de la reine.

MODE D'EMPLOI

Pl. du Château. 02 54 78 06 62. mi-mars à juin et sept. : 9 h à 22 h ; juil. – août : 9 h à 19 h 30 ; oct. à mi-mars : 9 h à 12 h , 14 h à 17 h. (dern. entr. : 45 mn. av. ferm.) 25 déc., 1er jan. *Ainsi Blois vous est conté* (p. 42).

La nef de la chapelle Saint-Calais a été démolie au XVIIe siècle pour faire place à l'aile Gaston d'Orléans. On ne laissa subsister que le chœur.

Dans la **salle d'honneur**, sur la somptueuse cheminée, figurent une salamandre et une hermine, emblèmes de François Ier et de sa mère, Louise.

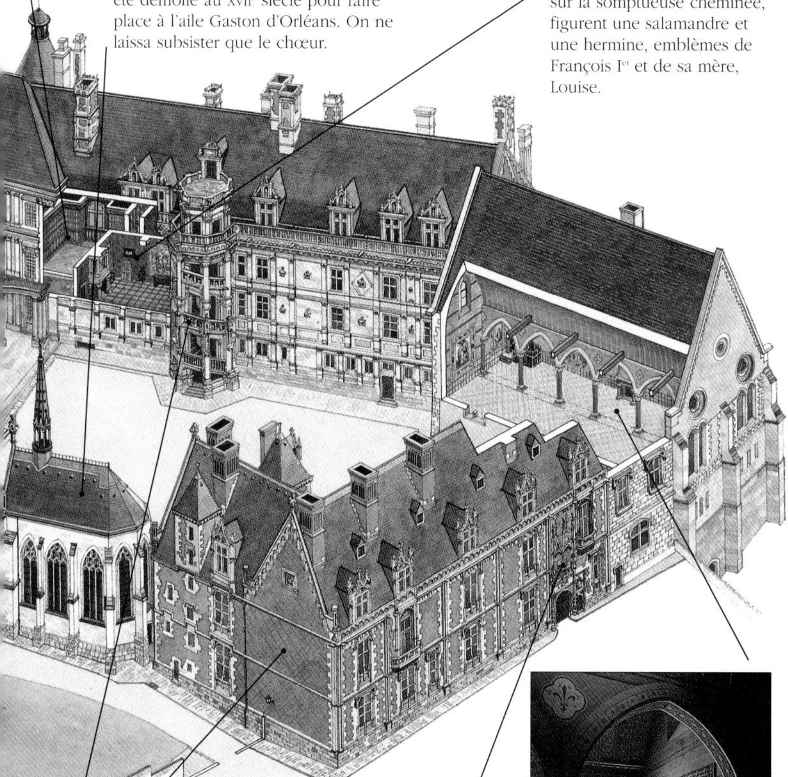

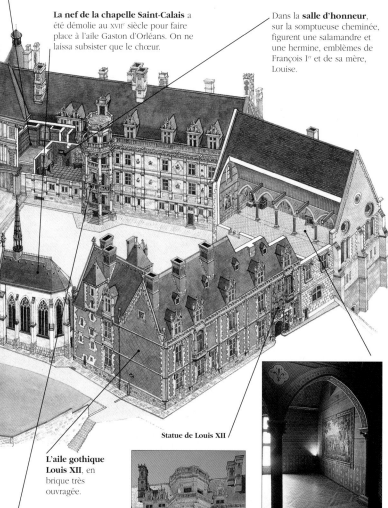

Statue de Louis XII

L'aile gothique Louis XII, en brique très ouvragée.

★ L'escalier de François Ier
Richement sculpté, cet escalier est un véritable tour de force Renaissance. De ses balcons ouverts, la famille royale pouvait assister aux spectacles qui se déroulaient dans la cour.

★ La salle des États Généraux
Réservée aux réceptions royales et aux réunions des États Généraux (p.54-55), *cette salle du XIIIe siècle a survécu à la forteresse.*

Le château de Chaumont domine la ville

Le château de Chaumont ❻

Chaumont-sur-Loire. **Carte routière** D3. *Onzain, puis taxi.* 02 54 20 98 03. *t.l.j.* *1er jan., 1er mai, 1er et 11 nov., 25 déc.*

Vu de l'autre côté de la Loire, le château situé sur une colline boisée dominant le fleuve semble tout droit sorti de notre imagination. Comme son grand donjon blanc et ses tours circulaires, construits entre 1466 et 1510, n'ont jamais subi de siège, ils sont encore en parfait état.

L'entrée principale est particulièrement belle avec son double pont-levis et les mâchicoulis de ses parapets ouvragés. Des emblèmes sont gravés sur les tours, entre autres les C entrelacés de Charles II d'Amboise et de sa femme Catherine.

Quand Charles hérita de Chaumont, en 1481, il entreprit d'importants changements. L'aile est, avec sa frise compliquée, et l'aile sud, avec ses tours d'entrée, sont parmi les premiers exemples du style Renaissance en France.

La tour octogonale avec son grand escalier en colimaçon, à l'extrémité de l'aile sud, est antérieure à celles de Blois et de Chambord *(p.126-127 et 132-135)*.

Après la mort d'Henri II, Catherine de Médicis, son épouse, força Diane de Poitiers, la favorite du roi, à échanger Chenonceau *(p.108-109)* contre Chaumont qu'elle ne possédait pas encore. Elle acquit le château en 1560. Diane entreprit des travaux que sa mort en 1566 laissa inachevés. Les deux D entrelacés pour Diane et les attributs de Diane chasseresse sont sculptés sur les mâchicoulis du chemin de ronde.

Vitraux de la salle à manger, à Chaumont

Les propriétaires suivants soit négligèrent le château, soit le modifièrent. Au XVIIIe siècle, l'un d'eux, Jacques Donatien Le Ray, fit abattre l'aile nord pour ouvrir la cour sur le fleuve.

En 1875, lorsque le prince Amédée de Broglie vint y vivre avec sa femme Marie-Charlotte Say, héritière d'une grande fortune sucrière, furent entreprises de considérables améliorations. Témoignent de leur prodigalité les somptueuses écuries, qui hébergèrent un jour l'éléphant que leur avait offert, aux Indes, le maharajah de Kapurtala. La salle du Conseil est tendue de tapisseries flamandes de Martin Reymbouts et son sol pavé de majolique provenant d'un palais de Palerme du XVIIe siècle, tandis que la bibliothèque est ornée de médaillons créés sur place, au XVIIIe siècle, par J.-B. Nini. Le parc a été aménagé par Achille Duchêne, en 1884, sur le modèle de jardins anglais. De juin à octobre, Chaumont-sur-Loire accueille le Festival international des jardins, à ne manquer sous aucun prétexte *(rens. à l'office du tourisme)*.

Montrichard ❼

Carte routière D3. *3 800.* *Blois* *rue du Pont (02 54 32 05 10).* *lun. apr.-midi, ven. matin.*

Cette petite ville aux maisons de tuffeau est dominée par les ruines de son **château**, dont le donjon carré (XIIe s.) et des vestiges de remparts sont encore debout. Dans les caves du château, le petit **musée**

Montrichard, vu de l'autre côté du Cher

Tivoli est consacré à la vie et à l'archéologie locales.

Le porche de l'**église Sainte-Croix**, ancienne chapelle du château, présente une belle arcature romane. C'est ici qu'en 1476 le futur Louis XII épousa à contrecœur Jeanne, fille laide et infirme de Louis XI. Plus tard, le mariage fut annulé pour permettre à Louis de convoler avec Anne de Bretagne.

Les après-midi d'été, les aigles du château prennent part à d'époustouflants exercices de fauconnerie au-dessus de Montrichard.

Château de Montrichard et musée Tivoli
02 54 32 01 16. avril à septembre : t.l.j. vol d'aigles : dim. des Rameaux à septembre : t.l.j., l'apr.-midi seul.

Tigre blanc du zoo de Beauval

Saint-Aignan-sur-Cher 8

Carte routière E3. *3 700.*
St-Aignan-Noyers-sur-Cher.
02 54 75 22 85. sam.

Jadis port fluvial, aujourd'hui station où se sont développées les activités nautiques, Saint-Aignan est dominé par le château Renaissance des ducs de Beauvillier et sa collégiale, une merveille de l'art roman.

L'intérieur du château n'est pas ouvert au public, mais on peut monter un escalier du XIXe siècle pour apprécier l'élégance de ses deux ailes et la vue de la terrasse de la cour. Il subsiste des tours et des murs en ruine d'une forteresse féodale construite par les comtes de Blois. La rue Constant-Ragot, qui mène au château et à l'église, est bordée de belles maisons Renaissance à colombage.

L'**église de Saint-Aignan**, avec ses deux clochers, a été commencée vers 1080 ; elle est devenue une collégiale au XIIe siècle. Le chœur et le sanctuaire ont été construits sur une ancienne église romane, qu'on retrouve aujourd'hui dans la crypte. Bien qu'utilisée un temps comme étable, celle-ci n'a rien perdu de son cachet roman. Elle est ornée de très belles peintures murales, parmi lesquelles la légende de saint Gilles dans la chapelle sud et un rare *Christ en majesté* du XIIe siècle sur la voûte du chœur.

La chapelle N.-D.-des-Miracles, à Saint-Aignan

Certaines des 250 sculptures des chapiteaux représentent des scènes tirées de l'Ancien et du Nouveau Testament, ou des allégories de péchés et de peines capitales. D'autres sont purement décoratives. Le plafond peint, du XVe siècle, de la chapelle Notre-Dame-des-Miracles, est tout aussi impressionnant.

Le très important **zoo-parc de Beauval**, à 2 km au sud du village, rassemble 300 espèces d'oiseaux. Une splendide forêt équatoriale a été reconstituée dans une serre. De grands félins, dont plusieurs magnifiques tigres blancs, évoluent dans des enclos paysagers.

***Christ en majesté*, fresque de l'église de Saint-Aignan**

Zoo-parc de Beauval
02 54 75 05 56. t.l.j.

Thésée 9

Carte routière E3. *1 100.*
rue Nationale (02 54 71 42 22).
jeu.

Les Maselles, remarquable site gallo-romain, se trouvent juste à la sortie de ce petit village vinicole.

Des ruines impressionnantes de murs aux assises de brique témoignent de l'habileté des tailleurs de pierres qui, au IIe siècle apr. J.-C., ont construit Tasciaca, centre de céramique et relais sur la route entre Bourges et Tours. L'hôtel de ville, installé dans un parc, abrite le **Musée archéologique** où sont exposés des bijoux, des pièces de monnaie, des statuettes, des poteries et autres objets trouvés sur le site.

Musée archéologique
Hôtel de Ville. *02 54 71 40 20.*
Pâques à mi-juin : sam. et dim., vac. scol., l'apr.-midi seul. ; mi-juin à mi-sept. : mer. à lun. ; mi-sept. à mi-oct. : sam. et dim., vac. scol., l'apr.-midi seul. Mi-oct. à Pâques : groupes sur r.-v.

La façade classique du château de Cheverny

Le château de Cheverny ⑩

Carte routière E3. 02 54 79 96 29. *t.l.j.* *r.-de-chaus. et jardin seul.* *Le Cours du Temps : juil. à août, 22 h 30 (02 54 79 95 63).*

Sa façade de pierre de Bourré, avec ses lignes pur Louis XIII, fut construite d'une seule traite, de 1620 à 1634, et les touches finales mises avant 1648 *(p.18-19)*. Inaugurant un nouveau style architectural, Cheverny ne comprend pas d'éléments défensifs tels que tourelles ou entrées redoutables. Bien au contraire, sa façade classique frappe par sa simplicité. L'édifice s'élève à l'emplacement d'un ancien manoir, qui appartenait à la famille Hurault. Henri Hurault et son épouse Marguerite (à qui l'on attribue l'élégance féminine du château) dirigèrent la reconstruction de Cheverny, resté depuis propriété de la famille.

Le peintre blésois Jean Mosnier travailla pendant 10 ans à décorer les pièces principales. Ses plus belles réussites sont les lambris de la salle à manger ornés de scènes du voyage de Don Quichotte ainsi que le plafond et la cheminée peints de la chambre du roi. Cette pièce est également ornée de très belles tapisseries des Ateliers de Paris ; le lit à baldaquin est tendu de soie persane. La salle d'Armes, la plus grande pièce du château, est décorée de peintures de Mosnier et d'une grande tapisserie des Gobelins, *l'Enlèvement d'Hélène*.

Armes et armures exposées dans la salle des Armes de Cheverny

Parmi les œuvres du Grand Salon figurent un portrait de Cosme de Médicis par Titien et, au-dessus de la cheminée, celui de la comtesse de Cheverny par Mignard. Dans la galerie adjacente, beaux tableaux de Clouet et de Rigaud.

Dans la salon des Tapisseries, on peut voir des tapisseries d'après des cartons de David Téniers, mais aussi une remarquable commode laquée et un régulateur, tous les deux de style Louis XV.

La chasse à courre de Cheverny, qui a lieu deux fois par semaine en hiver à l'appel des trompes, est célèbre dans toute la Sologne. La visite du chenil est impressionnante, surtout à 17 h, quand 70 chiens attendent poliment l'heure du repas. Dans les communs, sur les murs de la salle des Trophées, sont exposés 2 000 bois de cerfs.

D'avril à octobre, le survol de Cheverny en ballon captif permet de découvrir paysage et châteaux environnants.

La salle des Trophées à Cheverny

Le château de Beauregard ⑪

Cellettes. **Carte routière** E3. *Blois, puis taxi.* 02 54 70 40 05. *mi-fév. à mars et oct. à déc. : jeu. à mar. ; avr. à sept. : t.l.j.* *mi-jan. à mi-fév.*

Beauregard est situé dans un parc bien entretenu, à l'orée de la forêt de Russy. Conçu au début du XVIe siècle comme pavillon de chasse de François Ier, il fut transformé plus tard par Jean du Thier, secrétaire d'État d'Henri II, en gracieux manoir privé. C'est lui qui commanda à Scibec de Carpi, maître d'œuvre du cabinet italien du roi, le cabinet des Grelots. Cette petite pièce délicieuse aux panneaux de chêne doré est décorée de clochettes comme celles qui figurent sur les armoiries des

La galerie des portraits à Beauregard

du Thier, et de peintures de l'atelier de Nicolo Dell'Abbate.

La galerie des Illustres, une spectaculaire galerie de portraits, a été conçue au XVIIe siècle par Paul Ardier, ancien trésorier d'Henri IV. C'est un véritable catalogue des célébrités européennes de 1328 à 1643 – rois, reines, saints, explorateurs – qui couvrent les murs sur trois rangées. À ces 327 portraits viennent s'ajouter de magnifiques poutres et panneaux peints par Jean Mosnier et le plus grand sol d'Europe en carreaux de Delft, représentant une armée en marche, en uniformes Louis XIII.

D'autres merveilles vous attendent dans la galerie sud : somptueuses tapisseries de Bruxelles et meubles sculptés, et la cuisine avec son sol carrelé et sa table construite autour de la colonne centrale. Au-dessus de la broche, sur le manteau de la cheminée, une devise avertit que ceux qui tiennent leurs promesses ne se font pas d'ennemis.

Le château de Villesavin côté jardin

Le château de Villesavin ⓬

Villesavin. **Carte routière** E3. *Blois, puis taxi.* 02 54 46 42 88. *mars à sept. : t.l.j. ; oct. à mi-déc. : l'apr.-midi seul. mi-déc. à fév. (groupes sur r.-v.)* *r.-de-chaus. et 1er ét. seul.*

Villesavin fut construit de 1527 à 1537 par Jean Breton, qui y élut domicile pendant qu'il supervisait dans le voisinage les travaux de Chambord *(p.132-135)*. Des sculpteurs sur pierre du château royal contribuèrent à sa décoration et firent cadeau à Breton du magnifique bassin en marbre de Carrare de la cour d'entrée.

Cet édifice, qui aurait besoin aujourd'hui d'une restauration, est un des mieux conservés des nombreux châteaux de la Loire de la fin de la Renaissance.

Une vieille voiture de Villesavin

Avec ses murs bas et ses toits plus hauts que d'ordinaire, Villesavin a été construit autour de trois très grandes cours. Son élégante façade sud se termine par un vaste colombier du XVIe siècle, composé de 1 500 cases dont chacune figure un arpent du domaine.

Sur la cour de service s'ouvre une vaste cuisine, avec une broche en état de marche. La collection de vieux équipages exposés comprend une voiture de 18 m de long, avec quatre rangs de sièges, d'où les dames pouvaient suivre la chasse.

Aux environs

Situé sur la rive sud du Beuvron, Bracieux mérite une visite pour son grand marché couvert, construit sous François Ier (1515-1547). À cette époque, la ville était un relais important entre Tours, Chartres et Bourges.
Le marché est en brique, pierre et bois, avec, en haut, une grange aux dîmes. Ses montants d'origine en chêne ont été consolidés au XIXe siècle. On trouve aussi de charmantes maisons des XVIIe et XVIIIe siècles.

Le château de Chambord ⓭

Diane chasseresse, salle de Diane

«…Entre des marais fangeux et un bois de grands chênes, loin de toutes les routes, on rencontre un château royal ou plutôt magique.» Cette description du poète Alfred de Vigny donne bien la mesure de la surprise que provoque encore aujourd'hui le plus grand et le plus extravagant des châteaux de la Loire. En 1519, François Ier fit raser l'ancien pavillon de chasse des comtes de Blois. La construction de Chambord commença alors, probablement d'après un dessin de Léonard de Vinci. Avec le concours de 1 800 hommes et de deux maîtres maçons, le donjon, ses tours et ses terrasses furent achevés dès 1537. L'année suivante, François Ier fit construire un pavillon privé à l'extrémité nord-est et une galerie communicante sur deux niveaux.

Le château de Chambord avec le Closson, un affluent de la Loire, au premier plan

★ La ligne des toits
Les toits de Chambord – sa caractéristique la plus étonnante, bizarre mélange de formes en tous genres – ressemblent à un échiquier surencombré.

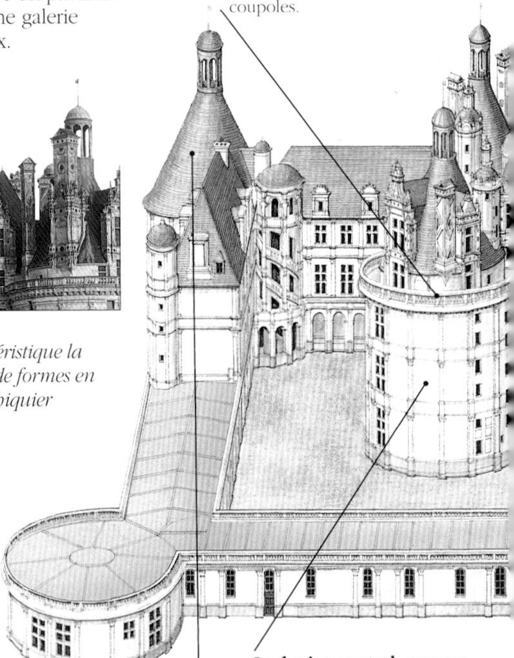

Les terrasses sur le toit, avec leurs flèches miniature, tourelles à escaliers, pignons sculptés et coupoles.

Le donjon central, avec ses quatre tours circulaires, forme le noyau du château.

La salamandre
L'emblème de François Ier apparaît plus de 700 fois dans le château. Il symbolise la protection du bien et la destruction du mal.

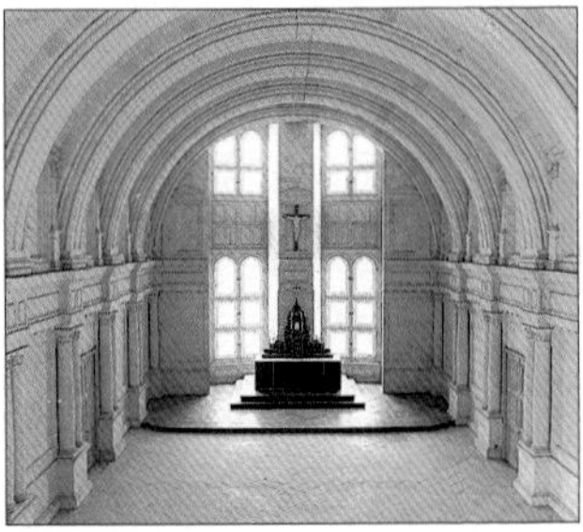

La chapelle
François Ier la mit en chantier peu de temps avant sa mort, en 1547. Henri II fit ajouter un étage et, sous Louis XIV, Mansart acheva les voûtes.

À NE PAS MANQUER

- ★ La toiture
- ★ L'escalier d'honneur

L'escalier de François Ier
L'escalier extérieur en spirale, dans la cour nord-est, a été ajouté en même temps que les galeries, à partir de 1538.

Mode d'emploi

Carte routière E3. *Mer, puis taxi.* *02 54 50 40 00.* *avr. à juin et sept. : 9 h 30 à 18 h 30 t.l.j. ; juil. août : 9 h 30 à 19 h 30 ; oct. à mars : 9 h 30 à 17 h 30, (dern. entr. : 30 mn. av. la ferm.). Groupes sur r.-v.* *1er jan., 1er mai, 1er et 11 nov., 25 déc.*
Spectacle d'art équestre (mai, juin et sept., t.l.j.).

La lanterne, de 32 m de haut, est épaulée par des contreforts et supporte une fleur de lys.

Les salles des gardes, où l'on donnait autrefois des bals et des spectacles, ont des plafonds voûtés et décorés.

Dans la chambre à coucher de François Ier (aile est), les premiers ornements datent de 1547.

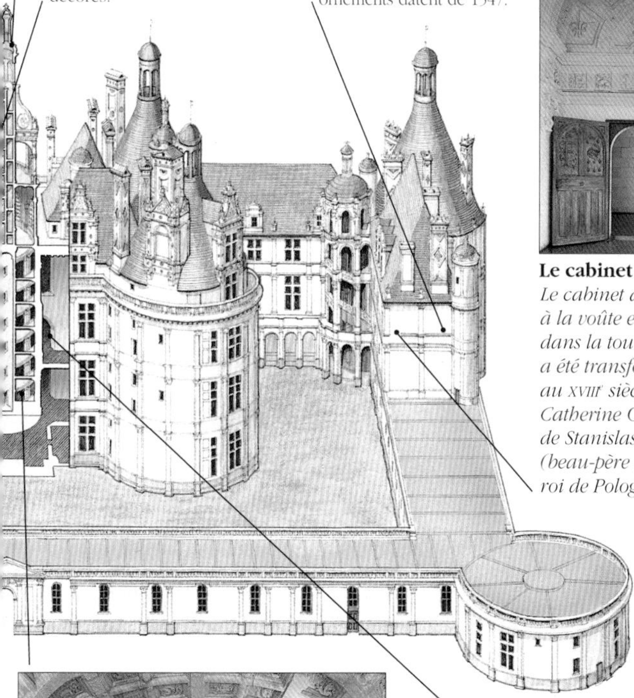

Le cabinet de François Ier
Le cabinet de travail du roi, à la voûte en berceau, situé dans la tour extérieure nord, a été transformé en oratoire au XVIIIe siècle par la reine Catherine Opalinska, épouse de Stanislas Leszczynski (beau-père de Louis XV et roi de Pologne détrôné).

★ L'escalier d'honneur
Vu ici de la salle des gardes, cet escalier à double révolution qui permet aux personnes de monter et descendre sans se voir aurait été conçu par Léonard de Vinci.

La chambre à coucher de Louis XIV
Les appartements du Roi-Soleil sont les plus grandioses du château.

L'histoire de Chambord

Chambord, le plus grand château de la Loire, fait partie de la folie des grandeurs du jeune François Ier dont les grandes passions étaient la chasse et le commerce des dames. « Il chasse toujours, soit le cerf, soit les femmes », disait de lui l'ambassadeur de Venise. Le roi supervisa lui-même la clôture de sa réserve par le plus grand mur de France – près de 32 km de long sur 2,5 m de haut. Il pensa même à détourner le cours de la Loire pour la faire couler devant le château, mais il résolut à la place de canaliser le Cosson, plus proche, pour remplir ses douves.

Portrait de Louis XIV en Jupiter, victorieux de la Fronde

François Ier jeune homme, avec différents symboles de sa royauté

Après François Ier

À la mort de son père, Henri II prit en charge son ambitieux projet. Les propriétaires suivants – Louis XIII, qui n'aimait pas trop la chasse, et son frère Gaston d'Orléans – continuèrent à modifier le château. Au XVIIe siècle, Chambord comptait déjà 440 pièces, 365 cheminées, 14 escaliers principaux.

Louis XIV, grand amateur de chasse, s'occupa très sérieusement de Chambord. Sa cour entière s'y rendit de nombreuses fois. Les bals, la représentation des pièces de Molière et des ballets d'opéra le firent renouer avec l'époque éclatante du règne de François Ier.

Louis XV aussi chassa au faucon à Chambord, mais dès 1725 il était prêt à s'en dessaisir au profit de son beau-père, Stanislas Leszczynski. On raconte que le roi de Pologne en exil détestait les courants d'air. Il fit remplir les douves pour prévenir la malaria.

Le dernier occupant à jouir du côté théâtral de Chambord fut le maréchal de Saxe, victorieux des Anglais à la bataille de Fontenoy en 1745. Il y logeait sa maîtresse, une actrice, et deux régiments de cavalerie et, des terrasses du toit, assistait à leurs simulacres de bataille.

Durant la seconde moitié du XVIIIe siècle, Chambord fut négligé. Pillé pendant la Révolution, le château ne fut guère fréquenté par Henri, duc de Bordeaux, le prétendant Bourbon auquel il avait été donné par souscription publique, en 1821. En 1915, il fut réquisitionné par l'État qui l'acheta en 1930. On entreprit sa restauration après 1945.

Vue de Chambord (détail) par P.D. Martin (1663-1742)

Chronologie

1547–1559 Henri II rajoute l'aile ouest et un étage à la chapelle

1560–1574 Charles IX reprend la tradition de la chasse à Chambord et écrit un *Traité de la Chasse Royale*

Le maréchal de Saxe

1840 Chambord est classé monument historique

1500 – 1600 – 1700 – 1800 – 1900

1519–1547 François Ier fait démolir le pavillon de chasse du comte de Blois. Création du château

1670 Mise en scène du *Bourgeois gentilhomme* de Molière à Chambord

1685 Louis XIV complète l'édifice

1725–1733 Il est habité par le roi de Pologne en exil

1748 Il est acquis par le maréchal de Saxe. À sa mort, il est laissé à l'abandon

1970 Chambord est restauré, remeublé et ses fossés recreusés

Chasse royale à Chambord

Sous l'influence de François Ier et de ses héritiers, la chasse et la fauconnerie ont été les principales distractions de la cour au XVIe siècle. C'est ainsi qu'un noble toscan se plaignit de ce que le roi ne restait en place que « tant qu'il y avait encore des hérons », proies faciles pour les 500 faucons qui voyageaient avec la suite royale.

À l'aube, le roi allait à cheval festoyer dans un endroit aménagé pour son repas, en attendant que ses rabatteurs aient choisi l'animal qu'ils allaient traquer. Le gibier levé, il le pourchassait à fond de train pendant des heures. Des terrasses du toit, les dames avaient une vue incomparable sur ces exercices. Henri II, le fils de François, et Charles IX, son petit-fils, également passionnés de chasse, poursuivaient parfois le gibier à pied. Louis XIV était partisan, comme les Anglais, de suivre les meutes de chiens, tandis que Louis XV préférait la chasse au faucon.

À la cour, la chasse était considérée comme un art et ses accessoires – armes, cors et costumes – étaient conçus et fabriqués avec soin. Elle fut aussi, pendant des siècles, le sujet favori des peintres et des tapissiers dont les œuvres décoraient les palais et les pavillons de chasse.

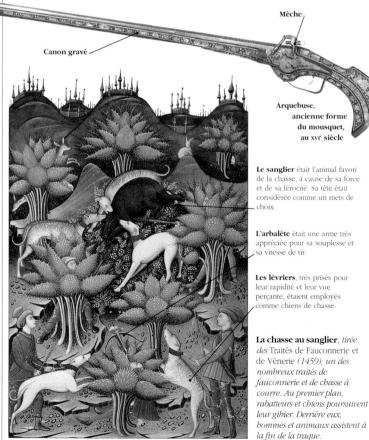

Saint Hubert, patron des chasseurs

Arquebuse, ancienne forme du mousquet, au XVIe siècle

Le sanglier était l'animal favori de la chasse, à cause de sa force et de sa férocité. Sa tête était considérée comme un mets de choix.

L'arbalète était une arme très appréciée pour sa souplesse et sa vitesse de tir.

Les lévriers, très prisés pour leur rapidité et leur vue perçante, étaient employés comme chiens de chasse.

La chasse au sanglier, *tirée des* Traités de Fauconnerie et de Vénerie *(1459), un des nombreux traités de fauconnerie et de chasse à courre. Au premier plan, rabatteurs et chiens poursuivent leur gibier. Derrière eux, hommes et animaux assistent à la fin de la traque.*

Beaugency ⓮

Carte routière E3. *7 000.* *3 pl. de l'Hôtel-de-Ville (02 38 44 54 42).* *sam.* *Festival de Beaugency (fin juin à juil.).*

Avec la Loire qui court sous son fameux pont à 23 arches, Beaugency est un parfait point d'ancrage pour découvrir l'Orléanais. Cette ville médiévale a été miraculeusement épargnée, bien que son pont – le plus important sur la Loire entre Orléans et Blois – ait attiré l'attention de bien des armées au cours des siècles. Restauré au XVIe, il fut de nouveau endommagé, en 1940, par les Alliés qui firent sauter son extrémité sud pour empêcher les Allemands de traverser le fleuve.

Place Dunois, en haut de la rue de l'Abbaye, se dressent un donjon massif du XIe siècle et, en face de lui, l'église abbatiale romane **Notre-Dame** où, en 1152, fut annulé le mariage de Louis VII et d'Aliénor d'Aquitaine, la laissant libre d'épouser le futur Henri II d'Angleterre.

Plus haut se trouve la tour Saint-Firmin, du XVIe siècle, près de la statue équestre de Jeanne d'Arc. À côté du donjon, son compagnon d'armes Jean Dunois, bâtard d'Orléans et seigneur de Beaugency, fit construire le **château Dunois**, aujourd'hui musée régional. Non loin de là, rue des Trois-Marchands, un clocher médiéval et la façade Renaissance de l'hôtel de ville. Une rivière bordée de fleurs traverse le vieux quartier du moulin.

Le clocher de Beaugency (XIe siècle), autrefois porte d'entrée de la ville

Château Dunois (Musée régional de l'Orléanais)

Pl. Dunois. *02 38 44 55 23.* *mer. à lun.* *1er jan., 1er mai, 25 déc.*

Meung-sur-Loire ⓯

Carte routière E3. *6 000.* *42, rue Jehan-de-Meung (02 38 44 32 28).* *dim. matin, jeu. apr.-midi.*

C'est dans ce joli petit village, qui descend en pente jusqu'à la Loire, qu'est né Jean de Meung *(p.22)*, l'un des auteurs du *Roman de la Rose*, chef-d'œuvre de la littérature du XIIIe siècle. Dès l'époque gallo-romaine, une ville du nom de Magdunum existait déjà sur le site de l'actuel village.

À côté de l'impressionnante église romane **Saint-Liphard** (XIe-XIIIe siècles) se dressent les tours féodales du **château de Meung**. Construit au XIIe siècle, remanié au XVIIe et au XVIIIe siècle, l'édifice présente une grande variété de styles différents. Dans l'aile du XVIIIe siècle se trouve une intéressante collection de meubles, de tableaux et de tapisseries rassemblés par l'actuel propriétaire des lieux.

Plus impressionnants encore sont les passages souterrains et les donjons du vieux château (XIIe-XIIIe siècles) que les évêques d'Orléans ont, pendant 500 ans, utilisés comme prison. En 1461, François Villon *(p.22)* passa cinq mois dans les geôles sinistres du château. Gracié par Louis XI, il est le seul prisonnier qui en soit jamais sorti vivant.

Château de Meung

02 38 44 36 47. *tous les jours* *Groupes sur rendez-vous* *entrée principale*

Le pont médiéval de Beaugency, la tour Saint-Firmin et, se dressant au-dessus des arbres, le donjon

Entrée du château de Chamerolles avec l'emplacement du pont-levis

Le château de Chamerolles ⓰

Chilleurs-aux-Bois. **Carte routière** E2. *Orléans, puis taxi.* 02 38 39 84 66. *fév. à déc. : sam au jeu.* 25 déc.

À la lisière de la grande forêt d'Orléans, ce château Renaissance a été construit, de 1500 à 1530, par Lancelot du Lac, gouverneur d'Orléans et conseiller du roi (il avait été ainsi nommé en hommage au héros de la Table Ronde). Bien que l'édifice ait été construit comme une forteresse avec une douve et une cour fermée par des tourelles, Chamerolles a été conçu comme un palais de plaisance. De jolis jardins Renaissance, soigneusement reconstitués, avec des chemins bordés de treilles, s'étendent jusqu'à un belvédère d'où l'on a vue sur le château, par-dessus un miroir d'eau. On y remarque aussi un parterre de plantes aromatiques rares, dont beaucoup servaient, au XVIe siècle, à la fabrication de médicaments et de parfums.

on de parfum Baccarat du musée de hamerolles

Un musée retrace l'évolution des parfums à travers les siècles, que ce soient les manières de les utiliser ou les perfectionnements apportés à leur fabrication.

Jeanne d'Arc

Jeanne d'Arc est l'héroïne nationale suprême, vierge guerrière patriote et martyre qui inversa le cours de la guerre de Cent Ans. Elle n'est nulle part aussi honorée que dans la vallée de la Loire, lieu de ses plus grands triomphes.

Jeanne d'Arc, tapisserie médiévale

Répondant aux voix célestes qui lui enjoignaient de « bouter les Anglais hors de France », Jeanne quitta les siens en 1429, après avoir fêté ses 17 ans et, passant par Gien, s'en alla à Chinon voir le dauphin, Charles VII, non encore couronné. Celui-ci se trouvait face à une alliance anglo-bourguignonne sur le point d'envahir Orléans. Jeanne le convainquit qu'elle pouvait sauver la ville, alla s'armer à Tours, fit bénir son étendard à Blois et, le 29 avril, entra dans Orléans avec une toute petite armée. Galvanisés par elle, les Français en chassèrent les Anglais le 7 mai. Depuis lors, le 8 mai est un jour d'action de grâce pour ses habitants. Jeanne retourna à Gien exhorter Charles à aller se faire couronner à Reims. En 1430, elle fut capturée et accusée de sorcellerie. Livrée aux Anglais, elle mourut sur le bûcher à l'âge de 19 ans. Sa piété, son patriotisme et son martyre lui valurent d'être canonisée 500 ans plus tard.

Portrait de Charles VII, vitrail de Loches

Jeanne d'Arc entrant à Orléans, par Jean-Jacques Sherrer (1855-1916)

Orléans ⓱

Jeanne d'Arc

Orléans, capitale de la France médiévale et duché royal, devint à la Révolution résolument républicaine. Au premier regard, son rôle historique paraît s'effacer derrière celui qu'elle a acquis au XXe siècle comme centre commercial et d'industrie agro-alimentaire, d'autant plus que son vieux quartier a été gravement endommagé pendant la Deuxième Guerre mondiale. Malgré tout, la partie reconstruite de la vieille ville, près du fleuve, est pleine d'intérêt, sans oublier tous les beaux jardins de cette « cité des roses ».

À la découverte d'Orléans

Une impression de grandeur persiste dans le vieux quartier compris entre la cathédrale, la Loire et la **place du Martroi**. Celle-ci est dominée par la statue de Jeanne d'Arc de Denis Foyatier, érigée en 1855. Les événements de sa vie sont sculptés sur son socle. Deux splendides édifices classiques, la chancellerie et la Chambre de commerce, se trouvent aussi sur cette place.

Quelques maisons du Moyen Âge subsistent encore dans les rues étroites qui entourent la rue de Bourgogne. Celle-ci, en partie piétonnière, est une artère commerçante qui compte une diversité étonnante de restaurants exotiques. On trouve aussi de délicieux restaurants, souvent bon marché, près des **Nouvelles Halles**, le marché couvert de la ville. Les boutiques les plus élégantes sont dans la rue Royale, qui mène au pont George V (XVIIIe siècle).

Maison de Jeanne d'Arc

3, pl. de Gaulle. 02 38 52 99 89.
mai à oct. : mar. à dim. ; nov. à avr. : mar. à dim. l'apr.-midi seul. *1er jan., 1er mai, 25 déc.*

Reconstruite, la maison à colombage qui l'hébergea pendant dix jours, en 1429, rappelle des scènes de sa vie et expose des costumes ou des étendards.

Les dioramas audiovisuels évoquent en particulier Jeanne donnant l'assaut au fort des Tourelles, tenu par les Anglais.

L'hôtel Groslot, autrefois résidence privée

L'hôtel Groslot

Pl. de l'Étape. 02 38 79 22 22.
t.l.j. (sauf le sam. matin).

Le plus beau des nombreux bâtiments Renaissance de la ville, l'hôtel Groslot, construit entre 1549 et 1555, faisait office d'hôtel de ville encore tout récemment.

Construit en briques rouges et noires, c'était une splendide résidence avec piliers d'escalier en volutes, cariatides et intérieur très ouvragé. Il fut même jugé digne d'héberger le roi. C'est ici, en 1560, que mourut François II, jeune et malade, qui était venu assister à une réunion des États généraux en compagnie de sa femme-enfant Marie, qui allait devenir reine d'Écosse. La belle statue de Jeanne d'Arc qui se trouve au pied des marches est l'œuvre de la princesse Marie d'Orléans et date de 1840. Traversez la maison pour voir le charmant jardin adossé à la façade de la chapelle Saint-Jacques, reconstruite au XVe siècle en gothique flamboyant.

Cathédrale Sainte-Croix

Pl. Sainte-Croix. 02 38 77 87 50.
t.l.j.

Située sur une vaste esplanade, cette cathédrale a été commencée au XIIIe siècle. Le bâtiment d'origine a été complètement détruit au XVIe siècle par les huguenots, puis restauré, du XVIIIe au XIXe, dans un style pseudo-gothique. Derrière sa façade ouvragée, la nef aux hautes voûtes est éclairée par les rayons d'une rosace dédiée au Roi-Soleil. La chapelle de Jeanne d'Arc, dont les vitraux relatent le martyre, présente aussi une sculpture du cardinal Touchet, qui lutta pour sa canonisation. Le trésor rassemble de l'orfèvrerie, des émaux, un chariot-reliquaire et des peintures dont *Le Portement de Croix*, tableau magistral du peintre espagnol Francisco de Zurbarán (1598-1664).

La nef de la cathédrale Sainte-Croix

Le paisible parc floral d'Orléans-la-Source

Le musée des Beaux-Arts

Pl. Sainte-Croix. 02 38 53 39 22. mer. à lun. 1er jan., 1er et 8 mai, 1er nov., 25 déc.

Le niveau très élevé des collections de ce musée comprennent un autoportrait de Chardin (1699-1779) et *l'Apôtre saint Thomas* du jeune Vélasquez (1599-1660), donne une idée de la vitalité de la peinture européenne du XIVe au début du XXe siècle. Au deuxième étage, une série de statuettes miniature émaillées voisinent avec des tableaux du XIXe siècle, dont un Gauguin.

Musée historique et archéologique

Pl. de l'Abbé-Desnoyers. 02 38 53 39 22. mer. à lun. 1er jan., 1er et 8 mai, 1er nov., 25 déc.

Les principaux trésors de ce musée, logé dans l'hôtel Renaissance Cabu, sont représentés par les statues de bronze découvertes à Neuvy-en-Sullias en 1861, dont un magnifique cheval du IIe siècle apr. J.-C. *(p.49)*. Parmi les souvenirs de Jeanne d'Arc, une belle tête en pierre peinte. Le musée possède aussi des objets d'art et d'artisanat remontant au Moyen Âge.

Mode d'emploi

Carte routière E2. *100 000. 1, rue St-Yves rue Marcel-Proust. pl. Albert-Ier (02 38 53 05 95). t.l.j. Fête de Jeanne d'Arc : 7 et 8 mai.*

Aux environs

Les alentours d'Orléans offrent d'agréables endroits de repos après une journée passée à visiter le centre de la ville. À Olivet, par exemple, on peut naviguer sur le Loiret. Cette rivière est également le lieu de nombreuses et attrayantes promenades. Affluent de la Loire, le Loiret coule en sous-sol presque depuis Saint-Benoît-sur-Loire *(p.140)* pour n'émerger que dans le grand **parc floral** d'Orléans-la-Source. Réserve naturelle de 100 hectares, ce parc est couvert de fleurs à partir d'avril. À côté du parc, on trouve le château de la Source du XVIIe siècle et les bâtiments de l'université d'Orléans.

Parc floral

Orléans-la-Source. 02 38 49 30 00. avr. à mi-nov. : t.l.j. ; mi-nov. à mars : t.l.j. l'apr.-midi seul.

Le centre d'Orléans

Cathédrale Sainte-Croix ④
Hôtel Groslot ②
Maison de Jeanne d'Arc ①
Musée des Beaux-Arts ③

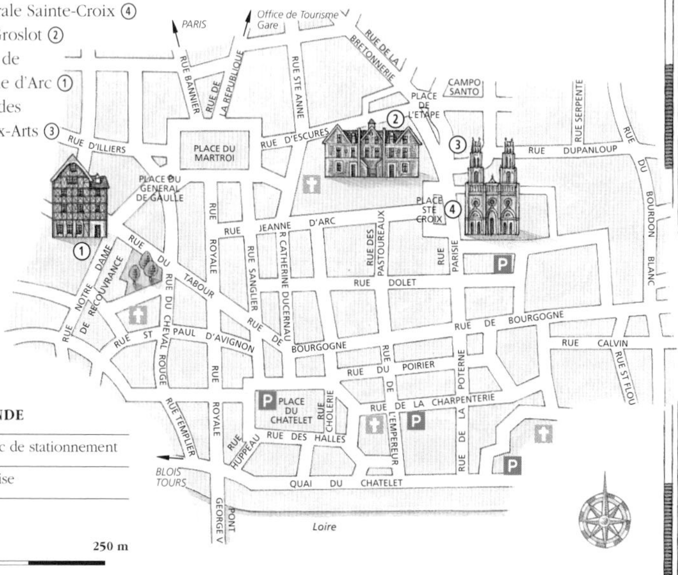

Légende

P Parc de stationnement
Église

La façade romane de l'église abbatiale de Saint-Benoît

Saint-Benoît-sur-Loire 18

Carte routière F3. *2 000.*
44, rue Orléanaise (02 38 35 79 00).

Cette paisible petite ville peut s'enorgueillir de posséder la plus belle église abbatiale de France, construite entre 1067 et 1108. La caractéristique la plus séduisante de sa façade très sobre est son clocher-porche, du début du XIe siècle, entrepris probablement par l'abbé Gauzlin, le fils d'Hugues Capet. Les énormes piliers sont flanqués de colonnes avec chapiteaux à feuillages ou historiés.

À l'intérieur, les nefs latérales sont séparées de la nef gothique par des colonnes. Le chœur, qui date de la première période romane, a des arcatures aveugles et un sol en mosaïque rapporté de Rome. Sculptée sur le mur du transept nord, une tête de pillard normand, aux joues percées pour lui permettre d'évacuer ses esprits païens.

Dans la crypte, une châsse contient les reliques de saint Benoît, père, au VIe siècle, du monachisme occidental. Celles-ci ont été escamotées, en 672, du propre monastère de Saint-Benoît au Mont-Cassin, en Italie. Au XIe siècle, quand on entreprit la construction de l'église, l'ordre des bénédictins était très riche et Saint-Benoît-sur-Loire réputé tout autant pour son enseignement que pour ses reliques. C'est un monastère en exercice, et l'une des meilleures façons de se pénétrer de l'esprit du lieu est d'assister aux vêpres ou à un concert de chant grégorien.

L'oratoire carolingien (IXe s.) de **Germigny-des-Prés** se trouve à 5 km de Saint-Benoît-sur-Loire par la D60. La petite coupole de l'abside est décorée d'une mosaïque de l'école de Ravenne représentant l'arche d'alliance, faite de 130 000 petits cubes de verre assemblés.

Gien 19

Carte routière F3. *16 500.*
pl. Jean-Jaurès (02 38 67 25 28). *mer., sam.*

Intelligemment restaurée après les bombardements de la Deuxième Guerre mondiale, Gien est considérée comme une des plus jolies villes de la Loire. Partant des quais et d'un pont du XVIe siècle, des maisons de brique, de pierre claire et d'ardoise s'étagent sur une pente raide jusqu'au château. Celui-ci a été édifié pour Anne de Beaujeu, qui fut régente à la place de son frère, Charles XIII, à la fin du XVe siècle.

Vitrail de Max Ingrand

À la suite des destructions de la guerre, l'**église Sainte-Jeanne-d'Arc**, voisine du château, n'avait conservé que son clocher, mais elle a été remplacée dans les années 1950 par une autre remarquable église. De chauds revêtements de briques, sorties des fameux fours à céramique de Gien, se marient avec le briquetage rouge et noir du château. À l'intérieur brillent les vitraux de Max Ingrand et des faïences, spécialité de la région. Un musée de la porcelaine et de la poterie est ouvert tous les jours dans la faïencerie, fondée en 1821 *(p.221)*.

Le **château** d'Anne de Beaujeu, construit entre 1494 et 1500 sur l'emplacement d'un des plus vieux châteaux de la Loire, a abrité pendant la Fronde (1648-1653) le jeune Louis XIV et la reine mère. Ses salles et ses galeries grandioses sont occupées aujourd'hui par un superbe musée de la Chasse, qui retrace l'évolution de cette activité depuis la préhistoire. Il couvre aussi bien l'armement, le costume que la technique et les arts, depuis la fauconnerie jusqu'à la chasse royale. Dans le hall d'entrée, un tableau du XVIIe siècle représente la conversion

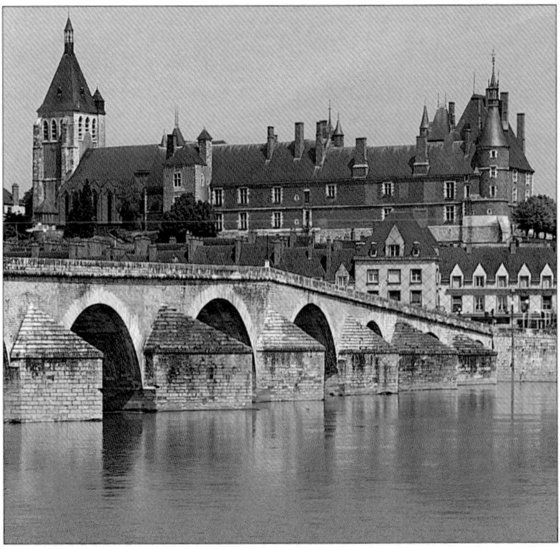

Le château de Gien et son pont du XVIe siècle

de saint Hubert, le patron des chasseurs, à la vue d'un cerf ressuscité avec un crucifix entre ses bois. Une arbalète italienne et une corne pour poudre à fusil, ornées d'images de Diane et Actéon, sont de magnifiques exemples de gravure du XVIIe siècle. Parmi les artistes marquants exposés, citons Florentin Brigaud, sculpteur du XXe siècle, Stradano, graveur flamand, et François Desportes avec de beaux tableaux.

Château et Musée international de la Chasse
02 38 67 69 69. mars à nov. : mar. au dim. déc. à fév., 25 déc. entr. principale seul.

Un bateau de plaisance traversant l'élégant pont-canal de Briare

Briare-le-Canal 20

Carte routière F3. *6 000.* *pl. Charles-de-Gaulle (02 38 31 24 51). ven.*

Cette petite ville, avec son port de plaisance, dispose d'un chef-d'œuvre de l'équipement : le pont-canal le plus long d'Europe *(p.56-57)*. Avec sa maçonnerie et ses ornements en fer forgé dessinés par Eiffel (1832-1923), il traverse la Loire, joignant le canal de Briare-Loing au Canal Latéral. Ces voies navigables vont à leur tour rejoindre l'une la Seine, l'autre le Rhône. Le visiteur peut parcourir à pied toute la longueur du pont, bordé, comme un boulevard parisien, par d'élégants réverbères, ou encore naviguer en bateau-mouche sur ses 662 m.

La pêche sur un des paisibles étangs de la Sologne

La Sologne 21

Carte routière E3. *Romorantin-Lanthenay. Maison des Étangs, St-Viâtre (02 54 88 93 20).*

Entre Gien et Blois, la Loire marque la frontière nord de la Sologne, vaste étendue de landes, de marais et de forêts de près de 500 000 hectares. La région est parsemée d'étangs, de grands lacs grouillant de poissons qui sont de véritables aimants pour les oiseaux migrateurs et aquatiques. Ses forêts attirent les chasseurs et les amoureux de la nature, aujourd'hui comme à la Renaissance, lorsque la royauté décida de construire là ses grandioses pavillons de chasse. Bien que la plupart des terres soient aux mains de propriétaires privés, les chemins publics ne manquent pas.

Romorantin-Lanthenay est la « capitale » de la Sologne. Ses bâtiments du XVIIe au XIXe siècle et son quartier médiéval méritent une visite. La ville abrite le **musée de Sologne** qui explique l'économie et la vie de la région.

Juste au nord de Romorantin, Saint-Viâtre est un centre pour l'observation des oiseaux sur les étangs de Brosses, de Grande Corbois, de Favelle, de Marcilly et de Marguilliars. La **Maison des Étangs** fournit des renseignements ornithologiques.

Pour ce qui est du gibier, quatre observatoires sont cachés dans le parc de Chambord *(p.134-135)*, d'où l'on peut voir ou entendre des cerfs. Le **domaine du Ciran**, à 25 km au sud d'Orléans, est une grande réserve naturelle ouverte au public.

Musée de Sologne
02 54 95 33 66. mer. à dim. 1er jan., 1er mai, 25 déc.

Maison des Étangs
02 54 88 93 20. juin : sam., dim. et vac. scol. ; 1er juil. au 15 sept. : t.l.j.

Domaine du Ciran
Ménestreau-en-Villette. *La Ferté-St-Aubin, puis taxi. Ménestreau-en-Villette (02 38 76 90 93).*

Maison à colombage, typique de la Sologne

LE BERRY

Au cœur de la France, le Berry s'étend du sud du Bassin parisien au nord du Massif central. Ses paysages extrêmement variés – champs de blé, pâturages, vignobles, forêts, collines, lacs, paisibles villages et élégants manoirs – sont l'occasion de découvrir la France rurale hors des sentiers battus. C'est, après l'Île-de-France, la plus ancienne province française.

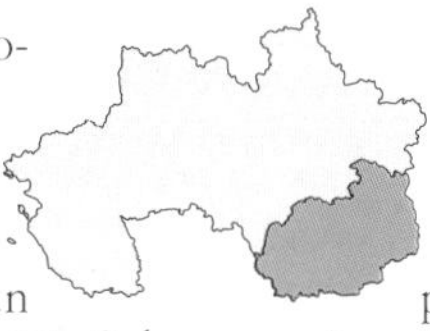

Bourges, la principale agglomération du Berry, était déjà une des villes les plus importantes d'Aquitaine à l'époque gallo-romaine (Avaricum). Elle connut un autre moment de gloire, au XIVe siècle, sous l'administration de Jean, duc de Berry. Belliqueux mais protecteur des arts, il fit construire un splendide palais, aujourd'hui détruit, et collectionna les tableaux, les tapisseries, les bijoux et les manuscrits enluminés.

En 1420, Charles VII, qui se battait pour la couronne de France *(p.52-53)*, installa à Bourges sa base de campagne. Après cela, Jacques Cœur, son trésorier, fit beaucoup pour assurer les finances du royaume. Aujourd'hui, le palais Jacques-Cœur et la splendide cathédrale de Bourges attirent de très nombreux visiteurs.

Randonnées dans les forêts bien entretenues, pêche ou observation des oiseaux dans la Brenne, promenades en barque ou en canoë sur les rivières et les lacs…, le Berry offre quantité de possibilités aux amateurs d'activités de plein air. Les romans de George Sand *(p.22)* et *Le Grand Meaulnes* (1913) qui évoque l'enfance d'Alain-Fournier en Sologne et dans le sud du Berry font revivre avec justesse l'atmosphère de cette région.

Gibier et champignons sauvages sont les ingrédients fétiches de la cuisine du Berry. Au nord-est, la région de Sancerre, réputée pour son vin *(p.155)*, est également connue pour ses fromages de chèvre, dont le fameux crottin de Chavignol.

Vue de la rivière devant le village de Nohant

◁ **Les vignobles de Sancerre**

À la découverte du Berry

Bourges est le point de départ naturel pour aller à la découverte du cœur de la France. On atteint rapidement les abords de la Sologne *(p.141)* au nord, ou la Brenne au sud-est, où trouvent encore refuge des animaux sauvages. La champagne berrichonne, au sud de Bourges, est une vaste région agricole productrice de blé, d'orge et de plantes oléagineuses, telles que colza ou tournesol. À l'est, la Loire, qui coule à travers les vignobles du Sancerrois, marque l'ancienne frontière entre le Berry et la Bourgogne.

Le palais Jacques-Cœur à Bourges

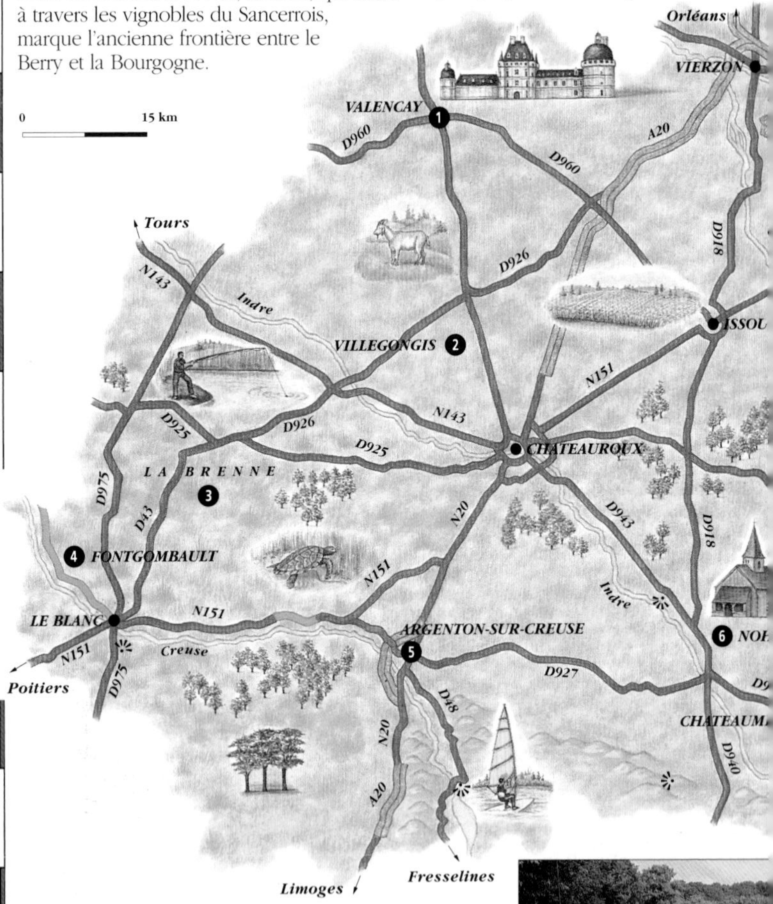

Circuler

De Paris, l'autoroute A 71, qui traverse Vierzon, Bourges et Saint-Amand-Montrond, est le meilleur moyen d'aller du nord au sud. Le TGV ne s'arrête pas dans la région, mais les trains Corail mettent un peu plus de deux heures de la gare d'Austerlitz à Bourges (avec changement) ou à Châteauroux. De nombreux trains assurent la liaison Bourges-Tours. Dans les endroits plus isolés, les transports publics sont rares et une voiture est très utile, en particulier pour visiter les vignobles de Sancerre ou les réserves naturelles de la Brenne.

Au bord de la rivière, scène typique paisible Berry

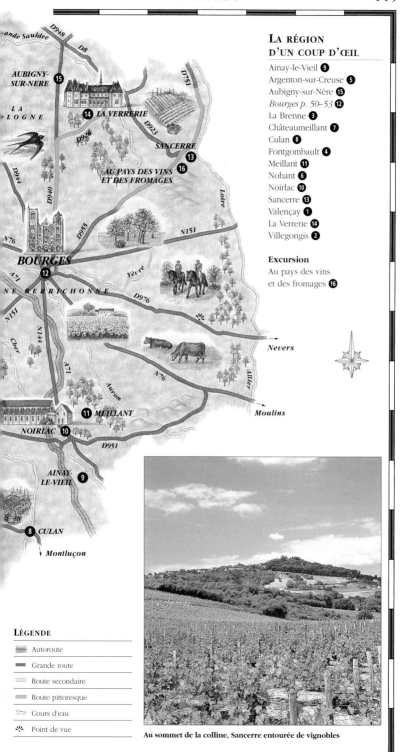

La région d'un coup d'œil

Ainay-le-Vieil 9
Argenton-sur-Creuse 5
Aubigny-sur-Nère 15
Bourges p. 50–53 12
La Brenne 3
Châteaumeillant 7
Culan 8
Fontgombault 4
Meillant 11
Nohant 6
Noirlac 10
Sancerre 13
Valençay 1
La Verrerie 14
Villegongis 2

Excursion
Au pays des vins et des fromages 16

Légende

- Autoroute
- Grande route
- Route secondaire
- Route pittoresque
- Cours d'eau
- Point de vue

Au sommet de la colline, Sancerre entourée de vignobles

Un paon devant le château de Valençay

Le château de Valençay ❶

Carte routière E4. *Valençay.* *02 54 00 10 66.* **Château, musée de l'Auto et Jardins** *avr. à oct. : t.l.j. ; nov. à mars : sam., dim. et vac. scol.* *jardin et r.-d.-c. seul.*

Construit vers 1540, le château de Valançay fut achevé 300 ans plus tard, mais ses parties Renaissance et classique sont parfaitement intégrées. En 1803, il fut acheté par Talleyrand, ministre des Affaires étrangères de Bonaparte, qui y mourut en 1838. Ses descendants restèrent propriétaires du château et y vécurent jusqu'en 1980.

Valençay est très riche en meubles, surtout d'époque Empire, et conserve de nombreux souvenirs de Talleyrand. Des paons, des cygnes, des cerfs et quelques animaux plus exotiques, comme des lamas ou des kangourous, vivent dans le parc. Il abrite aussi le **musée de l'Automobile,** avec ses collections de voitures anciennes.

Le château de Villegongis ❷

Carte routière E4. *Châteauroux, puis taxi.* *02 54 36 60 51.* *avril à sept. : sur r.-v.*

Élégant et entouré de douves, le château de Villegongis a été bâti par Pierre Nepveu, un des maîtres d'œuvre de Chambord *(p.132-135).* Il est resté entre les mains de la même famille depuis le XVe siècle. Rarement modifié, il demeure l'un des plus purs exemples de la Renaissance française.

Ses cheminées abondamment décorées, qui évoquent Chambord, et ses tours rondes qui flanquent le corps de logis sont ses caractéristiques les plus frappantes.

Il contient de très beaux meubles, dont quelques pièces rares des XVIIe et XVIIIe siècles. À noter également son remarquable escalier de pierre sculptée.

La Brenne ❸

Carte routière E4. *Mézières-en-Brenne, Le Blanc.* *Maison du Parc, Rosnay (02 54 28 12 13).*

Le parc naturel régional de la Brenne, qui couvre 165 000 ha, est mieux connu sous le nom de *Pays des mille étangs.* Belle région d'étangs et de collines boisées, la Brenne est un paradis pour les amoureux de la nature. Des 400 espèces d'oiseaux recensées en Europe, on estime qu'il y en a ici 250, dont quelques-unes parmi les plus rares.

Quelques réserves spécialisées sont ouvertes au public. Ainsi la **réserve naturelle de Chérine**, où l'on peut observer des tortues d'étangs, et le **parc animalier de la Haute-Touche**, refuge des espèces menacées de cervidés. La ville de Mézières-en-Brenne abrite la **maison de la Pisciculture** qui montre toutes sortes d'espèces locales de poissons. **Azay-le-Ferron**, au nord-ouest de la Brenne, est un château principalement Renaissance, richement meublé, avec un jardin à la française.

Réserve naturelle de Chérine
St-Michel-en-Brenne. *02 54 38 12 24.* **Observatoire** *t.l.j.* *1er jan., 25 déc.* *Observation d'oiseaux : avr. à juin : mar., jeudi, sam. 14 h à 18 h ; juil. à août : mar. 18 h à 20 h, sam., dim. 20 h à 22 h.*

Parc animalier de la Haute-Touche
Obterre. *02 54 39 20 82.* *Pâques à oct. : t.l.j.*

Maison de la Pisciculture
Mézières-en-Brenne. *02 54 38 12 99.* *mer. au lun., l'apr.-midi seul.* *1er jan., 25 déc., 1er mai* *entr. princ. seul.*

Château d'Azay-le-Ferron
Azay-le-Ferron. *02 54 39 20 06, 02 47 05 68 73.* *avr. à sept. : mer. à lun. ; oct. à mars : mer., sam. et dim.* *jan.*

Un des nombreux étangs de la Brenne

L'abbaye de Notre-Dame de Fontgombault ❹

Carte routière E4. *02 54 37 12 03, 02 54 37 30 98.* *t.l.j.* *messe 10 h t.l.j. ; vêpres : 16 h lun. à mer., ven. et sam. ; 17 h dim.*

La belle abbaye **Notre-Dame de Fontgombault**, célèbre par la tradition de chant grégorien que font revivre les bénédictins, a été fondée en 1091 mais abandonnée vers 1741, quand elle ne compta plus que cinq moines. Restaurée au XIXe siècle par un prêtre de la région, elle est occupée aujourd'hui par des moines de Solesmes *(p.162)*. L'église, avec ses cinq chapelles rayonnantes, possède un porche richement ouvragé, des chapitaux sculptés et une statue vénérée du XIIe siècle, Notre-Dame-du-Bien-Mourir, réputée réconforter les mourants. Le grégorien est encore chanté pendant les services. Les moines ont un atelier de poterie dont la production est exposée à côté de l'église.

Les chapelles rayonnantes de l'abbaye Notre-Dame de Fontgombault

Vieilles maisons surplombant la rivière à Argenton-sur-Creuse

Argenton-sur-Creuse ❺

Carte routière E4. *5 200.* *pl. de la République (02 54 24 05 30).* *sam.* *Festival de folklore Mercuria (juil.) ; Festival de jazz (août).*

Argenton-sur-Creuse est une des plus jolies villes situées le long de la rivière qui serpente de Fresselines à Argenton à travers des gorges profondes.

Des rues pittoresques grimpent la colline jusqu'à la chapelle Notre-Dame-des-Bancs, dominée par la statue dorée de la Vierge Marie. De là, comme du Vieux Pont médiéval, de beaux points de vue s'offrent au promeneur.

Au XIXe siècle, la ville est devenue un centre important de l'industrie du vêtement. Cet héritage est à l'honneur au **musée de la Chemiserie et de l'Élégance masculine.**

Musée de la Chemiserie et de l'Élégance masculine
Argenton-sur-Creuse. *54 24 34 69.* *mi-fév. à déc. : mar. au dim.*

Le château de Nohant ❻

Carte routière E4. *02 54 31 06 04.* *Châteauroux.* *t.l.j.* *vac. scol.* *Fêtes Romantiques de Nohant (juin) ; Chopin chez George Sand (juil.).*

George Sand, nom de plume de la baronne Aurore Dudevant (1804-1876), passa une partie de son enfance dans ce charmant manoir, qui voisine avec une petite église romane. Au cours de sa vie mouvementée et peu conventionnelle, elle y retourna souvent pour jouir du calme et de la beauté des paysages de son cher Berry.

Nombreux sont les romans de George Sand – dont *La Mare au Diable* et *La Petite Fadette* – qui se passent dans la région *(p.22)*. Ses admirateurs peuvent voir le boudoir où elle commença à écrire, sur un bureau construit à l'intérieur d'un placard, la scène sur laquelle elle jouait ses pièces avec ses invités, les marionnettes fabriquées par son fils, Maurice, le piano de Chopin et la chambre où elle mourut, en 1876.

MONET À FRESSELINES

En 1889, Claude Monet fit un voyage à Fresselines, village perché au-dessus de la Creuse. Séduit par la beauté d'un endroit d'où il avait une vue plongeante sur les gorges de la rivière, il se mit à peindre une série de toiles du lieu sous différentes lumières. En février, le mauvais temps l'obligea à s'arrêter et il attendit le printemps. Mais la vue avait changé avec les pousses nouvelles, et il fut obligé de payer le propriétaire d'un chêne, qui figurait dans cinq de ses tableaux, pour qu'il dépouille l'arbre de ses feuilles.

***Vallée de la Petite Creuse*, par Claude Monet**

Châteaumeillant 7

Carte routière F4. 2 000.
juin à sept. : rue de la Victoire (02 48 61 39 89) ; oct. à mai : mairie (02 48 61 39 89). *ven.*

L'**église Saint-Genès**, principal titre de gloire de la ville, avec sa façade occidentale grise et rose et son plan bénédictin, a été construite au XIIe siècle. La hauteur de la nef (remarquables chapiteaux), le très large chœur flanqué de six chapelles absidiales et les doubles travées qui évoquent l'architecture d'un cloître en font un édifice très spacieux.

Châteaumeillant, qui fut un important centre commercial gallo-romain, possède un musée archéologique, le **musée Émile-Chenon**, qui expose, dans une demeure du XVe siècle, des objets provenant de fouilles locales, notamment des céramiques.

Musée Émile-Chenon
Rue de la Victoire. *(02 48 61 39 89.)* *juin à sept. : t.l.j.*

Le château de Culan 8

Carte routière F4. *02 48 56 64 18.* *mars à oct. : t.l.j.*

Occupant une position stratégique sur un rocher qui domine l'Arnon, cette forteresse médiévale date des XIIIe et XIVe siècles. Ses trois imposantes tours rondes sont surmontées de hourds bien conservés. À l'intérieur, une série de pièces meublées retracent la longue histoire du château, rappelant les célébrités qui en ont été les hôtes – dont l'amiral de Culan, compagnon d'armes de Jean d'Arc (qui elle-même y séjourna en 1430), George Sand *(p.22)* et Mme de Sévigné – et l'attaque dont ce château fut l'objet au XVIIe siècle, pendant la Fronde.

De la terrasse du château, on jouit d'une jolie vue sur les jardins de Culan récemment replantés, et sur la vallée de l'Arnon.

Le château de Culan, au-dessus de l'Arnon

La cour intérieure du château d'Ainay-le-Vieil

Le château d'Ainay-le-Vieil 9

Carte routière F4. *St-Amand-Montrond, puis taxi.* *02 48 63 50 03.* *fév. et mars : mer. à lun. l'apr.-midi seul. ; avr. à oct. : t.l.j.* *r.-d.-c. seul.*

Ainay-le-Vieil, avec ses murs redoutables et ses neuf tours massives, ne laissant passer la lumière que par d'étroites meurtrières, a l'allure d'une sévère forteresse. Mais, après avoir pénétré derrière le mur d'enceinte – octogonal et entouré de douves – par une immense poterne du XIIIe siècle, on découvre alors un gracieux château Renaissance conçu pour la vie mondaine, à la façade décorée, égayée de balcons couverts.

Dans les premiers temps, le château changea souvent de main. Au XVe siècle, il appartint brièvement à Jacques Cœur *(p.151)*, mais en 1467 il fut acheté par les seigneurs de Bigny, et leurs descendants y vivent encore aujourd'hui.

Vers 1500, le grand salon fut décoré en l'honneur de la visite de Louis XII et d'Anne de Bretagne. Son plafond est peint et il est doté d'une cheminée monumentale. Un portrait de Jean-Baptiste Colbert, premier ministre de Louis XIV, et d'autres portraits de membres de la famille y sont exposés, ainsi qu'un pendentif en ambre ayant appartenu à Marie-Antoinette et quelques « objets de vertu », marques d'amitié de Napoléon au général Auguste Colbert.

La petite chapelle Renaissance est ornée de belles peintures murales de la fin du XVIe siècle, découvertes au XIXe lors de travaux de décoration. Ses vitraux sont l'œuvre d'un artiste qui réalisa ceux de la cathédrale Saint-Étienne à Bourges *(p.152-153)*.

Le parc comprend un délicieux et odorant jardin de roses, dont certaines variétés remontent au XVe siècle.

L'abbaye de Noirlac ⑩

Carte routière F4. *St-Amand-Montrond, puis taxi.* *02 48 96 23 64.* *avr. à sept. : t.l.j. ; oct. à mars : mer. à lun.* *1er jan. ; 25 déc.* *L'Été de Noirlac (juil., août).*

L'abbaye cistercienne de Noirlac, fondée en 1136, est un bon exemple d'architecture monastique médiévale. L'austérité de l'ordre cistercien s'exprime dans la pureté des lignes de son église – en partie du XIIe siècle – à laquelle fait écho la sobriété des vitraux.

La salle capitulaire, où les moines se réunissaient chaque jour, et le cellier où les frères convers stockaient la nourriture, le vin et le grain, sont du même style, simple mais élégant. Le cloître, avec ses arcades gracieuses et ses chapiteaux ornementés, comprend deux galeries du XIIIe siècle et deux du XIVe.

À **Bruère-Allichamps**, à 4 km au nord-ouest de l'abbaye, une borne gallo-romaine indique que ce village est au centre de la France.

Les lignes austères de l'abbaye de Noirlac

Le château de Meillant ⑪

Carte routière F4. *St-Amand-Montrond, puis taxi.* *02 48 63 30 58, 02 48 63 32 05.* *fév. à mi-déc. : t.l.j.* *r.d.c. seul.*

L'ameublement somptueux et les plafonds sculptés de ce château du Berry, bien conservé, sont en harmonie avec l'ornementation exubérante de sa façade sur cour. Construit en 1510 pour Charles II d'Amboise par d'habiles ouvriers italiens, l'édifice marie heureusement gothique tardif et début Renaissance. Il est dominé par la tour du Lion, tour octogonale de trois étages. La façade ouest, plus simple, date du début du XIVe siècle. Ne manquez pas non plus la chapelle et les jardins où se pavanent des paons. La **Mini'stoire** est un intéressant parc miniature qui présente, sous forme de maquettes, l'évolution au cours des siècles des différents styles architecturaux.

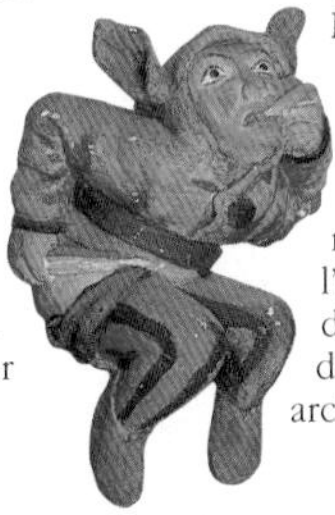

Petite sculpture grotesque à Meillant

La Mini'stoire
fév. à mi-déc. : t.l.j.

La vie dans une abbaye cistercienne

Les règles cisterciennes reposent sur des principes d'austérité et de simplicité. Les abbayes étaient divisées en deux communautés distinctes. Les frères convers, qui n'avaient pas encore prononcé leurs vœux solennels, étaient chargés des travaux d'intendance et de l'accueil des hôtes, qui permettaient à la communauté de vivre en autarcie. Seuls les prêtres et les choristes étaient autorisés à pénétrer dans le cloître, mais ils ne pouvaient sortir de l'abbaye sans la permission du père supérieur.

La journée du moine, de 2 h à 19 h, était régulièrement ponctuée de dévotions : prières, confession, méditation et messe. La stricte règle du silence n'était rompue que pour la lecture de la Bible ou des règles de l'ordre.

Moine cistercien travaillant dans les champs

Bourges ⓬

Au cœur de la ville moderne, autrefois cité romaine d'Avaricum, un lacis de vieilles rues entoure la magnifique cathédrale. En dépit de l'incendie dramatique de 1487, Bourges fut, au Moyen Âge, un centre religieux et artistique important et, à la fin du XIXe siècle, devint une ville industrielle prospère. Aujourd'hui, son atmosphère paisible est en harmonie avec de riches musées installés dans de superbes bâtiments anciens. Elle s'anime lors du *Printemps de Bourges,* festival rock qui attire chaque année un public jeune et nombreux.

***Concert champêtre* du XVIe siècle, dans l'hôtel Lallemant**

Hôtel des Échevins et musée Estève

12, rue Édouard-Branly. 02 48 24 75 38. *lun., mer. au sam. ; dim. (l'apr.-midi seul.). 1er jan., 25 déc.*

Construit en 1489, l'hôtel des Échevins, aux remarquables tours octogonales sculptées, fut le siège du conseil municipal de Bourges pendant plus de trois siècles.

En 1886, le bâtiment fut classé monument historique. En 1985, on entreprit des travaux de rénovation et, en 1987, il devint un musée consacré à Estève, peintre contemporain né à Culan, au sud du Berry *(p.148)*. Ses tableaux aux couleurs fortes et vives composent l'essentiel de la collection. À cet accrochage permanent s'ajoutent des expositions temporaires d'aquarelles, de collages et de dessins au trait, et de tapisseries. Les tableaux sont disposés suivant un ordre chronologique, sur trois niveaux reliés entre eux par un élégant escalier de pierre en spirale. De façon surprenante, ces œuvres modernes s'intègrent parfaitement dans les vastes salles gothiques.

***Samsâra,* par Maurice Estève (1977)**

Hôtel Lallemant et musée des Arts décoratifs

6, rue Bourbonnoux. 02 48 57 81 17. *mar. au sam. ; lun. (l'apr.-midi seul.). vac. scol.*

Le musée des Arts décoratifs se trouve dans une demeure Renaissance, construite pour la famille d'un riche marchand originaire d'Allemagne. La chapelle de cet hôtel, au plafond à caissons sculpté de symboles alchimiques, est particulièrement intéressante. Les collections comprennent des tapisseries, des horloges, des objets en céramique et en verre, des tableaux et des meubles, sans oublier un magnifique cabinet du XVIIe siècle incrusté d'ébène. Une autre partie du musée rassemble des jouets du XVIIe siècle à nos jours.

Musée du Berry

4–6, rue des Arènes. 02 48 70 41 92. *lun., mer. au sam. ; dim. (l'apr.-midi seul.). vac. scol. r.-d.-c. seul.*

Le musée du Berry, installé dans l'hôtel Cujas (Renaissance), est consacré à l'histoire locale. Les collections comprennent beaucoup d'objets gallo-romains, provenant pour la plupart de la région. Elles rassemblent aussi de belles sculptures gothiques, dont les pleurants en marbre du tombeau de Jean, duc de Berry, œuvres de Jean de Cambrai. On peut voir la partie supérieure du tombeau (le gisant) dans la crypte de la cathédrale Saint-Étienne *(p.152-153)*.

L'étage supérieur présente l'artisanat et les objets quotidiens du Berry, y compris la poterie caractéristique de La Borne, près de Sancerre.

La plafond aux anges de Jean Fouquet, palais Jacques-Cœur

Jacques Cœur

Fils d'un fourreur de Bourges, Jacques Cœur (v. 1400-1456) fut l'un des hommes les plus riches et les plus puissants de son époque. Avec sa flotte marchande, il navigua vers l'est de la Méditerranée et l'Extrême-Orient, pour en rapporter de la soie, des épices et des métaux précieux, jusqu'à ce que Charles VII le nomme grand argentier des finances royales. En 1451, il fut accusé de fraude et impliqué à tort dans la mort d'Agnès Sorel, la maîtresse du roi. Arrêté, emprisonné, torturé, il réussit cependant à s'enfuir à Rome. Il prit part à l'expédition navale du pape contre les Turcs et mourut sur l'île de Chio.

Jacques Cœur

Mode d'emploi

Carte routière F4. 76 000. pl. du Général-Leclerc. rue Prado. 21, rue Victor-Hugo (02 48 24 75 33). jeu., sam. et dim. Printemps de Bourges (avr.) ; L'Été à Bourges (festival de rue, juil. à août).

La cheminée dans la galerie sud du palais Jacques-Cœur

Palais Jacques-Cœur

Rue Jacques-Cœur. 02 48 24 06 87. t.l.j. vac. scol.

Construit sur les vestiges des murs gallo-romains de la ville, ce palais fait partie des plus beaux bâtiments séculiers gothiques d'Europe. Il fut édifié par Jacques Cœur à grands frais, entre 1443 et 1451.

Organisé autour d'une cour centrale et comprenant quatre corps de logis, l'édifice présente nombre d'innovations remarquables pour l'époque ; ainsi des pièces ouvrent sur un couloir plutôt que de communiquer entre elles et certains aménagements reflètent un souci grandissant de l'hygiène et du confort.

Depuis les personnages qui se penchent aux fenêtres simulées du pavillon d'entrée jusqu'aux mystérieux symboles, sans doute alchimiques, sculptés un peu partout, ce palais regorge de détails intéressants. Les motifs les plus répandus sont sans doute les cœurs et les coquilles, présents sur les armes du propriétaire, associés aux emblèmes royaux.

Autres particularités notables : la vaste cour, les superbes voûtes en bois des galeries et le magnifique plafond de la chapelle, peint par Jean Fouquet *(p.23)*.

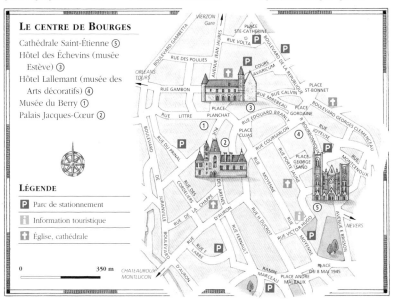

Le centre de Bourges

Cathédrale Saint-Étienne ⑤
Hôtel des Échevins (musée Estève) ③
Hôtel Lallemant (musée des Arts décoratifs) ④
Musée du Berry ①
Palais Jacques-Cœur ②

Légende

- Parc de stationnement
- Information touristique
- Église, cathédrale

0 — 350 m

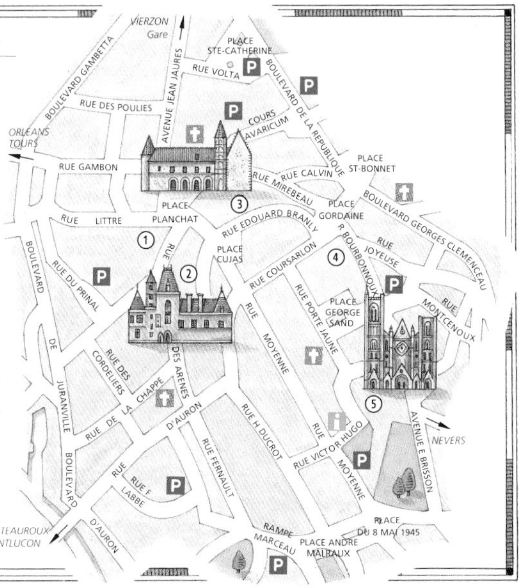

Bourges: la cathédrale Saint-Étienne

Détail de vitrail

Saint-Étienne, l'une des plus belles cathédrales gothiques de France, a été construite entre 1195 et 1260. Son architecte, inconnu, l'avait conçue sans transept, ce qui, ajouté à sa hauteur et à sa largeur inhabituelles, la rend beaucoup plus légère que la plupart des cathédrales gothiques. Cet effet est encore accru par les couleurs de ses vitraux médiévaux. Sa façade ouest asymétrique est tout aussi inaccoutumée, de même que le sont les arcs-boutants qui s'étagent en pyramide et la crypte, éclairée par des vitraux, où la lumière du jour entre grâce à une dénivellation de 6 m de l'extrémité est.

L'intérieur
La cathédrale mesure 37 m de hauteur sous voûte et 124 m de long.

★ L'horloge astronomique
Conçue en 1423 par Jean Fusoris, astronome et mathématicien, l'horloge est la plus ancienne de France.

La tour sourde, ainsi nommée parce qu'elle n'a pas de cloche.

L'entrée

Le Grand Housteau est une étonnante rosace, offerte par l'illustre mécène Jean de Berry.

Les cinq portails de la façade occidentale sont entourés de représentations sculptées. Ils sont de tailles et de formes différentes, ce qui en renforce l'asymétrie.

LE JUGEMENT DERNIER

Le tympan du portail central (façade O.) représente, au registre inférieur, les ressuscités soulevant leur pierre tombale. Au registre médian, saint Michel pèse les âmes. Les damnés sont précipités dans l'enfer, et les élus réunis dans le sein d'Abraham. Au-dessus, le Christ est entouré des anges.

***Le Jugement dernier*, portail de la cathédrale Saint-Étienne**

★ Les vitraux
Les vitraux du chœur ont été financés par des corporations locales. Au bas de chaque vitrail, leurs membres sont représentés dans la pratique de leur art.

Mode d'emploi

Pl. Étienne-Dolet. *02 48 24 75 33.* *t.l.j. : 8 h à 18 h (sauf durant les offices).* *avr. à oct.* *sam. : 18 h 30 ; dim. : 9 h et 11 h.* **Crypte** *lun. au sam. : 9 h à 11 h, 14 h à 16 h 30 (Pâques à sept. : 17 h 30), dim. l'apr.-midi seul.*

Dans la chapelle Jacques-Cœur, superbe vitrail de l'Annonciation.

La crypte, ou église basse, a été construite dans ce qui fut une douve gallo-romaine.

Sur le portail roman, côté sud, un *Christ en majesté* est entouré des symboles des évangélistes.

Les statues de la crypte
Dans la crypte, des statues du duc et de la duchesse de Berry furent décapitées pendant la Révolution ; leurs têtes ont été remplacées par des copies.

★ Le Saint Sépulcre
Cette sculpture, représentation de la mise au tombeau du Christ, a été placée dans la crypte en 1540.

À ne pas manquer

- ★ L'horloge astronomique
- ★ Les vitraux
- ★ Le Saint Sépulcre

Jean, duc de Berry
Le gisant en marbre de Jean, duc de Berry, avec un ours à ses pieds, faisait à l'origine partie d'un mausolée grandiose.

Vignoble de Sancerre

Sancerre ⓭

Carte routière F3. *2 100.* *02 48 54 08 21.* *mar., sam.* *Foire aux Crottins (déb. mai) ; Foire aux Vins (dim. de Pentecôte) ; Foire aux Vins de France (fin août).*

Vieille ville du Berry, Sancerre est perchée sur une colline dominant la vallée de la Loire. Quelques intéressantes maisons des XVe et XVIe siècles bordent ses rues étroites. La **tour des Fiefs** est tout ce qui reste du château médiéval qui, jadis, commandait la ville. Du haut de cette tour, on a une vue superbe de la Loire avant qu'elle ne change de direction pour couler vers l'ouest. La ville et ses environs sont réputés pour leurs vins blancs secs et le fromage de chèvre, le crottin de Chavignol.

À 10 km à l'ouest de Sancerre, le **château de Boucard**, médiéval à l'origine, a une élégante cour Renaissance.

Tour des Fiefs
Pâques à oct. : sam. dim. et vac. scol. l'apr.-midi seul.

Château de Boucard
Le Noyer. *02 48 58 72 81.* *juin à mi-sept. : t.l.j. ; mi-sept. à déc., fév. à mai : ven. à mer.*

Le château de la Verrerie ⓮

Carte routière F3. *Gien, puis taxi.* *02 48 58 06 91.* *Pâques à oct. : t.l.j.* *voir **Hébergement**, p. 205.*

Ce beau château du début de la Renaissance se trouve à la lisière de la forêt d'Ivoy. Cette terre fut offerte par Charles VII à Jean Stuart, pour le remercier d'avoir battu les Anglais à Baugé, en 1421. Béraud Stuart, fils de Jean, commença la construction du château plusieurs dizaines d'années plus tard. Et ce fut son neveu, Robert, qui y mit la dernière main.

La Verrerie retourna à la couronne en 1670. Trois ans plus tard, Louis XIV en faisait cadeau à Louise de Kéroualle, favorite du roi d'Angleterre Charles II, qui y vécut jusqu'à sa mort, en 1734, à l'âge de 85 ans.

Des copies de fresques du XVIe siècle décorent une ravissante galerie Renaissance. De belles fresques ornent aussi la chapelle, de la même époque. Les quatre pleurants, qui se trouvent dans l'aile du XIXe siècle, proviennent du tombeau du duc de Berry *(p.152-153)* à Bourges.

Les pleurants du château de la Verrerie

Aubigny-sur-Nère ⓯

Carte routière F3. *6 000.* *Hôtel de Ville (02 48 81 50 00). Mai à oct. : rue des Dames (02 48 58 40 20).* *sam.* *Fête Franco-Écossaise (mi-juil.).*

Aubigny, avec ses belles maisons à colombage, est fière de son association avec le clan écossais des Stuarts. En 1423, la ville fut donnée par Charles VII à Jean Stuart en même temps que la Verrerie voisine. Après un important incendie, en 1512, les Stuarts firent construire un nouveau château et rebâtir la ville dans le style Renaissance.

En 1673, Louis XIV offrit le duché d'Aubigny à Louise de Kéroualle. Bien que celle-ci passât presque tout son temps à la Verrerie, elle dota le château d'Aubigny d'un grand jardin. Les tapisseries d'Aubusson, cadeaux du roi, sont accrochées dans le château. Devenu aujourd'hui l'hôtel de ville, il abrite également deux musées. Le **musée de la Vieille Alliance Franco-Écossaise** est consacré aux liens noués de longue date entre la ville et les réfugiés jacobites qui s'y étaient installés au XVIIIe siècle.

L'**église Saint-Martin**, du XIIIe siècle, a été en grande partie reconstruite par les Stuarts. Elle possède une belle pietà en bois et une émouvante mise au tombeau du XVIe siècle. Les vitraux du chevet illustrent la vie de saint Martin.

Le Berry a une réputation bien établie de sorcellerie, ce qu'illustre, à Concressault, 10 km à l'est d'Aubigny, le **musée de la Sorcellerie**. Des gravures rappellent l'histoire des sorcières, des guérisseurs et de la magie, et des figures de cire reconstituent des scènes de sabbat et de procès.

Musée de la Vieille Alliance Franco-Écossaise et musée Marguerite-Audoux
Château d'Aubigny. *02 48 81 50 00.* *Pâques à oct. : t.l.j. ; nov. à Pâques : sam. et dim.* *Musée de la Vieille Alliance seul.*

Musée de la Sorcellerie
La Jonchère, Concressault. *02 48 73 86 11.* *Pâques à oct. : t.l.j.*

La maison de François Ier, une des nombreuses demeures anciennes d'Aubigny-sur-Nère

Excursion au pays des vins et des fromages ⓰

Le Sancerrois, à l'est du Berry, est réputé pour ses vins et ses fromages de chèvre. Les gourmets peuvent visiter les plus grandes caves de Sancerre et goûter leurs vins blancs frais et parfumés, tirés des raisins de sauvignon, ou les rouges et les rosés légers, faits de pinot noir. Leur saveur se marie parfaitement avec le goût prononcé du crottin de Chavignol, autre production de la région.

L'itinéraire suivi passe par des vignobles et des champs pâturés par des chèvres. Il vous fera visiter les principaux producteurs, ainsi que les musées consacrés à l'histoire du vin et du fromage.

Vin de Sancerre

Étiquette de fromage de chèvre

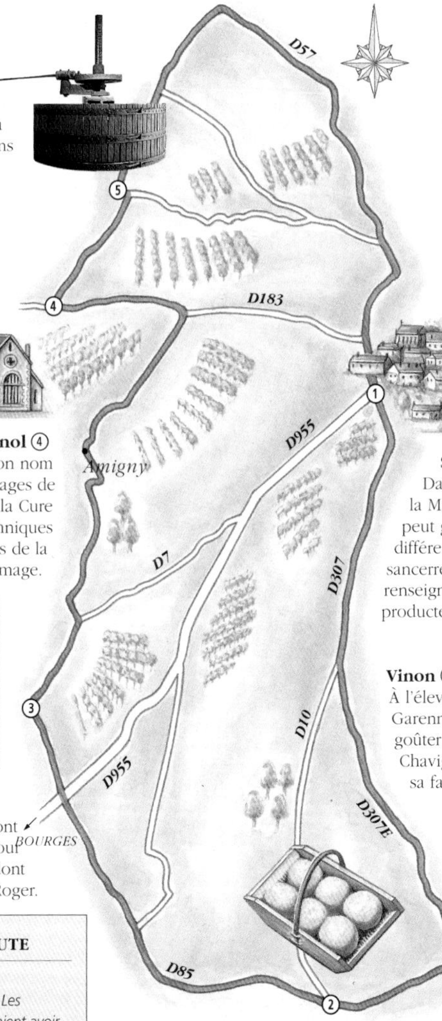

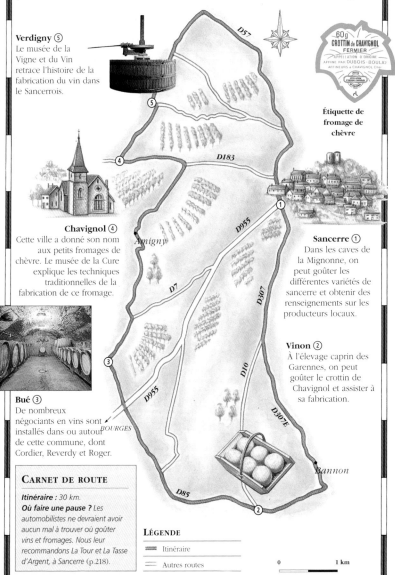

Verdigny ⑤
Le musée de la Vigne et du Vin retrace l'histoire de la fabrication du vin dans le Sancerrois.

Chavignol ④
Cette ville a donné son nom aux petits fromages de chèvre. Le musée de la Cure explique les techniques traditionnelles de la fabrication de ce fromage.

Sancerre ①
Dans les caves de la Mignonne, on peut goûter les différentes variétés de sancerre et obtenir des renseignements sur les producteurs locaux.

Vinon ②
À l'élevage caprin des Garennes, on peut goûter le crottin de Chavignol et assister à sa fabrication.

Bué ③
De nombreux négociants en vins sont installés dans ou autour de cette commune, dont Cordier, Reverdy et Roger.

Carnet de route

Itinéraire : *30 km.*
Où faire une pause ? *Les automobilistes ne devraient avoir aucun mal à trouver où goûter vins et fromages. Nous leur recommandons La Tour et La Tasse d'Argent, à Sancerre* (p.218).

Légende

- Itinéraire
- Autres routes

0 — 1 km

LE MAINE ET L'EURE-ET-LOIR

Les paisibles départements de la Mayenne et de la Sarthe paraissent à cent mille lieues des châteaux très fréquentés de la vallée de la Loire. Le nord – assemblage de régions qui n'ont guère d'histoire commune – présente des attraits bien différents de ceux des domaines royaux du sud. Ses rivières, ses collines, ses forêts et ses plaines sont autant d'invitations à la pêche, à la navigation de plaisance et à la promenade.

Des bateaux croisent sur la Sarthe, bordée de paysages boisés et de prairies, jusqu'à Sablé-sur-Sarthe, près de l'abbaye de Solesmes, renommée pour ses chants grégoriens.

En se dirigeant de Laval vers le sud, le paysage plus spectaculaire de la vallée de la Mayenne, avec ses falaises pentues et ses villages perchés sur des collines boisées, est un entracte reposant après la visite des châteaux. La rivière se jette dans le Maine, puis dans la Loire, et le Loir suit son exemple.

La vallée du Loir où la rivière coule lentement à travers de paisibles villages est l'endroit rêvé pour se reposer et jouir du paysage. Cette vallée possède quelques monuments spectaculaires qui lui sont propres, comme le château du Lude, où a lieu un des « son et lumière » les plus sophistiqués de France, et celui de Châteaudun, ancienne forteresse des comtes de Blois. Capitale du Maine, Le Mans doit sa réputation à la célèbre course automobile qui s'y déroule chaque année. Mais c'est son vieux quartier bien restauré qui fait tout son charme. À l'est de la ville, le paysage plein de douceur fait place aux collines boisées du Perche, puis aux vastes champs de blé de la Beauce, dominée par la cathédrale de Chartres. Deux ravissants châteaux, Anet et Maintenon, furent habités, l'un par Madame de Maintenon, maîtresse de Louis XIV, l'autre par Diane de Poitiers *(p.55)*, maîtresse d'Henri II, qui se retira à Anet. Situés à la limite de l'Île-de-France, ils attirent pour la journée, tout comme la cathédrale de Chartres, beaucoup de visiteurs de la capitale.

La fabrication des sabots à la maison du Bois de Jupilles, dans la forêt de Bercé

◁ La Sarthe près du village de Saint-Céneri-le-Gérei

À la découverte du Maine et de l'Eure-et-Loir

Les trois départements de la Mayenne, de la Sarthe et de l'Eure-et-Loir, situés au nord de la Loire, constituent un espace limitrophe de la Bretagne, de la Normandie et de l'Île-de-France. Dans le nord, les collines des Alpes mancelles ressemblent plus aux paysages de Normandie qu'aux champs onduleux qu'on trouve plus au sud. Les rivières qui la traversent — le Loir, la Sarthe et la Mayenne — sont plus petites et moins sauvages que la puissante Loire, mais tout aussi pittoresques. Les plus grandes villes de la région, Chartres, Le Mans et Laval, méritent toutes les trois qu'on s'y attarde.

Une rue pavée et tortueuse de Chartres

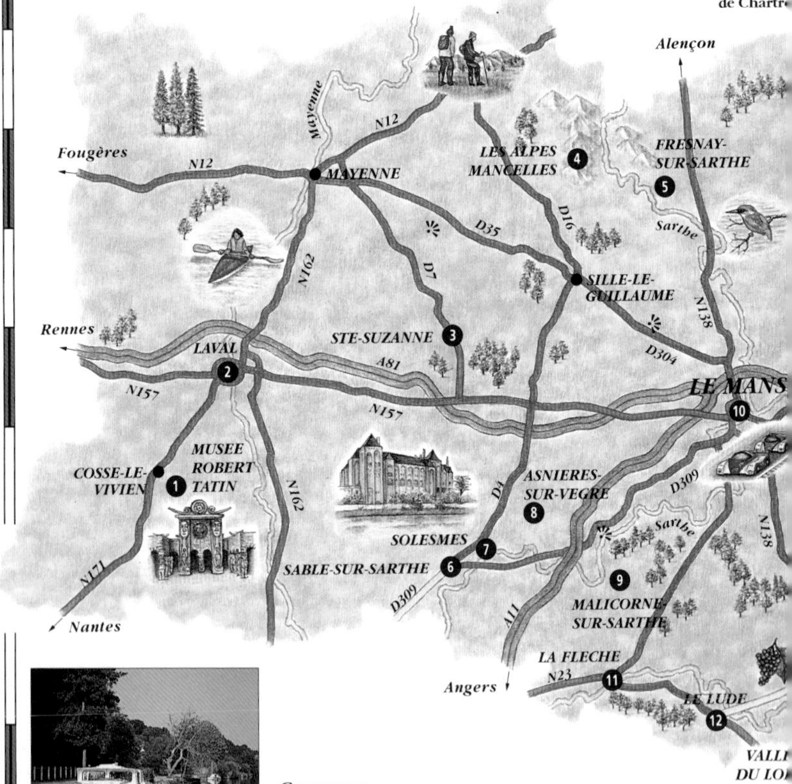

Croisière sur la Sarthe, en amont de Sablé

CIRCULER

De Paris, on atteint Chartres et Le Mans par l'autoroute A 11 (l'Océane), qui se prolonge jusqu'à Angers. L'A 81 traverse la région du Mans à Laval. Les TGV (55 mn pour Le Mans) et les trains Corail (1 h pour Chartres) sont fréquents. Le voyage en train de Chartres au Mans prend aussi une heure. Des bus relient entre elles la plupart des grandes villes de la région, mais ils sont moins réguliers en périodes de vacances scolaires. Le bateau est un des moyens les plus agréables de visiter la région.

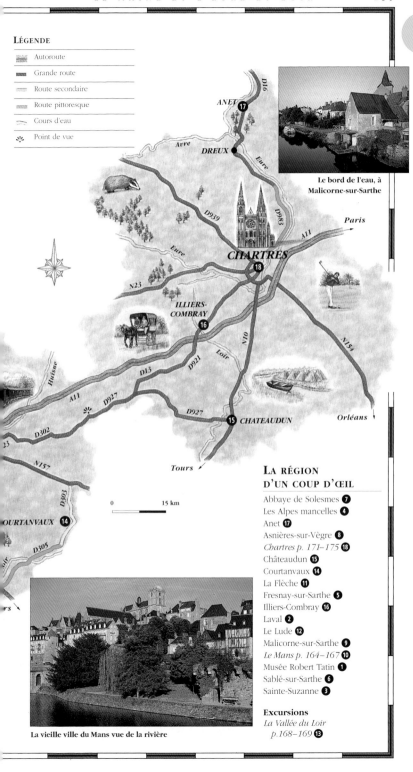

Le bord de l'eau, à Malicorne-sur-Sarthe

La vieille ville du Mans vue de la rivière

LA RÉGION D'UN COUP D'ŒIL

Le musée Robert Tatin ❶

Carte routière B2. La Frénouse. Laval. *Cossé-le-Vivien.* *02 43 98 80 89.* *avr. à sept. : mar. apr.-midi à lun. ; oct. à mars : dim. apr.-midi, mer. – lun.* *r.-d.-c. seul.*

Robert Tatin (1902-1983), artiste aux multiples talents, a légué un extraordinaire musée à La Frénouse, près de Cossé-le-Vivien. On y arrive par l'Allée des Géants, le long de laquelle d'étranges et gigantesques statues de béton représentent les personnages pour lesquels Tatin avait le plus d'admiration, comme Picasso, Toulouse-Lautrec, Jeanne d'Arc ou Vercingétorix. Derrière eux, un immense dragon monte la garde.

Le musée contient environ 400 œuvres de Tatin : peintures, sculptures, fresques, mosaïques et céramiques qui reflètent diverses influences comme celles des mégalithes et des costumes traditionnels bretons ou de l'art aztèque.

Laval ❷

Carte routière C2. *54 000.* *1, allée du Vieux-Saint-Louis (02 43 49 46 46).* *mar., sam.*

La Mayenne, qu'on peut traverser sur un vieux pont gothique en dos d'âne, sépare la ville de Laval en deux. Sur la rive ouest, au cœur de la vieille ville, se trouve le **Vieux Château**. Cet imposant édifice, qui date du début du XIe siècle, alors que Foulques Nerra, comte d'Anjou, régnait sur la région, était un des maillons de la chaîne des forteresses destinées à tenir en respect les envahisseurs bretons et normands. Bien qu'il ait été sérieusement reconstruit et agrandi au cours des siècles, le donjon médiéval a été sauvegardé. La cour fleurie, avec sa terrasse d'où l'on a une bonne vue sur la rivière, a une séduisante façade Renaissance.

À l'intérieur du château sont rassemblés les instruments d'Ambroise Paré, natif de Laval (1510-env.1590) et connu comme « le père de la chirurgie moderne ». Cependant, le château est plus célèbre par son **musée d'Art naïf**, inspiré en partie par l'œuvre d'Henri Rousseau *(p.23)*, né lui aussi à Laval. Son surnom de Douanier lui vient de l'époque où, jeune artiste, il occupait un emploi de fonctionnaire à l'octroi de Paris. Son atelier parisien, enrichi d'un piano, a été soigneusement reconstitué. Le musée ne dispose que de deux de ses tableaux, mais bon nombre d'œuvres remarquables figurent parmi les 450 pièces de son catalogue, dont la peinture, d'un rouge éclatant, du *Normandie* par Jules Lefranc (1887-1972).

Picasso, statufié par Tatin, au musée Robert Tatin

La vieille ville peut s'enorgueillir de quelques belles maisons, ainsi que de sa **cathédrale de la Trinité**, avec des tapisseries d'Aubusson. Laval possède également deux des rares survivants des bateaux-lavoirs, blanchisseries flottantes apparues au milieu du XIXe siècle sur la rivière à l'ouest de la vallée de la Loire. L'un d'eux, le **bateau-lavoir Saint-Julien** est transformé aujourd'hui en musée.

Château et musée du Vieux Château
Pl. de la Trémoille. *02 43 53 39 89.* *mar. au dim.* *vac. scol.* *r.-d.-c. seul.*

Bateau-lavoir Saint-Julien
Quai Paul-Boudet. *02 43 53 39 89.* *juil. à août : mar. au dim., l'apr.-midi seul.* *vac. scol.*

***Le Lancement du Normandie* par Jules Lefranc, au musée d'Art naïf**

Sainte-Suzanne ❸

Carte routière C2. 950. *Evron, puis taxi.* *pl. Amboise-de-Loré (02 43 01 43 60).*

Perchée sur une colline, cette localité est encore en partie entourée des fortifications destinées, au XIe siècle, à décourager les pillards normands. Elles mirent en échec, au terme d'un siège de cinq ans, Guillaume le Conquérant qui avait établi son campement à 3 km de là. Bien que le château ait été en grande partie démoli par les Anglais au début du XVe siècle, un donjon du Xe siècle tient encore debout.

Le **château** actuel, en tuffeau d'Angers et en pierre de taille, date du début du XVIIe siècle et fut construit par **Fouquet de la Varenne**.

En ville, le **musée de l'Auditoire** couvre plus de mille ans d'histoire locale, évoquant les événements majeurs et la vie quotidienne.

Château des Fouquet de la Varenne
Promenade de la Poterne. *02 43 01 40 77.* *mi-avr. à mi-juin et mi-sept à déb. nov. : t.l.j., l'apr.-midi seul. ; mi-juin à mi-sept. t.l.j.* *r.-d.-c. seul.*

Musée de l'Auditoire
7, Grande-Rue. *02 43 01 42 65, 43 01 42 16.* *avril à août : t.l.j., l'apr.-midi seul. sept. à mars : groupes sur r.-v.* *r.-d.-c. seul.*

Les Alpes mancelles ❹

Carte routière C2. *Alençon* *Fresnay-sur-Sarthe.* *19, av. du Dr-Riant, Fresnay-sur-Sarthe (02 43 33 28 04).*

Les « Alpes du Mans », région de collines boisées et de prairies, s'étendent entre Fresnay-sur-Sarthe et Alençon. L'appellation est sans nul doute exagérée, même si les cours d'eau qui serpentent

Église romane perchée sur une colline à Saint-Céneri-le-Gérei

dans des gorges profondes, les moutons qui pâturent, les arbres fruitiers et les collines couvertes de bruyère évoquent des paysages de montagne.

Porche de l'église de Saint-Léonard-des-Bois

Saint-Céneri-le-Gérei et **Saint-Léonard-des-Bois**, avec leurs églises romanes, sont les deux plus jolis villages de cette région qui invite aux magnifiques promenades, au canotage, à la pêche et autres sports *(p.224-227)*.

Fresnay-sur-Sarthe ❺

Carte routière C2. 2 500. *Alençon, Sillé-le-Guillaume, La Hutte.* *19, av. du Dr-Riant (02 43 33 28 04).* *sam.*

En dépit de l'aspect industriel des abords de la ville, Fresnay garde encore un petit air médiéval. Elle était jadis entourée de trois murs d'enceinte, dont on aperçoit des pans depuis la rivière.

Le château, stratégiquement situé au-dessus de la Sarthe sur un éperon rocheux, fut assiégé par Guillaume le Conquérant en 1073. Durant la guerre de Cent Ans *(p.52-53)*, cette forteresse, dont les vestiges se dressent au milieu d'une vaste pelouse, fut la dernière à se rendre aux Anglais.

Du XVIe au XIXe siècle, Fresnay fut un centre important de tissage et son rôle dans l'industrie du vêtement est retracé par l'intéressant **musée des Coiffes**, installé dans ce qui reste du château.

La ville a également toujours encouragé l'artisanat local, dont certaines œuvres sont exposées à la **maison du Tourisme et de l'Artisanat**.

L'**église Notre-Dame,** à l'extrémité de la rue du Dr-Riant, mi-romane, mi-gothique, possède une tour tout à fait inhabituelle, avec une base octogonale, ainsi qu'une magnifique porte de chêne sculpté qui date de 1528.

Musée des Coiffes
Pl. de Bassum. *02 43 97 22 20.* *Pâques à juin et sept. : dim. et vac. scol. ; juil. à août : t.l.j.*

Maison du Tourisme et de l'Artisanat
Pl. de Bassum. *02 43 33 75 98.* *avr. à mai et oct. à nov. : sam., dim. et vac. scol. ; juin à sept. et déc. : t.l.j.*

La Sarthe, vue de Fresnay-sur-Sarthe

Sablé-sur-Sarthe ❻

Carte routière C2. *14 000.* *pl. Raphaël-Élizé (02 43 95 00 60).* *lun., ven.* *Carnaval (mars) ; Festival et Académie de Danses et Musiques Anciennes (août).*

Bien qu'assez industrialisé, Sablé est un point de départ très plaisant pour des croisières sur la Sarthe et une ville qu'il est aussi agréable de découvrir à pied. Rive gauche, on peut admirer des maisons des XVe et XVIe siècles, tandis que la rue Carnot, sur la rive droite, est marquée par l'urbanisme du XIXe siècle. Dans cet environnement traditionnel, on rencontre de surprenantes sculptures modernes : au centre de la ville, place Raphaël-Élizé, *l'Hymne à l'Amour*, une œuvre contemporaine de Louis Derbré, artiste local.

Dans la rue de l'Île (piétonnière) et sur la place, quelques magasins attirants, dont la maison du Sablé, le fameux biscuit auquel la ville a donné son nom.

Sombre d'aspect, le château, construit au début du XVIIIe siècle par un neveu de Colbert, est occupé aujourd'hui par des ateliers de restauration de livres anciens et de manuscrits de la Bibliothèque nationale. Il ne se visite pas, mais le parc qui l'entoure est ouvert au public.

Du jardin public (en face de la piscine d'été), on a de très belles vues sur l'abbaye de Solesmes.

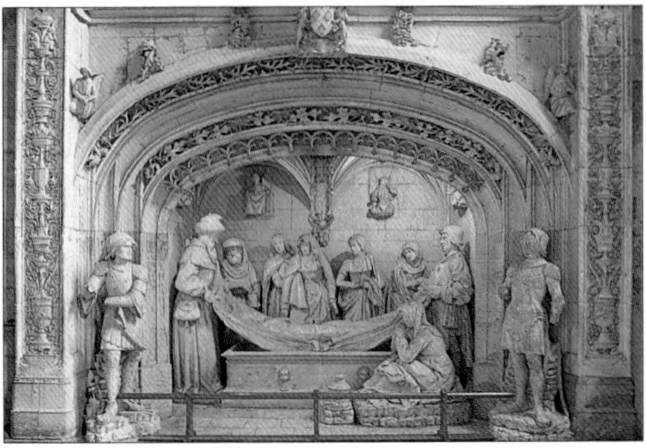

La Mise au tombeau du Christ **fait partie des « saints de Solesmes » de l'église de l'abbaye**

L'abbaye de Solesmes ❼

Carte routière C2. *Sablé-sur-Sarthe, puis taxi.* *02 43 95 03 08.* **Abbaye** *t.l.j.*

Les voyageurs viennent de partout suivre les offices de l'abbaye bénédictine Saint-Pierre, qui fait partie de l'abbaye de Solesmes, pour entendre les chants grégoriens des moines. À travers les siècles, l'abbaye s'est efforcée de perpétuer et de promouvoir cette ancienne forme de prière. Quelques-uns des nombreux livres et disques édités par les moines sont en vente, en dehors des heures d'office, dans une boutique près de l'entrée de l'abbaye. Fondée en 1010 comme prieuré, l'abbaye a été sérieusement transformée, à la fin du XIXe siècle, en un bâtiment monumental.

L'intérieur de l'**église** est d'une austère beauté. La nef et le transept sont tous les deux romans, tandis que le chœur, du XIXe siècle, est une imitation de style médiéval. Les deux bras du transept sont ornés de groupes de pierre sculptée des XVe et XVIe siècles, connus sous l'appellation collective des « saints de Solesmes ».

La chapelle qui se trouve à gauche de l'autel contient *la Mise au tombeau du Christ*, avec une inoubliable Marie-Madeleine en prière aux pieds du Christ. Dans *la Dormition de la Vierge*, visible dans la chapelle de droite, les scènes du bas représentent sa mort et sa mise au tombeau, tandis que la partie supérieure représente son Assomption et son couronnement céleste.

La petite **église paroissiale**, située à côté de l'entrée de l'abbaye, mérite la visite pour ses intéressants vitraux modernes.

L'imposante abbaye de Solesmes se reflétant dans la Sarthe

Asnières-sur-Vègre ❽

Carte routière C2. *340.* *Sablé-sur-Sarthe, puis taxi.* *Sablé-sur-Sarthe (02 43 95 00 60).*

Ce joli village, avec ses vieilles maisons, son moulin à eau, son pont en dos d'âne du XIIe siècle, a été bâti en grande partie dans une pierre jaune rosé. Sa toute petite église est ornée de peintures murales pleines de vie, qui datent des XIIe et XVe siècles. Dans des tons chauds ocre et terre de Sienne, elles représentent des scènes de la vie médiévale et des préceptes moraux sous forme de troupeaux de damnés précipités dans l'enfer par d'énormes chiens écumants. La **Cour d'Asnières** est un impressionnant édifice gothique, conçu au XIIIe siècle comme lieu de réunion des chanoines de la cathédrale Saint-Julien, au Mans.

Non loin de là, **Juigné** est situé sur la vieille route du Mans à Sablé-sur-Sarthe. Son château a été reconstruit au début du XVIIe siècle (propriété privée). On peut accéder à son parc et à ses terrasses, et louer des bateaux dans le tout petit port de Juigné, d'où l'on voit bien l'église perchée sur la falaise.

Détail des fresques de l'église d'Asnières

Cour d'Asnières
Rue du Lavoir. *02 43 92 40 47.*
mai à sept. : mar. à ven., sam. (apr.-midi seul.) et dim.

Malicorne-sur-Sarthe ❾

Carte routière C3. *1 700.* *Noyen-sur-Sarthe ou La Suze-sur-Sarthe, puis taxi.* *pl. Bertrand-Duguesclin (02 43 94 74 45).* *ven.* *Fête de la Poterie (fin sept.).*

Les faïences sont le principal titre de gloire de cette petite ville depuis près de 250 ans. Jean Loiseau, potier de Nevers, inaugura l'entreprise en 1747. Aux **Faïenceries artistiques du Bourg-Joly** on peut acheter des poteries ajourées connues sous le nom de faïences de Malicorne et des copies de modèles traditionnels. Juste à la sortie du village, les **Faïenceries d'art de Malicorne** disposent aussi d'une boutique et d'un petit musée ouvert au public.

Du petit port de Malicorne, joliment encadré par d'anciens moulins à eau, on peut entreprendre des croisières en bateau ou louer de plus modestes bateaux à moteur. Le village comprend aussi, au bord de la rivière, le **château de Malicorne** (du XVIIIe siècle), ainsi qu'une église romane.

Faïenceries artistiques du Bourg-Joly
16, rue Carnot. *02 43 94 80 10.*
lun. au sam. ; dim. et vac. scol. l'apr.-midi seul.

Faïenceries d'art de Malicorne
18, rue Bernard-Palissy. *02 43 94 81 18.* *Pâques à sept. : mar. au sam. ; dim. et vac. scol. l'apr.-midi seul.* *dim. de Pentecôte et 3e dim. de sept.*

Château de Malicorne
02 43 94 74 45. *juil. à mi-sept. : lun., jeu., ven., dim. l'apr.-midi seul.*

Le pont en dos d'âne du XIIe siècle à Asnières-sur-Vègre

Le port de Malicorne, entouré d'anciens moulins à eau

Le Mans pas à pas ⑩

Sculpture, dans la rue des Chanoines

La vieille ville, cœur historique du Mans, ne peut se visiter qu'à pied. Ses rues étroites et pavées sont bordées de maisons à colombage des XVe et XVIe siècles et de demeures Renaissance. Plusieurs de ses plus beaux bâtiments ont accueilli des rois et des reines, même si celui qui porte le nom de Bérengère, l'épouse de Richard Cœur de Lion, fut construit deux siècles et demi après la mort de cette dernière. Ce quartier est limité au nord-ouest par les vieux murs d'enceinte romains qui bordent la Sarthe.

La maison d'Adam et Ève
Le médecin qui fit construire cette maison (XVIe s.) était versé en astrologie, témoin les sculptures de la façade.

L'hôtel d'Argouges
Louis XI aurait séjourné, en 1468, dans cette maison à tourelles du XVe siècle.

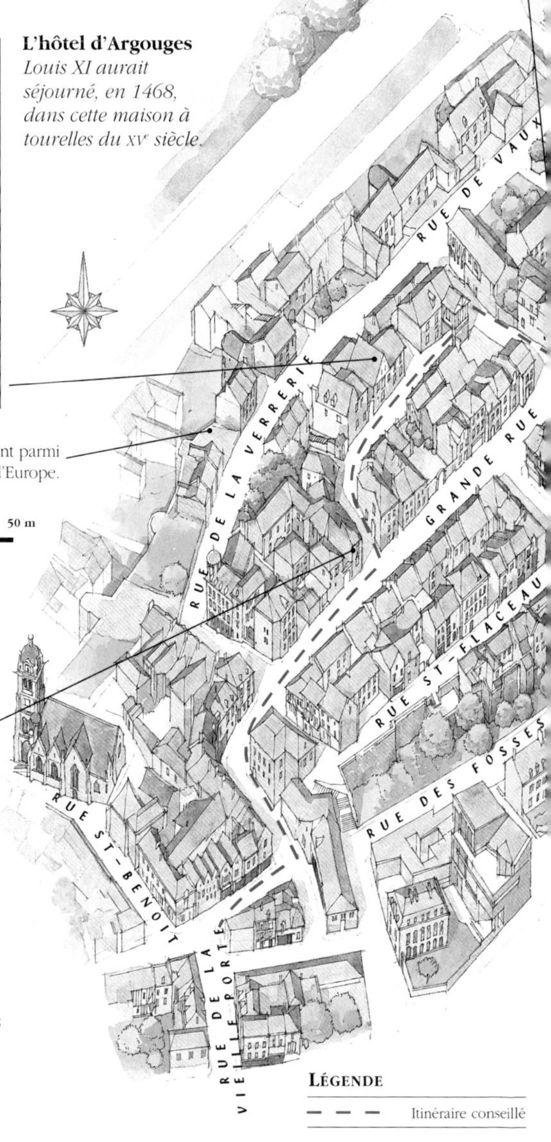

Les enceintes romaines sont parmi les mieux conservées d'Europe.

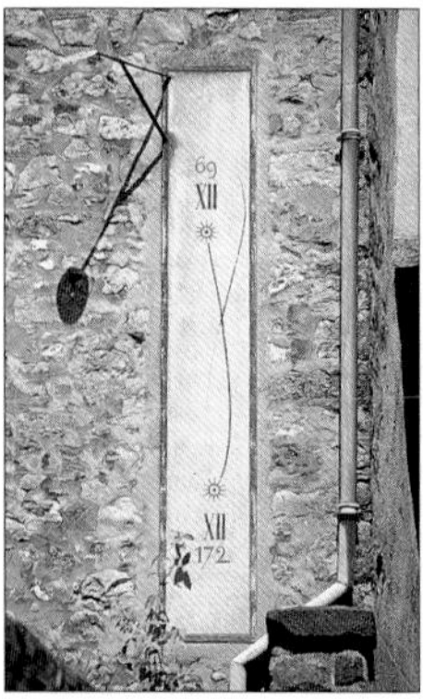

L'hôtel Aubert de Clairaulnay
Ce cadran solaire a été placé sur cette demeure de la fin du XVIe siècle en 1789, par Claude Chappe, l'inventeur du sémaphore.

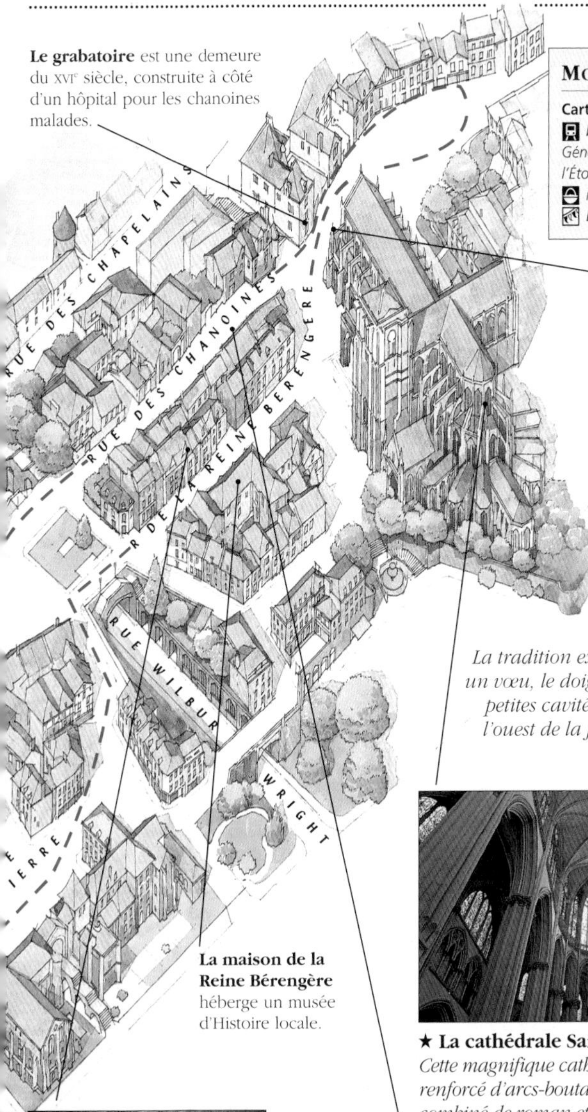

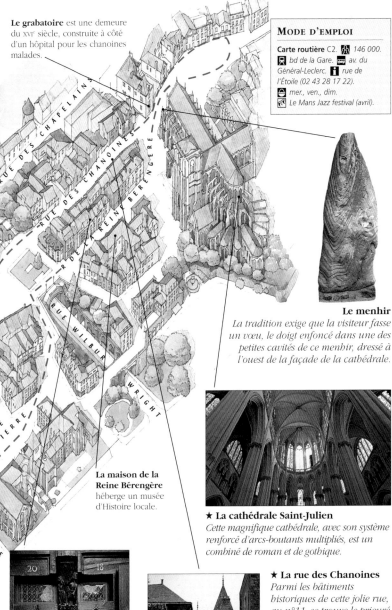

Le grabatoire est une demeure du XVIe siècle, construite à côté d'un hôpital pour les chanoines malades.

MODE D'EMPLOI

Carte routière C2. *146 000.* *bd de la Gare.* *av. du Général-Leclerc.* *rue de l'Étoile (02 43 28 17 22).* *mer., ven., dim.* *Le Mans Jazz festival (avril).*

Le menhir
La tradition exige que la visiteur fasse un vœu, le doigt enfoncé dans une des petites cavités de ce menhir, dressé à l'ouest de la façade de la cathédrale.

★ La cathédrale Saint-Julien
Cette magnifique cathédrale, avec son système renforcé d'arcs-boutants multipliés, est un combiné de roman et de gothique.

La maison de la Reine Bérengère héberge un musée d'Histoire locale.

★ La maison des Deux Amis
Ce bâtiment en bois du XVIe siècle abritait l'échoppe de deux commerçants amis.

★ La rue des Chanoines
Parmi les bâtiments historiques de cette jolie rue, au n°11, se trouve le prieuré Saint-Martin, du XIIe siècle.

À NE PAS MANQUER

- ★ La rue des Chanoines
- ★ La maison des Deux Amis
- ★ La cathédrale

À la découverte du Mans

Le Mans, capitale du Maine, dont la renommée tient aujourd'hui essentiellement à sa célèbre course automobile de 24 heures, est aussi une cité dont l'histoire remonte aux temps néolithiques. Puis au Ier siècle av. J.-C. les Romains fondèrent la ville de Vindunum qu'ils fortifièrent. À l'origine, les murs qui entouraient la colline s'étendaient sur environ 1 300 mètres. Onze tours sont encore debout, et leurs murs épais sont décorés de dessins géométriques, créés à partir d'assises de briques alternant avec des pierres non taillées de différentes couleurs. Hors des murs, Le Mans est devenu une ville moderne et active, avec bon nombre de musées d'importance et de jolies églises.

L'émail Plantagenêt (1150), exposé au musée de Tessé

Cathédrale Saint-Julien

Pl. du Cardinal-Grente. ☎ 02 43 28 28 98. ◯ t.l.j. ♿

C'est de la place des Jacobins qu'on a la meilleure vue des arcs-boutants particulièrement spectaculaires de la cathédrale ; en effet, pour les renforcer, on les a multipliés à mi-hauteur. La cathédrale, elle, a quelque chose d'hybride : la nef du XIIe siècle est essentiellement romane et les transepts ont été construits un siècle après le chœur du XIIIe siècle, un des plus hauts de France, de pur style gothique. Dès l'entrée, par le portail roman sud, on est frappé par les tapisseries du XVIe siècle accrochées sur les piliers du chœur ou suspendues au-dessus des stalles. L'éclat de leurs couleurs trouve un écho dans de magnifiques vitraux médiévaux.

Musée de la Reine Bérengère

Rue de la Reine-Bérengère. ☎ 02 43 47 38 51. ◯ mar. à dim. ● vac. scol. ♿ r.-d.-c. seul.

Installé dans trois maisons à colombage, aux façades de bois animées de personnages sculptés, ce musée consacré à l'art et à l'histoire locale expose aussi des faïences et des poteries de différentes époques, dont quelques intéressants objets de Malicorne *(p.163)*. On y présente aussi des meubles fabriqués dans la région. Au deuxième étage, des tableaux du XIXe siècle, œuvres de peintres locaux, montrent que la ville du Mans a relativement peu changé depuis. À remarquer aussi la toile spectaculaire de Jean Sorieul, *la Bataille du Mans du 13 décembre 1793*.

***Le Repas du vicaire* (1786), au musée de la Reine Bérengère**

Musée de Tessé

2, av. de Paderborn. ☎ 02 43 47 38 51. ◯ t.l.j. ● vac. scol. sauf dim. et vac. scol. ♿

Ce qui fut le palais épiscopal a été converti, en 1927, en musée d'art de la ville, consacré aussi bien aux beaux-arts et aux arts décoratifs qu'à l'archéologie. Les tableaux exposés en permanence au rez-de-chaussée s'échelonnent de la fin du Moyen Âge au XIXe siècle ; la section archéologique est essentiellement consacrée aux périodes égyptienne et gréco-romaine. La pièce la plus célèbre du musée est l'émail Plantagenêt, un panneau médiéval émaillé qui représente en pied Geoffroy V le Bel, fondateur de la dynastie des Plantagenêts, dont le fils, le roi Henri II d'Angleterre, est né au Mans en 1133.

Musée de l'Automobile de la Sarthe

Circuit des 24-Heures. ☎ 02 43 72 72 24. ◯ t.l.j. ♿

Ce musée se trouve non loin du circuit des 24 Heures du Mans. Il rassemble un large échantillonnage de modèles de voitures de course et de motocyclettes. Il comprend quelques-uns des anciens dessins (le tout premier date de 1873) d'Amédée Bollée, l'industriel qui conçut nombre de véhicules (« l'Obéissante », « la Marie-Louise »…) assurant déjà la célébrité du Mans.

Tapisserie du XVIe siècle, dans la cathédrale Saint-Julien

La Flèche ⓫

Carte routière C3. 16 500.
espace Pierre-Mendès-France (02 43 94 02 53). *mer. et dim.*
Festival des Affranchis (2e week-end de juil.).

Le **Prytanée militaire** est le principal titre de gloire de La Flèche. Collège jésuite fondé en 1604 par Henri IV, il fut transformé par Napoléon, en 1808, en académie militaire, ce qu'il est toujours aujourd'hui.

On y entre par la porte d'Honneur, porche baroque monumental qui mène à la cour d'Austerlitz, la première de trois cours. L'intérieur de la chapelle Saint-Louis, qui occupe la cour centrale, est richement décoré ; les urnes contenant les cendres des cœurs d'Henri IV et de Marie de Médicis y sont exposées.

Les jardins du château, avec leurs points de vue spectaculaires sur la rivière, sont ouverts au public. C'est de Port-Luneau, sur l'autre rive, que Le Royer de la Dauversière et ses compagnons, les fondateurs de Montréal, se mirent en route pour le Nouveau Monde. Non loin de là, la place Henri-IV, au centre de laquelle se dresse une statue du roi, est bordée de cafés.

Au cœur de la ville se trouve le **château des Carmes** (XVe siècle), ancien hôtel de ville et aujourd'hui galerie d'art.

Prytanée militaire
Rue du Collège. 02 43 94 03 96.
juil. à août : t.l.j.

Place Henri-IV à La Flèche, avec la statue du roi au centre

Le Lude ⓬

Carte routière C3. 4 500.
pl. F.-de-Nicolay (02 43 94 62 20).
jeu. *Foire du Raillon (sept.).*

Le plus vieux quartier de ce petit bourg entoure le **château du Lude** de ses rues étroites bordées de maisons des XVe et XVIIe siècles. Bien que le site ait été fortifié depuis plus de 1 000 ans, le château actuel date du XVe siècle. Au cours des 300 ans qui ont suivi, cet édifice carré flanqué d'une tour à chaque angle s'est transformé, notamment grâce à l'architecte Jehan Gendrot, pour devenir une gentilommière.

L'essentiel du mobilier date du XIXe siècle, mais on remarque aussi des pièces des XVIIe et XVIIIe siècles, dont des tapisseries françaises et flamandes. L'oratoire est décoré de fresques du XVIe qui représentent des scènes de l'Ancien Testament. Des jardins à la française, sur deux niveaux, descendent jusqu'au Loir. En saison, un remarquable spectacle « son et lumière » leur redonne vie *(p. 42-43)*.

Château du Lude
02 43 94 60 09. **Château** *avril à septembre : tous les jours, l'apès.-midi seulement ;*
Jardin *tous les jours*

Les tours imposantes du château du Lude

Les 24 Heures du Mans

Grâce à sa course des 24 Heures, la ville du Mans est connue du monde entier. Depuis sa naissance, le 26 mai 1923, cet événement attire en juin d'immenses foules de Français et d'étrangers – actuellement plus de 250 000 spectateurs et 1 800 journalistes. Le circuit, au sud de la ville, est de 13,535 km et comprend quelques incursions sur des routes ordinaires (un tronçon de la route du Mans à Tours). Aujourd'hui, les pilotes peuvent parcourir quelque 5 000 km dans le temps qui leur est imparti. La course passe par la piste des Hunaudières où, en 1908, Wilbur Wright organisa le premier vol d'aéroplane en France.

Une des premières courses du Mans

Excursion dans la vallée du Loir ⓭

Entre Poncé-sur-le-Loir et La Flèche, le Loir traverse un paysage encore intact et de beaux villages. Il faut compter deux jours pour parcourir tranquillement la vallée et se promener le long de la rivière ou dans la forêt. La région offre de nombreuses possibilités d'activités familiales : bateau, sport équestre, pêche et bicyclette… Les amateurs d'art partiront à la recherche de petites églises peu connues, décorées de fresques romanes. Ceux qui apprécient le vin peuvent siroter ceux de la région dans des verres provenant de souffleries locales. La vallée du Loir est également réputée pour son artisanat.

Les rives du Loir, idéales pour la pêche et la promenade

La Flèche ①
Siège du Prytanée militaire *(p.167)*, La Flèche est une ville charmante avec de magnifiques points de vue sur le Loir.

Entrée du Prytanée militaire

Vaas ④
Le moulin de Rotrou, à l'orée de ce joli village, est à la fois un moulin en état de marche et un musée de la boulangerie. Beaux tableaux du XVIIe siècle dans l'église Saint-Georges.

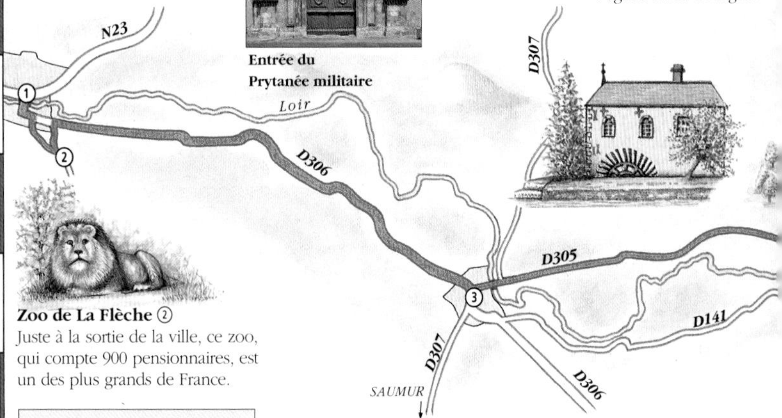

Zoo de La Flèche ②
Juste à la sortie de la ville, ce zoo, qui compte 900 pensionnaires, est un des plus grands de France.

Le Lude ③
Ce bourg est surtout connu pour son château *(p.167)* qui sert de toile de fond à un remarquable spectacle « son et lumière » *(p.42-43)*.

Carnet de route

Itinéraire : *103 km.*
Où faire une pause ? *Les forêts et les rives du Loir sont des lieux rêvés de pique-nique. Les boutiques alentour vendent des produits permettant de faire un repas froid sortant de l'ordinaire. Vous pouvez acheter des produits locaux sur un marché comme celui du Lude. Si vous préférez manger au restaurant, La Fesse d'Ange, à La Flèche, sert des plats régionaux* (p.218). *Et pour ceux qui voudraient passer la nuit à l'hôtel, nous leur recommandons le Relais Cicéro à La Flèche* (p.206).

L'entrée du château du Lude

Les chênes splendides de la Futaie des Clos

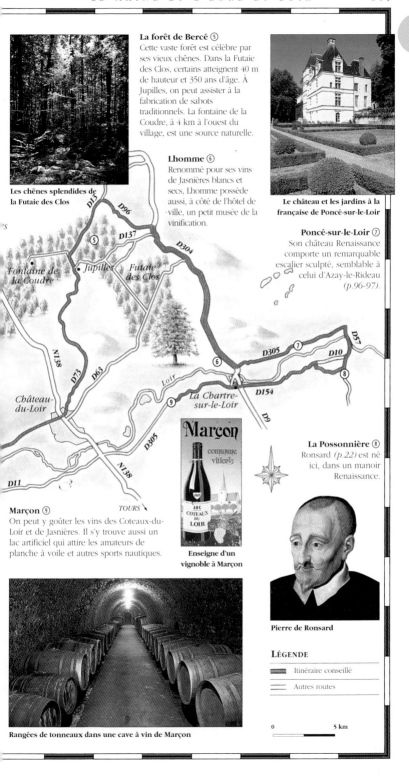

La forêt de Bercé ⑤
Cette vaste forêt est célèbre par ses vieux chênes. Dans la Futaie des Clos, certains atteignent 40 m de hauteur et 350 ans d'âge. À Jupilles, on peut assister à la fabrication de sabots traditionnels. La fontaine de la Coudre, à 4 km à l'ouest du village, est une source naturelle.

Le château et les jardins à la française de Poncé-sur-le-Loir

Lhomme ⑥
Renommé pour ses vins de Jasnières blancs et secs, Lhomme possède aussi, à côté de l'hôtel de ville, un petit musée de la vinification.

Poncé-sur-le-Loir ⑦
Son château Renaissance comporte un remarquable escalier sculpté, semblable à celui d'Azay-le-Rideau *(p.96-97)*.

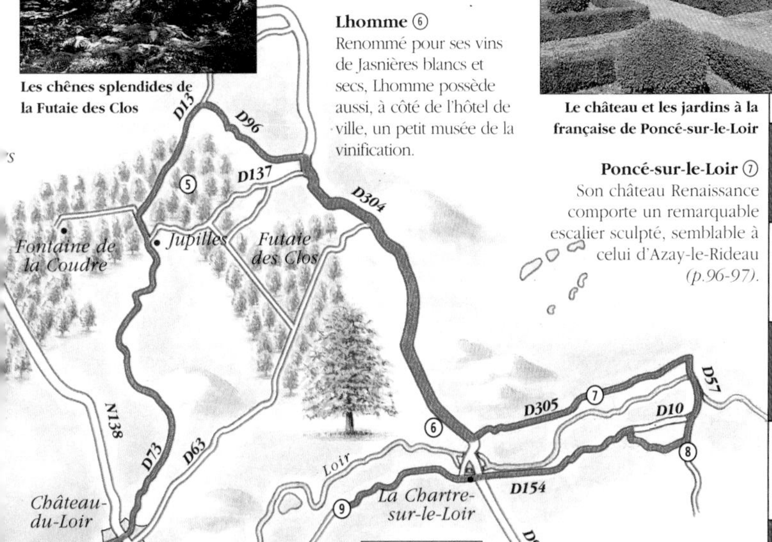

La Possonnière ⑧
Ronsard *(p.22)* est né ici, dans un manoir Renaissance.

Marçon ⑨
On peut y goûter les vins des Coteaux-du-Loir et de Jasnières. Il s'y trouve aussi un lac artificiel qui attire les amateurs de planche à voile et autres sports nautiques.

Enseigne d'un vignoble à Marçon

Pierre de Ronsard

Rangées de tonneaux dans une cave à vin de Marçon

LÉGENDE

Itinéraire conseillé

Autres routes

0 — 5 km

Le château de Courtanvaux avec ses murs élevés

Le château de Courtanvaux ⓮

Carte routière D3. *Bessé-sur-Braye, puis taxi.* *02 43 35 34 43.* *Pâques à oct. : mer. à dim. (souvent fermé pour réception).*

S'il n'est pas très facile à trouver, ce grand château, gothique et Renaissance, est un des plus importants de la région ; il offre un aspect romantique lorsqu'il apparaît au bout de son allée bordée d'arbres. Des tourelles surmontent ses murs très élevés et son impressionnante porte d'entrée, et des saules pleurent gracieusement par-dessus les douves.

Jusqu'en 1978, année où sa porte a été classée monument historique et où il fut acquis par la ville de Bessé, le château est resté aux mains des Montesquiou. Des visites guidées de l'intérieur et de l'extérieur sont organisées ; ses jardins à la française, ses bois et sa pièce d'eau décorative sont d'accès libre.

Châteaudun ⓯

Carte routière E2. *15 300.* *pl. du 8-octobre (02 37 45 22 46).* *jeu., sam. et dim.* *Fête de la Rosière (juil.).*

Dominée par un **château** massif, la ville de Châteaudun est située au-dessus du Loir, là où la Beauce rejoint le Perche. Le château fut un temps propriété du poète Charles d'Orléans *(p.22)*, qui le céda à son demi-frère, Jean Dunois, compagnon d'armes de Jeanne d'Arc *(p.137)* et surnommé le bâtard d'Orléans. Ce fut Jean qui, en 1460, entreprit de construire l'aile ouest du château et sa chapelle en style flamboyant, ornée de peintures murales et de très belles statues polychromes. L'autre aile, à la décoration Renaissance, a été bâtie cinquante ans plus tard.

Des tapisseries des XVIe et XVIIe siècles sont exposées dans les deux ailes. On peut visiter les salles de réception, les cuisines et.la prison, et arpenter le chemin de ronde du château.

Dans la vieille ville, les beaux édifices sont nombreux et plusieurs églises sont intéressantes : l'église romane de **la Madeleine**, construite à différentes périodes et restaurée après les dommages subis en 1940, et **Saint-Valérien** avec son grand beffroi carré. L'**église Saint-Jean-de-la-Chaîne** avec son beau portail flamboyant était aussi romane à l'origine.

Château

02 37 45 22 70. *t.l.j.* *vac. scol.* *cour et chapelle seul.*

Proust : *À la recherche du temps perdu*

Illiers-Combray ⓰

Carte routière E2. *3 400.* *5, rue Henri-Germond (02 37 24 21 79).* *ven.* *Journée des Aubépines (mai).*

En 1971, le petit bourg d'Illiers accola « Combray » à son nom en l'honneur de Marcel Proust qui l'avait peint sous ce nom dans *À la recherche du temps perdu (p.23)*. Enfant, Proust a passé là de nombreuses et heureuses vacances d'été à se promener sur les rives du Loir, qu'il appelle la Vivonne dans son œuvre. Cette petite ville, avec sa tranquille place de l'église, paraît étrangement préservée. Les fervents de l'écrivain y viennent en pèlerinage. Ils peuvent visiter la **maison de Tante Léonie**, ancienne propriété de Jules Amiot, l'oncle de Proust. Aujourd'hui, elle est devenue un petit musée consacré à la vie de l'écrivain ; on y voit notamment la cuisine où la « Françoise » du roman (en réalité Ernestine, la cuisinière de la famille) régnait en maître.

Maison de Tante Léonie

4, rue du Dr-Proust. *02 37 24 30 97.* *mar. au dim. apr.-midi* *1er et 11 nov., mi-déc. à mi-jan.*

Le château de Châteaudun vu de l'autre côté du Loir

Chiens et cerf sculptés sur le portail du château d'Anet

Le château d'Anet 17

Carte routière E1. Dreux, puis taxi. 02 37 41 90 07. dim. et vac. scol. ; avr. à oct. lun., mer. à sam., l'apr.-midi seul. ; nov. à mars : sam., dim. apr.-midi.

Quand Diane de Poitiers, la maîtresse d'Henri II, fut chassée de Chenonceau après la mort du roi en 1559, elle se retira à Anet, que son mari lui avait légué, et y demeura jusqu'à sa mort, en 1566. Le château avait été reconstruit pour elle par Philibert de l'Orme, architecte à Chenonceau du pont sur le Cher *(p.106-107)*. Ameublement et décoration étaient à la mesure de la femme qui avait régné pendant près de 30 ans sur le cœur d'un roi.

Le château fut vendu après la Révolution et, en 1804, les nouveaux propriétaires démolirent le corps de logis central et son aile droite. Cependant, il reste encore le magnifique portail (même si le relief en bronze de Diane couchée par Benvenuto Cellini n'est qu'une copie), la chapelle Saint-Thomas dotée d'une admirable coupole et l'aile ouest, richement meublée. Le mausolée où Diane de Poitiers est enterrée se trouve à côté du château.

Chartres 18

Carte routière E2. 42 000. pl. de la Cathédrale (02 37 21 50 00). sam. Festival d'Orgue (juil., août).

Entourée des champs de blé de la Beauce, Chartres a longtemps été une ville de marché importante. Les touristes qui viennent voir sa splendide cathédrale gothique *(p.172-173)* devraient en profiter pour explorer ses vieilles rues pittoresques, en particulier la rue Chantault, la rue des Écuyers, la rue aux Herbes et, de l'autre côté de l'Eure, la rue de la Tannerie (qui doit son nom aux tanneries qui bordaient autrefois la rivière).

Le **musée des Beaux-Arts** qui occupe l'ancien palais épiscopal, élégant bâtiment du XVIIIe siècle, se trouve au nord de la cathédrale. Il possède quelques belles plaques émaillées Renaissance, le portrait d'Érasme par Holbein et de nombreux tableaux d'artistes français et flamands du XVIIIe siècle. Sans compter une belle collection de clavecins et d'épinettes des XVIIe et XVIIIe siècles.

Les vitraux de la cathédrale ne sont pas les seuls

Maisons à colombage rue Chantault, à Chartres

remarquables. Il faut aussi voir ceux de l'église gothique **Saint-Pierre** (XIVe et XVIe siècles), à côté de la rivière, et ceux de **Saint-Aignan**, qui datent du XVIe siècle.

Le **Centre international du Vitrail** est installé dans les anciens greniers du cellier de Loëns, qui faisait partie à l'origine de la salle du chapitre. Il expose temporairement des vitraux anciens et modernes et donne en permanence des explications sur la fabrication des vitraux et sur ce que représentent ceux de la cathédrale.

Musée des Beaux-Arts
29, cloître Notre-Dame. 02 37 36 41 39. mer. à lun. vac. scol.

Centre international du Vitrail
5, rue du Cardinal-Pie. 02 37 21 65 72. t.l.j. 1er jan., 25 déc.

Conservatoire de l'Agriculture
1, rue de la République. 02 37 36 11 30. mar. au dim. vac. scol.

Sur les pas de Proust

Une visite d'Illiers-Combray qui négligerait les chemins sacrés empruntés par Proust dans son enfance serait incomplète. Quand il séjournait chez sa tante et son oncle Amiot, il se joignait aux promenades de la famille, devenues dans *À la recherche du temps perdu* : « Du côté de chez Swann » et « Le côté de Guermantes ».

La première traverse la Loire et conduit au village de Méréglise, en passant naguère par le Pré Catelan de l'oncle Jules ou, dans le roman, le parc de Tansonville. Le chemin de « Guermantes » couvre quelques kilomètres en direction de Saint-Eman, en suivant la rivière jusqu'à sa source, aujourd'hui englobée, de façon peu romantique, dans une laverie. Les chemins sont signalisés et des guides sont disponibles à l'office du tourisme.

Le « parc de Tansonville » à Illiers-Combray

Chartres : la cathédrale Notre-Dame

En 1194, la cathédrale romane, commencée en 1020, fut détruite par un gigantesque incendie qui n'épargna que la tour sud, la façade ouest et la crypte. À l'intérieur, le Voile sacré de la Vierge est le seul trésor qui ait survécu. Une mobilisation générale des ressources et la participation de tous les corps de métiers permirent de reconstruire en moins de 30 ans un édifice qui est une des plus belles réalisations de l'art gothique du XIIIe siècle. Peu altérée depuis 1250, sortie indemne des guerres de Religion et de la Révolution, elle est considérée maintenant comme une véritable « Bible de pierre ».

Détail du vitrail de Vendôme

Les statues-colonnes
Ces statues du portail Royal représentent des personnages de la Bible.

À NE PAS MANQUER

- ★ **Le portail Royal**
- ★ **Le porche sud**
- ★ **Les vitraux**

La nef gothique
Aussi large que la crypte romane qui se trouve au-dessous, la nef atteint une hauteur record de 37 m.

★ Le portail Royal
Au tympan de la porte centrale, le Christ en majesté est entouré des symboles évangéliques.

La plus haute des deux flèches date du début du XVIe siècle. De style gothique flamboyant, elle contraste vivement avec son homologue romane.

La moitié inférieure de la façade ouest est une survivance de l'église romane du XIe siècle.

Le labyrinth

Le labyrinthe

Le labyrinthe du XIIIe siècle, marqueté sur le sol de la nef, est caractéristique de la plupart des cathédrales médiévales. En signe de pénitence, les pèlerins suivaient à genoux ce chemin de croix de 261,5 m qui figure le parcours de l'homme vers la Jérusalem céleste. Au moins une heure était nécessaire pour l'accomplir.

Mode d'emploi

Pl. de la Cathédrale.
02 37 21 56 33. avr. à sept. : 7 h 30 à 19 h 30 (oct. à mars : jusqu'à 19 h) t.l.j. lun. au sam. : 8 h et midi ; dim. : 9 h 30 et 11 h.
10 h 30 et 15 h.

La voûte
Un réseau d'ogives soutient le plafond voûté.

La chapelle Saint-Piat
Construite à partir de 1324, la chapelle renferme le trésor de la cathédrale, dont le Voile de la Vierge, et des fragments du jubé du XIIIe siècle démantelé en 1763.

★ Les vitraux
Les vitraux couvrent une surface de plus de 3 000 m².

★ Le porche sud
Le porche sud sculpté (1197-1209) représente des scènes du Nouveau Testament.

La crypte
C'est la plus grande crypte de France, presque entièrement du XIe siècle. Elle comprend deux galeries parallèles, une série de chapelles et la voûte du IXe siècle de Saint-Lubin.

Les vitraux de Chartres

Réalisés par des maîtres verriers entre 1200 et 1235 environ, pour la plupart grâce à des dons, les vitraux de Chartres sont une des plus belles collections de France. Plus de 150 sont des illustrations de la Bible et de la vie quotidienne au XIIIe siècle (prenez des jumelles si possible). Pendant les deux guerres mondiales, ils ont été démontés pièce par pièce et mis à l'abri. Certains ont été restaurés dans les années 1970.

Vitraux de l'abside

Vitrail de la Rédemption (v.1210)
Six scènes illustrent la Passion du Christ et sa crucifixion.

★ L'arbre de Jessé
Ce vitrail du XIIe siècle retrace la généalogie du Christ. De Jessé, père de David, l'arbre s'élève jusqu'à l'intronisation du Christ.

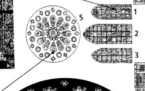

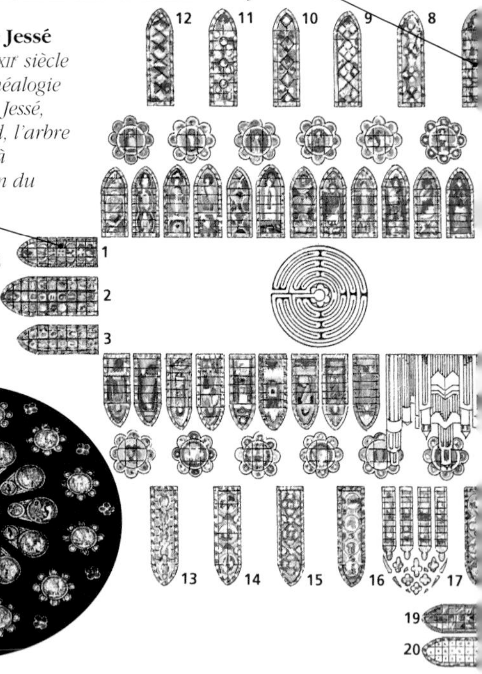

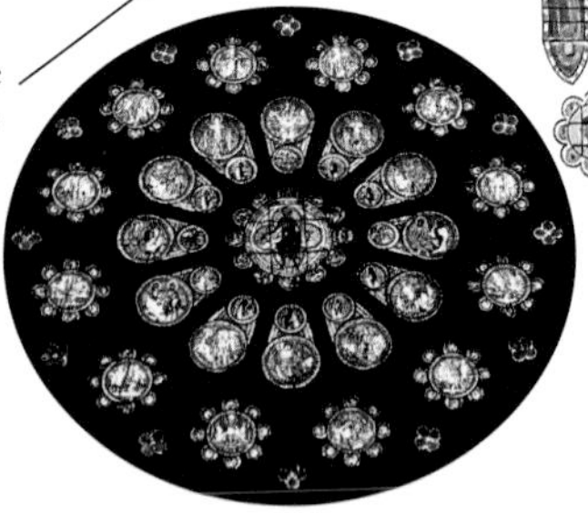

★ La rosace occidentale
Ce vitrail (1215), avec le Christ assis en son centre, illustre le Jugement dernier.

LÉGENDE

1 L'arbre de Jessé
2 L'Incarnation
3 La Passion et la Résurrection
4 La rosace nord
5 La rosace ouest
6 La rosace sud
7 Le vitrail de la Rédemption
8 Saint Nicolas
9 Joseph
10 Saint Eustache
11 Saint Lubin
12 Noé
13 Saint Jean l'Évangéliste
14 Ste Marie-Madeleine
15 Le Bon Samaritain et Adam et Ève
16 L'Assomption
17 Les vitraux de la chapelle Vendôme
18 Miracles de la Vierge
19 Saint Apollinaire
20 Vitrail moderne
21 Saint Fulbert
22 Saint Antoine et Saint Paul
23 N.D. de la Belle Verrière
24 La vie de la Vierge
25 Le vitrail du zodiaque
26 Saint Martin
27 Saint Thomas Becket
28 Sainte Marguerite et sainte Catherine
29 Saint Nicolas
30 Saint Rémi
31 St Jacques le Majeur
32 Charlemagne
33 Saint Théodore et saint Vincent
34 Saint Étienne
35 Saint Chéron
36 Saint Thomas
37 Le vitrail de la Paix
38 Vitrail moderne
39 Le fils prodigue
40 Ezéchiel et David
41 Aaron
42 La Vierge à l'Enfant
43 Esaïe et Moïse
44 Daniel et Jérémie

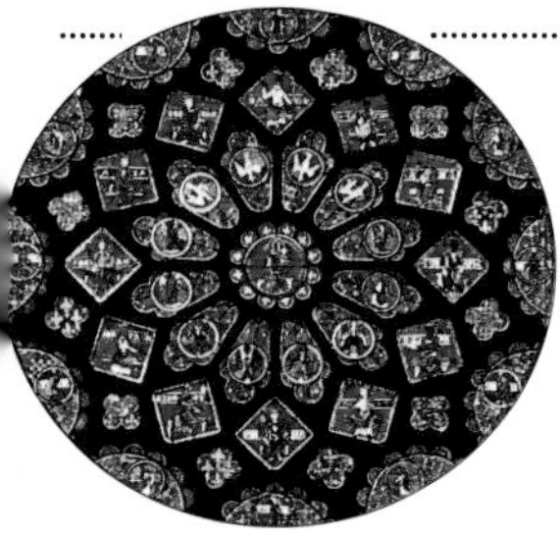

La rosace nord
Elle représente la Glorification de la Vierge, *entourée des rois de Juda et des prophètes (v.1230).*

Comment lire les vitraux

Chaque vitrail est divisé en panneaux qu'on lit de gauche à droite et de bas en haut (de la terre au ciel). Le nombre de personnages ou de formes abstraites est symbolique : trois signifie l'Église; quatre et les carrés figurent le monde matériel ou les quatre éléments, et les cercles, la vie éternelle.

Panneaux supérieurs du vitrail de l'Incarnation

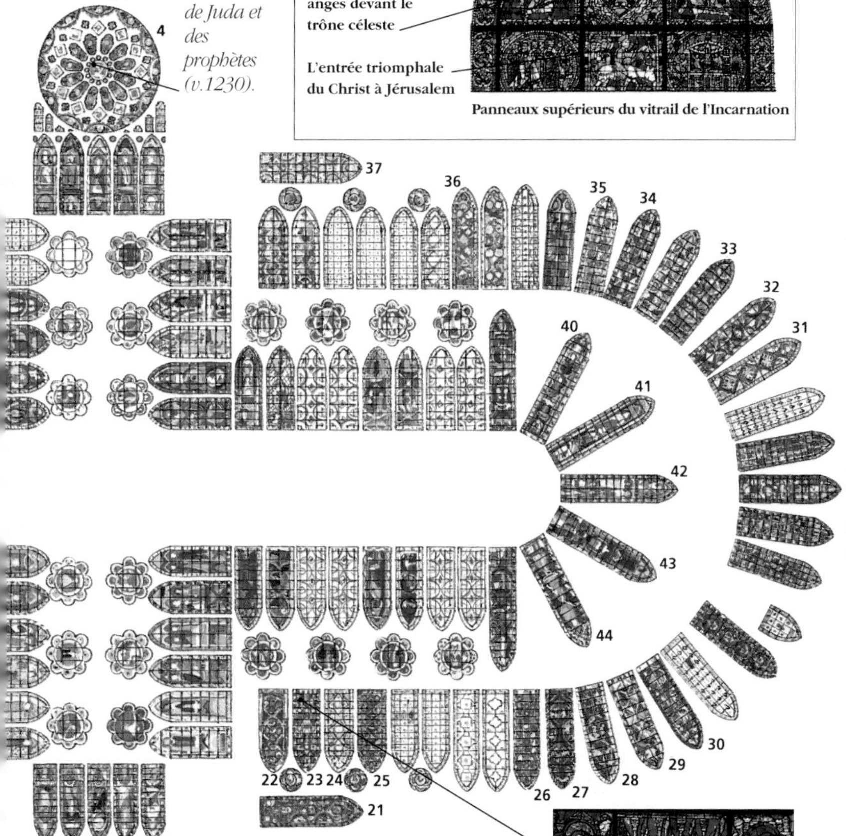

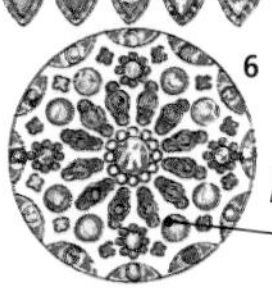

La rosace sud
Elle représente l'Apocalypse, *avec le* Christ en Majesté *(env.1225).*

★ Notre-Dame-de-la-Belle-Verrière
Ces panneaux illustrant les Noces de Cana *sont situés au dessous de la Vierge à l'Enfant.*

À ne pas manquer

- ★ La rosace ouest
- ★ L'arbre de Jessé
- ★ N.-D.-de-la-Belle-Verrière

La Loire-Atlantique et la Vendée

La région, depuis Guérande au nord jusqu'au Marais poitevin au sud, quitte la vallée des Rois pour regarder la mer. La blancheur du tuffeau fait place au granit plus foncé et, par-delà les collines et les bois, les plaines se muent en marais et en estuaires couverts de nuages d'oiseaux.

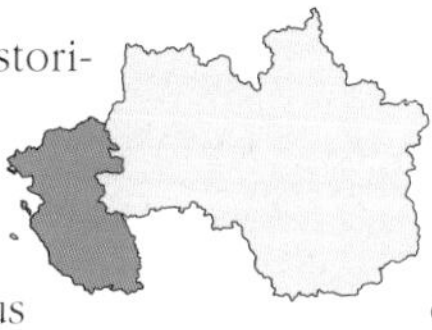

La Loire-Atlantique est historiquement liée à la Bretagne. Nantes, ancienne capitale du duché de Bretagne, est devenue celle de la région des Pays de la Loire et la plus grande agglomération de l'Ouest. Si certains contestent encore le rattachement de la Loire-Atlantique aux Pays de la Loire, le débat ne soulève cependant plus guère de passion.

Les richesses engendrées par le commerce maritime apportèrent à Nantes une prospérité qui en fit, aux XVIIe et XVIIIe siècles, le premier port de France. Avec ses musées et ses quartiers du XVIIIe siècle, elle reste encore agréable et attrayante.

La Vendée, pays de tradition, autrefois poitevine, offre un visage à la fois maritime et terrien. Ce territoire isolé sortit de l'ombre en s'engageant activement dans la Contre-Révolution à partir de 1793, à tel point que l'appellation « guerre de Vendée » incarnera ce mouvement.

La côte et les îles de la Loire-Atlantique au nord et la Vendée au sud font le plein en période estivale, car les rochers du Croisic ou les plages de sable doré qui s'étendent de La Baule aux Sables-d'Olonne attirent aussi bien les sportifs que les amoureux de la nature. Les étés secs et les doux hivers de Noirmoutier donnent à l'île, avec ses maisons blanchies à la chaux et ses tuiles romaines, un air presque méditerranéen.

Le Marais poitevin, à l'extrémité sud de la Vendée, offre un environnement naturel des plus attrayants. Au cours des siècles, cette terre a été conquise sur les rivières et sur la mer grâce à des digues, des canaux et des barrages construits par les moines des abbayes alentour.

Un ramasseur d'huîtres dans la baie de l'Aiguillon

◁ **Chapiteaux historiés dans la nef de la collégiale Saint-Aubin, à Guérande**

À la découverte de la Loire-Atlantique et de la Vendée

La Loire se jette dans la mer à Saint-Nazaire, à l'ouest du département de Loire-Atlantique. Au nord-ouest, dans la péninsule guérandaise, les grandes étendues de sable cèdent la place aux côtes rocheuses. Les plus belles plages de l'Atlantique s'étendent le long des côtes vendéennes, de l'île de Noirmoutier au Marais poitevin. Celui-ci, qui couvre 90 000 hectares de terrain marécageux, est sillonné de canaux. À l'est, la Vendée vallonnée, avec ses routes qui serpentent doucement à travers les villes et à flanc de coteaux, offre de beaux points de vue sur la région.

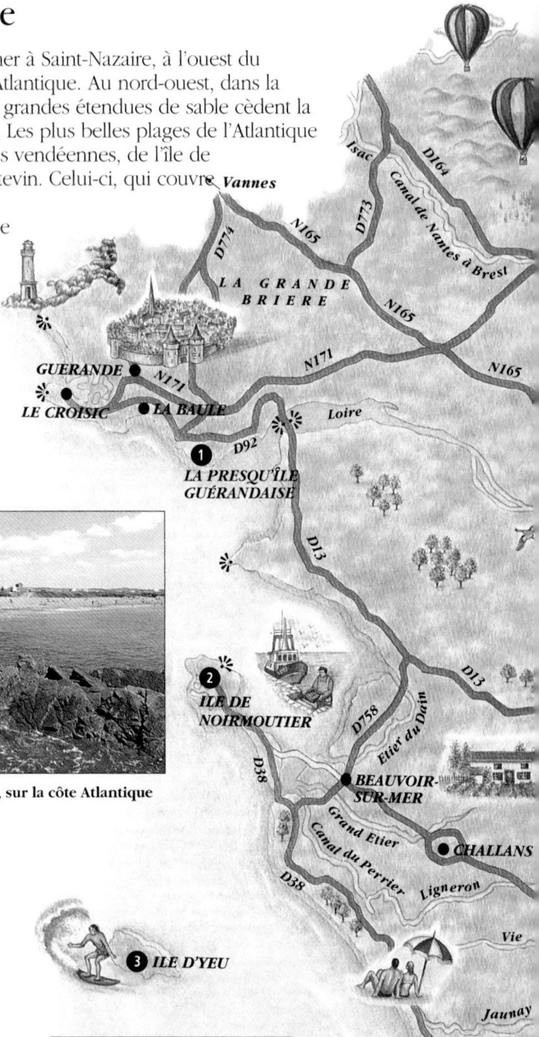

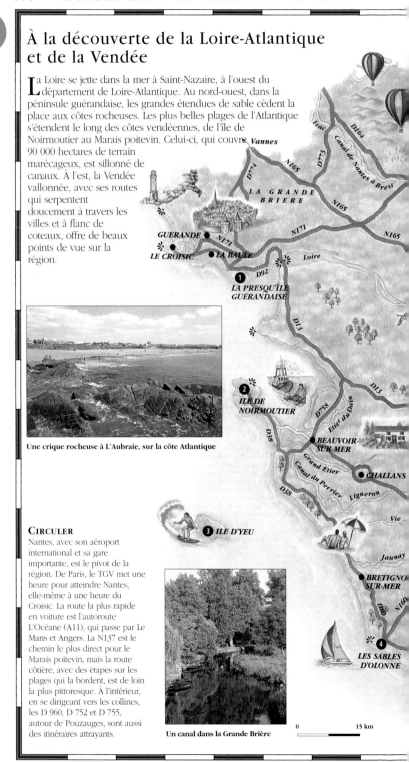

Une crique rocheuse à L'Aubraie, sur la côte Atlantique

Circuler

Nantes, avec son aéroport international et sa gare importante, est le pivot de la région. De Paris, le TGV met une heure pour atteindre Nantes, elle-même à une heure du Croisic. La route la plus rapide en voiture est l'autoroute L'Océane (A11), qui passe par Le Mans et Angers. La N137 est le chemin le plus direct pour le Marais poitevin, mais la route côtière, avec des étapes sur les plages qui la bordent, est de loin la plus pittoresque. À l'intérieur, en se dirigeant vers les collines, les D 960, D 752 et D 755, autour de Pouzauges, sont aussi des itinéraires attrayants.

Un canal dans la Grande Brière

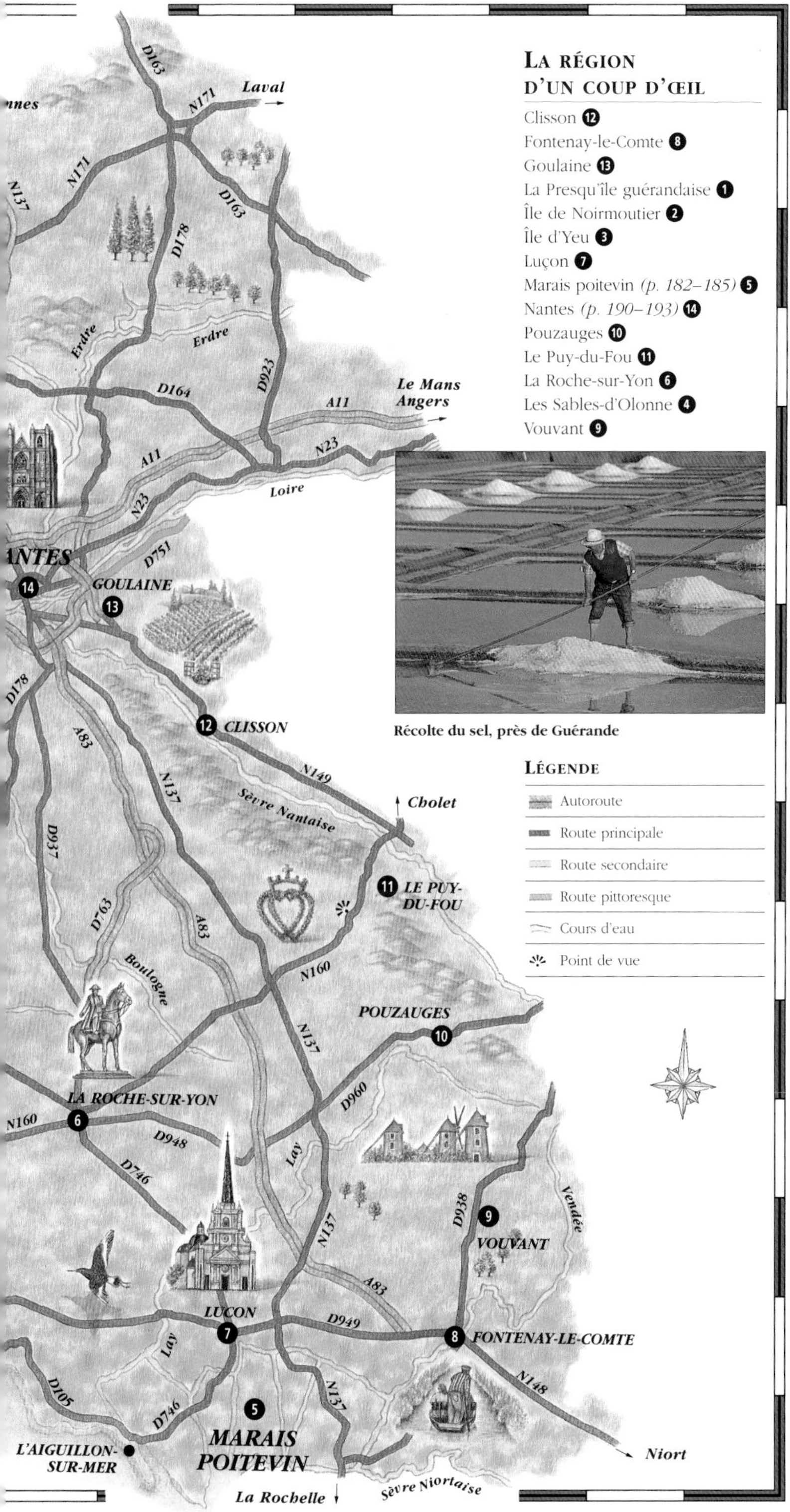

LA RÉGION D'UN COUP D'ŒIL

Clisson 12
Fontenay-le-Comte 8
Goulaine 13
La Presqu'île guérandaise 1
Île de Noirmoutier 2
Île d'Yeu 3
Luçon 7
Marais poitevin *(p. 182–185)* 5
Nantes *(p. 190–193)* 14
Pouzauges 10
Le Puy-du-Fou 11
La Roche-sur-Yon 6
Les Sables-d'Olonne 4
Vouvant 9

Récolte du sel, près de Guérande

LÉGENDE

- Autoroute
- Route principale
- Route secondaire
- Route pittoresque
- Cours d'eau
- Point de vue

La Presqu'île guérandaise ❶

Carte routière A3. *Le Croisic, La Baule. Le Croisic, La Baule, Brière, Guérande. Le Croisic (02 40 23 00 70), La Baule (02 40 24 34 44), Guérande (02 40 24 96 71).*

La Baule, avec sa superbe plage de 8 km de sable doré, fut l'une des plus importantes stations balnéaires de la fin du XIXe siècle. Derrière les blocs d'immeubles construits depuis 1930 se trouvent encore de nombreuses villas excentriques datant du tournant du siècle. Pornichet, à quelques kilomètres de La Baule, a aussi conservé quelques villas plus anciennes au-delà du nouveau port de plaisance.

La presqu'île du Croisic qui s'enfonce dans l'Atlantique possède un charme sauvage certain. Au-delà de l'animation du port, on trouve des kilomètres de dunes et de côtes, de petites plages et des pins sculptés par le vent. L'**Océarium**, près du port, est l'un des plus grands aquariums privés de France.

La ville de Guérande s'est enrichie grâce à l'exploitation de sa *fleur de sel*, « cultivée » dans les marais salants qui s'étendent jusqu'au Croisic. Les expositions et la vidéo du **musée des Marais salants**, à Batz-sur-Mer, donnent une excellente idée des techniques astreignantes utilisées pour en maintenir la qualité.

Guérande est protégée par ses remparts médiévaux percés de quatre belles portes du XVe siècle. La porte Saint-Michel, entrée principale, abrite un musée régional. La **collégiale Saint-Aubin**, au centre de la ville, a été construite au XIIe siècle, remaniée et restaurée depuis. Ses vitraux datent des XIVe et XVIe siècles, et ses chapiteaux romans historiés représentent des scènes de la vie des martyrs, de la mythologie et des arts.

Une maison traditionnelle au toit de chaume à la Grande Brière

Le **parc naturel régional de Brière**, à 10 km à l'est de Guérande, s'étend sur 40 000 hectares de marais. Des excursions dans des bateaux à fond plat, à pied, à bicyclette ou à cheval, sont organisées par l'office du tourisme à La Chapelle-des-Marais. Kerhinet, un village de 18 maisons restaurées, offre un condensé de l'architecture briéronne.

Océarium

Av. de St-Goustan, Le Croisic. *02 40 23 02 44.* *fév. à déc. : t.l.j.*

Musée des Marais salants

Batz-sur-Mer. *02 40 23 82 79.* *juin à sept. et vac. scol. : t.l.j. ; oct. à mai : sam. et dim., l'apr.-midi seul.* *r.-d.-c. seul.*

La Grande Brière

Carte routière A3. *La Baule, Le Croisic, Pontchâteau, St-Nazaire.* *La Chapelle-des-Marais (02 40 66 85 01).*

La porte Saint-Michel, une des entrées de Guérande

L'Île de Noirmoutier ❷

Carte routière A4. *Noirmoutier-en-l'Île. Noirmoutier-en-l'Île (02 51 39 80 71).*

Ses villas blanchies à la chaux de style méridional donnent à Noirmoutier – longue île de polders fertiles – son caractère unique. Pour accéder à l'île, on peut emprunter le pont à péage à Fromentine. Le visiteur téméraire choisira plutôt le passage du Gois, chaussée de près de 5 km, praticable quatre heures par jour, à marée basse. Les horaires de la traversée sont affichés sur la route, à Beauvoir-sur-Mer.

La pêche et les marais salants ont été la base de la richesse de Noirmoutier, mais c'est aujourd'hui la culture de la pomme de terre de primeur qui en fait la renommée. Depuis la construction du pont, le tourisme a pris une place encore plus importante dans l'économie de l'île, dont le principal village est Noirmoutier-en-l'Île. Dans le **château de Noirmoutier** se trouve un petit musée d'histoire locale. Il conserve le fauteuil criblé de balles dans lequel le général d'Elbée, qui menait les royalistes, fut exécuté lors du soulèvement de Vendée *(p.187)*. On peut visiter aussi l'**aquarium** et le **musée de la Construction navale** situé dans une ancienne salorge. Le **Parc Océanile**, un parc aquatique ouvert en 1994, qui offre au public ses chutes d'eau, ses vagues artificielles, ses torrents et ses geysers.

Château de Noirmoutier
Pl. d'Armes. 02 51 39 10 42. *mi-jan. à oct. : mer. à lun.*
Aquarium-Sealand
Rue de l'Écluse. 02 51 39 08 11. *t.l.j.*
Musée de la Construction navale
Rue de l'Écluse. 02 51 39 24 00. *avr. à mi-juin : mar. au dim. ; mi-juin à sept. : t.l.j. ; oct. à mi-nov : mar. à dim.*
Parc Océanîle
Site des Oudinières, route de Noirmoutier. 02 51 35 91 35. *mi-mai à mi-sept. : t.l.j. (ext.) ; mars à nov. : t.l.j. (intérieur)*

Le *polyprion americanas*, à l'aquarium de Noirmoutier

L'île d'Yeu ❸

Carte routière A4. *de Fromentine à Port-Joinville.* *Port-Joinville (02 51 58 32 58).*

Les baies sablonneuses et le littoral rocheux de cette petite île attirent les marcheurs et cyclistes. La principale localité est Port-Joinville, au N.-O. Au sud, sur la Côte Sauvage, se dresse la silhouette impressionnante du **Vieux-Château**, ancienne citadelle qui domine la mer. À l'est, la **Pierre Tremblante** est un rocher géant supposé bouger si l'on appuie à l'endroit voulu.

Le village de pêcheurs de La Chaume

Les Sables-d'Olonne ❹

Carte routière A4. *16 000.* *rue du Maréchal-Leclerc (02 51 32 03 28).* *t.l.j.*

La plage de sable fin en arc de cercle a permis de préserver le plus élégant des fronts de mer de l'ouest de la France. Derrière le Remblai du XVIIIe siècle, des rues en pente conduisent au port animé. De l'autre côté, en direction de l'ancien village de pêcheurs de La Chaume se trouve Port Olona, le port de plaisance.

Parmi les attraits des Sables, un marché se tient tous les matins aux Halles. Entre les Halles et la rue de la Patrie, la rue de l'Enfer est la plus étroite de France, (environ 45 cm à l'entrée de la rue de la Patrie).

Au **musée de l'abbaye Sainte-Croix**, dans un ancien prieuré du XVIIe siècle, des tableaux de Marquet évoquent les Sables-d'Olonne des années 30. Mais ce musée est surtout réputé pour ses importantes collections modernes et contemporaines (Chaissac, Brauner…).

Musée de l'abbaye Sainte-Croix
Rue de Verdun. 02 51 32 01 16. *mi-juin à sept. : mar. à dim. ; oct à mi-juin : lun. à dim. l'apr.-midi.* *vac. scol.* *sauf le mer.*

LES PLUS BELLES PLAGES DE LA CÔTE ATLANTIQUE

Le championnat européen de surf (1987), et le championnat mondial de planche à voile (1988) se sont déroulés aux Sables-d'Olonne. Les amateurs de surf préfèrent les plus grosses vagues du Tanchet (le château d'Olonne) et de l'Aubraie (La Chaume) ou encore de Sauveterre, des Granges (Olonne-sur-Mer), de La Sauzaie et de Brétignolles-sur-Mer. Les Sables-d'Olonne, la Grande Plage à La Baule et Les Demoiselles à Saint-Jean-de-Mont sont agréables et bien orientées.

La grande plage de sable de l'Aubraie, à La Chaume

Le Marais poitevin ❺

Martin-pêcheur

Le grand parc régional du Marais poitevin s'étend sur 90 000 hectares, au sud de la Vendée. Ces terres étaient à l'origine presque totalement immergées. Mille ans de construction de digues et de drainage, entrepris au Moyen Âge par des moines, repris sous l'impulsion d'Henri IV, ont donné naissance, à l'ouest, aux plaines cultivables du Marais desséché, que son réseau complexe de canaux protège des inondations. À l'est s'étend la mosaïque du Marais mouillé, appelé aussi la Venise verte. Ici, les vacanciers mènent leurs barques à la pagaie ou à la perche le long de cours d'eau tranquilles, sous un dais de saules, d'aulnes, de frênes et de peupliers.

Les charolaises blanches
Prisées pour leur viande, ces vaches sont encore parfois transportées en barque.

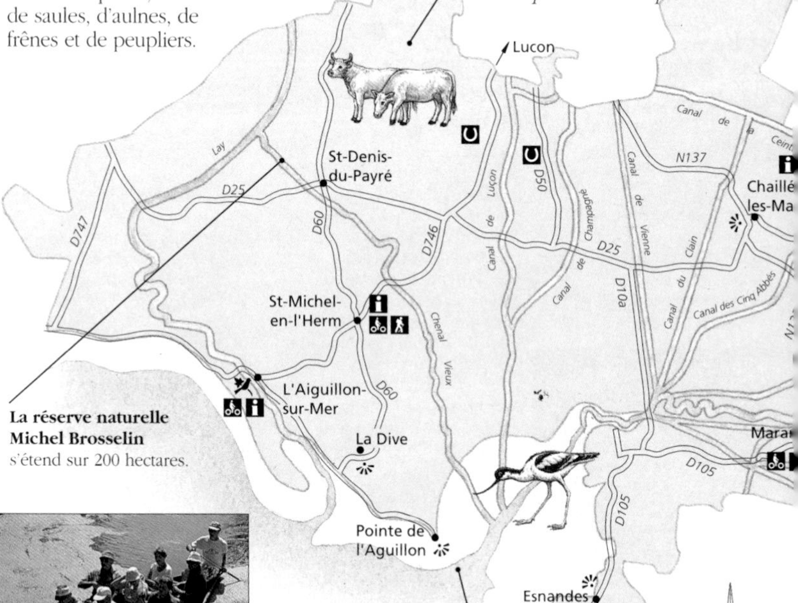

La réserve naturelle Michel Brosselin
s'étend sur 200 hectares.

Les plattes
Ces bateaux ont une large proue et une poupe pointue. Les rameurs les mènent à la pagaie ou à la perche, sur les canaux ou conches.

L'élevage des moules
Autour de l'Aiguillon-sur-Mer, on élève des moules. On place les larves sur des cordes tendues entre des piquets (les bouchots), plantés dans la vase et exposés aux marées.

À NE PAS MANQUER

- ★ **L'église Saint-Nicolas, Maillezais**
- ★ **Coulon**
- ★ **Arçais**

LÉGENDE

- Laisses de vase
- Marais desséché
- Marais mouillé
- Point de vue
- Randonnée pédestre
- Randonnée équestre
- Information touristique
- Promenade en barque
- Location de bicyclette

★ L'église Saint-Nicolas, Maillezais

Au cœur du Marais poitevin, à Maillezais, l'église Saint-Nicolas (XIIe siècle) a une façade romane et un intérieur exceptionnellement vaste. À gauche du chœur, la belle Vierge à l'Enfant en pierre date du XIVe siècle. À l'ouest du village se dressent les ruines imposantes d'une abbaye du Xe siècle.

MODE D'EMPLOI

Carte routière B5. *Niort.* *Maillezais (02 51 87 23 01); Coulon (02 49 35 99 29). Promenades en barque : Coulon, Maillezais, Arçais, Sansais, La Garette, St-Hilaire-la-Palud, Damvix ; canots à moteur : Maillé. Train touristique : Coulon (02 49 35 02 29). Possibilité de randonnées, promenades à vélo, en roulotte et à cheval.*

Au Poiré-sur-Velluire, on célèbre chaque année, fin avril, l'ouverture des pâturages communaux.

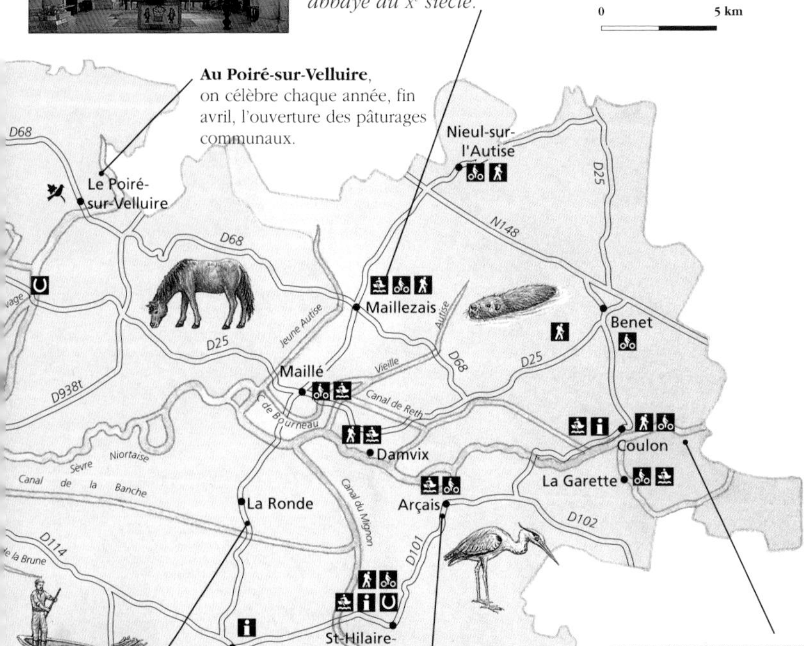

À la Maison du Parc, à La Ronde, on peut obtenir des informations sur le système hydraulique complexe du Marais poitevin.

★ Arçais

Ce village de la Venise verte a un joli petit port et un château du XIXe siècle.

★ Coulon

Site classé de la Sèvre, Coulon est le plus grand village du Marais poitevin. Son port est toujours envahi de plattes, typiques du Marais.

À la découverte du Marais poitevin

Panneau pour excursions en barque

Comme les anciennes digues n'empêchaient pas l'inondation annuelle des marais, aux XIIe et XIIIe siècles on se mit à creuser des canaux. Les travaux furent supervisés par des moines qui avaient acquis des droits sur les régions marécageuses. Le Marais mouillé et le Marais desséché sont d'ailleurs encore séparés par le canal des Cinq-Abbés (XIIIe siècle), que l'on doit aux efforts conjugués de plusieurs abbayes. Les moines étaient récompensés de leur travail par des droits sur les pâturages communaux, dont certains sont encore en vigueur. Afin de perfectionner les canaux, Henri IV fit venir des ingénieurs de Hollande – d'où « la Ceinture des Hollandais », au sud-est de Luçon. Les portes à flot, actionnées par la pression de l'eau et les trous de bondes sont les moyens les plus courants utilisés pour maîtriser l'inondation des terres situées sous le niveau de la marée haute.

L'est du Marais

De nombreuses localités organisent des excursions en bateau, mais les plus téméraires peuvent louer leur propre embarcation à Arçais, Coulon, Damvix, La Garette ou Maillezais.

Coulon

Carte routière B5. *1 900.* *pl. de l'Église (02 49 35 99 29).* *ven., dim.*

Avec ses rues étroites, ses vieilles maisons blanchies à la chaux et son église du XIIe siècle, Coulon est le point de départ idéal pour découvrir le Marais mouillé. Les quais de la Sèvre Niortaise, qui viennent d'être rénovés, sont très animés en été lorsque s'y pressent les randonneurs armés de cartes, prêts à se lancer dans l'enchevêtrement des canaux. Les poissons qui se cachent sous les lentilles d'eau sont visibles à l'**aquarium de la Venise verte**, et, si l'histoire de la région et des polders vous intéresse, la **maison des Marais mouillés** vous attend.

Aquarium de la Venise verte
8, pl. de l'Église. *02 49 35 90 31.* *mi-mars à oct. : t.l.j. ; nov. à mi-mars : groupes sur r.d.v.*

Maison des Marais mouillés
Pl. de la Coutume. *02 49 35 81 04.* *mi-jan. à mi-déc. : mar. à dim.*

Maillezais

Carte routière B5. *900.* *Fontenay-le-Comte, puis taxi.* *rue du Dr-Daroux (02 51 87 23 01).*

Maillezais est la plus importante des îles habitées de l'ancien golfe du Poitou.

La faune du Marais poitevin

La richesse de la faune du Marais poitevin est incontestable, avec 130 espèces d'oiseaux nicheurs, 120 espèces d'oiseaux hivernants et migrateurs, 44 espèces de mammifères, 22 espèces de serpents, 32 espèces de poissons et des centaines d'espèces d'insectes. Entre les ormes, les aulnes, les saules et les aubépines, nichent les hérons. Des oiseaux de proie, comme la crécerelle et le busard, vivent toute l'année dans le Marais, ainsi que des couples de milans noirs, de hobereaux et, moins communément, de bondrées au printemps et en été. Le soir, les hibous à aigrettes longues et les chouettes partent à la poursuite des petits rongeurs des marais. Mais pour les amateurs d'oiseaux, le véritable intérêt de la région réside dans l'observation des échassiers migrateurs et du gibier d'eau, visibles dans le Marais mouillé comme dans le Marais desséché, et sur les plages de vase de la baie d'Aiguillon, où la Sèvre Niortaise atteint la mer. En automne et en hiver apparaissent le chevalier gambette, la barge égocéphale à queue noire, le courlis et des espèces rares, comme le râle marouette. En hiver, le Marais desséché est le refuge idéal des grenouilles, des crapauds, des serpents d'eau ; deux espèces rares d'oiseaux chanteurs – la rousserolle turdoïde et la locustelle lucinoïde – nichent dans l'épaisse végétation qui borde ses canaux. Quelques busards cendrés, autre espèce rare, chassent le campagnol des champs dans les terres cultivées gagnées sur la mer.

La crécerelle, oiseau de proie du Marais

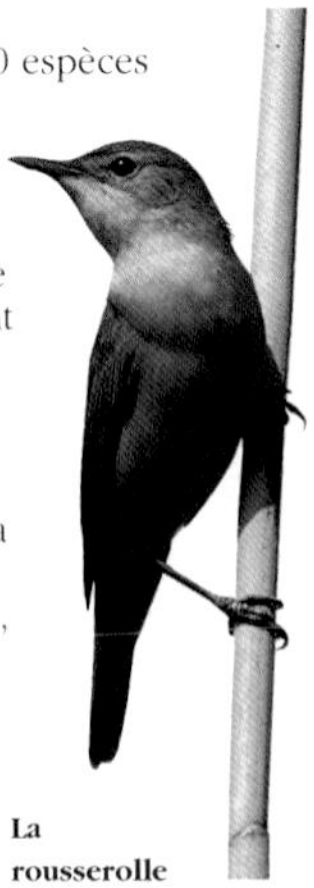

La rousserolle turdoïde

Les ruines de l'abbaye Saint-Pierre, du Xe siècle, à Maillezais

Les ruines de la grande **abbaye Saint-Pierre**, fondée au Xe siècle, sont grandioses. En 1587, le monastère fut en grande partie détruit par les armées protestantes. De l'église abbatiale subsiste le narthex avec de beaux chapiteaux romans du XIe siècle, alors qu'il ne reste que quelques traces du vaste chœur Renaissance.

Le réfectoire et la cuisine, encore debout, sont devenus aujourd'hui un musée lapidaire où sont exposés les résultats des fouilles. À droite de l'entrée subsiste un petit château, construit en 1872 sur les ruines d'un palais épiscopal.

Abbaye Saint-Pierre
02 51 00 70 11. mars à mi-nov. : t.l.j. ; mi-nov. à fév. : ven. à mer.

Chaillé-les-Marais

Carte routière B5. *1 200.*
Luçon (02 51 56 36 52). jeu.

Ce petit village, construit sur une falaise autrefois baignée par la mer, fut au centre des travaux d'assèchement du Marais desséché. Ces techniques sont expliquées à la **Maison du Petit Poitou**. Ce musée est l'un des six qui contribuent à la découverte des différents aspects du Marais poitevin.

Baudet du Poitou

Maison du Petit Poitou
02 51 56 77 30. mi-mars à mi-nov. : t.l.j. ; mi-nov. à mi-mars : sur r.-v. seul.

L'ouest du Marais

Presque tous les travaux de drainage du Marais ont été entrepris par les moines de **Saint-Michel-en-l'Herm**. L'abbaye bénédictine de cette ancienne île a été fondée en 682 ; destructions et reconstructions s'y sont succédé. Ne demeurent guère que la salle capitulaire du XVIIe siècle et le réfectoire.

À une courte distance vers le sud, dans l'estuaire du Lay, se trouve **L'Aiguillon-sur-Mer**, ancien port de pêche, et la Pointe de l'Aiguillon avec sa digue du XIXe siècle construite par les Hollandais. De là, le point de vue sur l'île de Ré et La Rochelle, de l'autre côté de la baie, est splendide. La conchyliculture, élevage de moules et d'huîtres, est l'activité principale de cette partie de la côte, de même que des estuaires de l'ouest du Marais. Les moules se fixent et se développent sur les bouchots, visibles à marée basse dans la baie de l'Aiguillon,

L'HABITAT

Les canaux du Marais mouillé sont le refuge idéal des loutres, tandis que de nombreux arbres offrent au héron pourpré un choix infini d'emplacements pour nidifier. Dans le Marais desséché prospèrent les oiseaux migrateurs (sarcelles d'été) et les échassiers (vanneaux).

Sarcelle d'été

Loutre

Un héron pourpré faisant son nid

Un vanneau hivernant dans le Marais poitevin

Statue de Napoléon sur la place principale de La Roche-sur-Yon

La Roche-sur-Yon ❻

Carte routière B4. *49 000.* *rue Georges-Clemenceau (02 51 47 48 49).* *2e lun. du mois, sam.* *La Roche aux Contes (mars) ; Fête de la Musique (juin) ; Café de l'Été (juil.).*

C'est Napoléon qui, en 1804, fit de La Roche-sur-Yon la capitale administrative et militaire de la Vendée rebelle.

Le plan orthogonal de la ville, dû à un architecte du génie militaire, était centré sur un grand terrain de manœuvres, devenu aujourd'hui la **place Napoléon**. Au milieu de celle-ci se dresse une statue équestre de l'empereur et en bordure, l'**église Saint-Louis**, du XIXe siècle, la plus vaste du département.

La partie la plus ancienne de la ville entoure la place de la Vieille-Horloge. Une exposition de la production locale (tissage, poterie, travail du cuir) se tient en permanence dans la **Maison des Métiers** récemment restaurée. À voir aussi, le Haras national qui est l'un des plus importants de France.

La Maison des Métiers

Pl. de la Vieille-Horloge. *02 51 62 51 33.* *mar. au sam.*

Luçon ❼

Carte routière B4. *10 000.* *square Édouard-Herriot (02 51 56 36 52).* *mer. et sam.*

Autrefois port marécageux, Luçon a été décrit par son résident le plus célèbre – Armand Jean du Plessis, cardinal de Richelieu *(p.56)* – comme l'évêché « le plus crotté du royaume ». Âgé de 23 ans, déjà évêque, il fut envoyé à Luçon en 1608 et se lança dans la construction de la ville. On lui a élevé une statue près de la **cathédrale Notre-Dame**.

La nef de cette cathédrale est très impressionnante, avec ses chapelles Renaissance. L'une d'elles contient une chaire et deux toiles naturalistes, peintes par Pierre Nivelle, artiste et évêque qui succéda à Richelieu. Le cloître date du XVIe siècle. Le grand orgue de la tribune est l'œuvre du célèbre facteur Cavaillé-Coll.

Chaire peinte de la cathédrale de Luçon

Fontenay-le-Comte ❽

Carte routière C4. *15 000.* *pl. de la Basque (02 51 69 44 99).* *sam.* *L'Été Sportif et Culturel (juil. à août).*

Fontenay, au bord de la Vendée, fut la capitale du Bas-Poitou jusqu'à la Révolution. Napoléon la rétrograda ensuite au profit de La Roche-sur-Yon, plus centrale, d'où il pouvait surveiller la Vendée royaliste.

Si en 1621, pendant les guerres de Religion, son château et ses fortifications ont été détruits, une grande partie du quartier Renaissance a cependant survécu et, après la dernière guerre, une ville s'est développée tout autour.

L'église Notre-Dame, dominée par sa flèche imposante, est un excellent point de départ pour explorer les vieilles rues qui descendent de la place Viète. Le bâtiment qui se trouve au n° 9 de la rue du Pont-aux-Chèvres, avec sa tourelle d'angle, a été autrefois le palais des évêques de Maillezais. La ville fut un des centres de l'humanisme à la Renaissance ; le poète Nicolas Rapin et François Rabelais *(p.100)* ont fréquenté les cercles de lettrés de la ville. Rabelais, alors jeune novice indiscipliné qui passa cinq ans ici dans un monastère franciscain (1519-1524), fit plus tard la satire des soirées auxquelles il assista.

La devise de Fontenay : « Fontaine et source de beaux esprits », est gravée sur la fontaine des **Quatre-Tias** ; cette fontaine, caractéristique de l'art classique, date du XVIe siècle et a été remaniée en 1899 par Octave de Rochebrune, intellectuel et artiste local.

Le **Musée vendéen** rassemble des objets archéologiques gallo-romains. Une grande maquette représente Fontenay à la Renaissance, tandis que des tableaux du XIXe évoquent l'insurrection de la Vendée en 1793. On y présente aussi la vie quotidienne dans le bocage, la région boisée qui entoure la ville.

À l'origine simple manoir, le Château de Terre-Neuve, a été transformé au début du XVIIe siècle pour Nicolas Rapin,

La haute nef gothique de la cathédrale Notre-Dame à Luçon

Les remparts médiévaux qui entourent Vouvant se reflétant dans la rivière Mère

poète et grand prévôt, en un édifice plus grandiose. Deux cents ans plus tard, Octave de Rochebrune fit quelques ajouts, dont les statues des Muses.

Dans le château, remarquez les beaux plafonds et deux magnifiques cheminées, ainsi qu'une collection d'œuvres d'art, de meubles, de panneaux et une porte provenant du cabinet royal du château de Chambord.

Musée vendéen
Pl. du 137e-Régiment-d'Infanterie. 02 51 69 31 31. *mi-juin à mi-sept. : lun. à ven., sam. et dim. apr.-midi ; mi-sept. à mi-juin : mer. au dim., l'apr.-midi seul.*

Château de Terre-Neuve
Rue de Jarnigande. 02 51 69 99 41, *02 51 69 17 75.* *mai : t.l.j., l'apr.-midi ; juin à sept. : t.l.j. ; oct. à avr. : groupes sur r.-v.*

Vouvant 9

Carte routière B4. *900.* *Fontenay-le-Comte, puis taxi.* *Luçon.* *pl. du Bail (02 51 00 86 80).* *4e jeu. du mois.* *Fête folklorique (mi-août).*

L'**église Notre-Dame** est un édifice médiéval. Au-dessus de deux portails jumeaux, des rangées de sculptures fantastiques regardent, plus bas, une arche ornée d'un bestiaire roman typique. Sur le tympan, Samson lutte avec un lion tandis que s'avance Dalila, avec ses ciseaux.

Vouvant est le point de départ d'excursions, le long de ses chemins balisés dans la forêt de Mervent, hantée par la légende de la fée-serpent Mélusine (la malheureuse, qui essayait de mener une vie normale, voyait une fois par semaine la partie inférieure de son corps se changer en queue de serpent...). De la tour Mélusine, magnifique panorama de la rivière Mère.

Les portails jumeaux de l'église Notre-Dame à Vouvant

L'insurrection de la Vendée

Portrait de Cathelineau (1824) par Anne Louis Girodet-Trioson

Les levées d'impôts, la persécution des prêtres catholiques et l'exécution de Louis XVI en 1793, ainsi que les tentatives d'enrôlement dans l'armée républicaine déclenchèrent l'insurrection des Vendéens et, à Machecoul, le 11 mars, un massacre des sympathisants républicains. Comme les émeutes paysannes s'intensifiaient, les meneurs (le charretier Cathelineau, le garde-chasse Stofflet) prirent la direction des opérations. Des aristocrates (Charette, Bonchamps, La Rochejacquelein) se joignirent à eux sous le signe du Sacré-Cœur.

En juin 1793, usant des tactiques de la guérilla, l'Armée Catholique et Royale (les Blancs) avait pris presque toute la Vendée, plus Saumur et Angers. Elle gagna plusieurs batailles contre les Républicains (les Bleus), mais fut vaincue à Cholet le 17 octobre. Près de 90 000 Blancs s'enfuirent après avoir vainement espéré des renforts. Durant l'hiver 1794-1795, les Bleus dévastèrent la Vendée sur ordre du général Turreau. Le nombre de personnes disparues durant cette insurrection est estimé à plus de 250 000.

Détail de la frise - église de Pouzauges

Pouzauges ⓾

Carte routière C4. *5 500.* *La Roche.* *rue Georges-Clemenceau (02 51 91 82 46).* *jeu. et sam.*

Ce petit château en ruine du XIIe siècle est l'un de ceux, nombreux, que Gilles de Rais possédait en Vendée au XVe siècle. Maréchal de France, celui-ci fut accusé de détournement de mineurs et de meurtres, ce qui mit fin à sa carrière militaire. Son histoire inspirera plus tard celle de Barbe-Bleue.

Découvertes en 1948, les fresques du XIIIe siècle de la petite **église Notre-Dame-du-Vieux-Pouzauges** – charmantes scènes, aux couleurs pastel, de la vie de la Vierge Marie et de sa famille – font partie des trésors de la Vendée. À gauche, également découverte en 1948, une frise qui se trouve à 4 m du sol illustre, sous forme de bestiaire, les mois de l'année.

Le château du Puy-du-Fou ⓫

Carte routière B4. *Écomusée, Les Épesses.* *02 51 57 60 60.* *fév. à déc. : mar. à dim.*

Le château Renaissance du Puy-du-Fou, en brique et granit, se trouve à 2 km du petit village des Épesses. Partiellement restauré après sa destruction pendant l'insurrection de Vendée, il abrite maintenant un musée et un ambitieux parc à thème ; il sert aussi de toile de fond à la **Cinéscénie**, étonnant spectacle « son et lumière » *(p. 58-59).*

Dans l'**écomusée**, une astucieuse maquette lumineuse, accompagnée de diapositives, de tableaux et de portraits, retrace les étapes de l'insurrection de Vendée. Des expositions consacrées aux périodes préhistorique, gallo-romaine et médiévale illustrent l'histoire de la région.

Le Grand Parcours, vaste parc à thème, offre un large choix de visites : la reconstitution de deux villages, l'un médiéval, l'autre du XVIIIe siècle, des promenades dans les bois, des lacs, des attractions (jeux d'orgues aquatiques, numéros de jonglerie, de joutes, d'acrobaties à cheval) et surtout des démonstrations de fauconnerie, avec des faucons, des aigles et des vautours qui, en vol, rasent la tête des spectateurs.

Cinéscénie
02 51 64 11 11. *mi-juin à mi-sept. : ven., sam. Horaire du spectacle : 22 h 30 ; arriver une heure plus tôt, réser. obli.*

Écomusée de la Vendée
fév. à déc. : mar. à dim.

Le Grand Parcours
mai : dim., vac. scol. ; juin à mi-sept. : t.l.j. *mi-sept. à avr.*

« Villageoises » à l'œuvre dans le Grand Parcours, au Puy-du-Fou

Le château de Clisson, forteresse féodale aujourd'hui en ruine

Clisson ⓬

Carte routière B4. *5 500.* *pl. de la Trinité (02 40 54 02 95) ; mai à mi-oct. : pl. du Minage (02 40 54 39 56).* *mar., mer., ven.* *Festival de Musique (juil.).*

Perchée sur deux collines à cheval sur la Sèvre Nantaise, Clisson est d'une remarquable beauté italianisante. En grande partie détruite par les expéditions punitives des Républicains en 1794, après l'effondrement du soulèvement de Vendée, la ville a été largement reconstruite par deux frères, Pierre et François Cacault, et le sculpteur Frédéric Lemot.

Le domaine de Lemot – aujourd'hui **parc de la Garenne Lemot** – est un hymne à la Rome ancienne avec ses grottes, ses colonnes et ses tombeaux, dont celui de Lemot lui-même (le Temple de l'Amitié).

Les ruines du **château de Clisson** permettent de suivre

l'évolution des stratégies de défense, qui se renforcèrent peu à peu, du XIIIe au XVIe siècle. Il fut la forteresse féodale principale des ducs de Bretagne.

Les visiteurs peuvent jeter un coup d'œil dans les donjons et dans un puits à la sinistre histoire : après la défaite de la Vendée, pour se venger, les troupes républicaines massacrèrent et y précipitèrent 18 personnes qui essayaient de faire du pain dans les ruines. À côté du château se tient un marché couvert Renaissance.

Parc de la Garenne Lemot et Maison du Jardinier

02 40 54 75 85. avril à sept. : t.l.j. ; oct. à mars : mar. à sam.

Parc : *t.l.j.*

Château de Clisson

Pl. du Minage. 02 40 54 02 22. mer. à lun.

La tour à mâchicoulis à l'entrée du château de Goulaine

Le château de Goulaine 13

Carte routière B3. *Nantes, puis taxi. 02 40 54 91 42. avr. à mi-juin : sam., dim. et vac. scol. apr.-midi ; mi-juin à mi-sept. : mer. à lun. ; mi-sept - oct. : sam. et dim.*

Parc aux papillons.

À une courte distance de Nantes, voici le plus occidental de tous les châteaux en tuffeau et au toit couvert d'ardoises de la Loire. Les lieux appartiennent à la même famille de producteurs de vin depuis près de mille ans, mais l'édifice actuel date du XVe siècle, avec des ailes du XVIIe. Il reste une tour à mâchicoulis du XIVe. D'autres tours se dressent de chaque côté du bâtiment central. Sur l'une d'elles, une sculpture représente Yolande de Goulaine, qui, dit-on, avait poussé ses soldats à résister aux Anglais en menaçant de se poignarder.

Vendu à un Hollandais, le château survécut à la Révolution et fut récupéré par ses propriétaires 70 ans plus tard. Aujourd'hui, il a été restauré par le marquis Robert de Goulaine, qui a créé une serre où évoluent des papillons exotiques dont l'image orne aussi l'étiquette d'un de ses muscadets. L'intérieur et le mobilier, notamment du grand salon, reflètent bien la richesse décorative du château.

CINÉSCÉNIE

Le grand spectacle nocturne du Puy-du-Fou peut accueillir 12 000 spectateurs assis. Cette mise en scène de l'histoire de la Vendée fait intervenir 800 acteurs et utilise toutes les techniques modernes multimédia de plein air. Les éclairages au laser, la musique, les jets d'eau et les feux d'artifice sont tous soigneusement orchestrés par ordinateur.

Avec le château et le lac pour toile de fond, les acteurs composent des tableaux vivants ou se livrent à des combats. Les chevaux hennissent, des fontaines et des feux d'artifice s'élèvent dans les airs, les cloches sonnent et le château s'enflamme…

Le spectacle se suffit à lui-même, mais ceux qui le désirent peuvent disposer d'une traduction du commentaire en anglais, allemand, italien ou japonais. Il est recommandé de réserver à l'avance et de s'habiller chaudement.

Cinéscénie du Puy-du-Fou : un cracheur de feu

Nantes ⓮

Nantes, capitale historique des ducs de Bretagne, est aujourd'hui celle de la région des Pays de la Loire. À une cinquantaine de kilomètres de l'Océan, le port fut à l'origine de la prospérité de la ville, notamment grâce au commerce avec les colonies, à la traite des Noirs, à l'activité des chantiers navals. Il s'est étendu en aval vers Saint-Nazaire, et l'estuaire est maintenant traversé par le pont le plus long de France *(p.34)*. Industrielle, cette zone a insufflé une nouvelle vie à la région. Pour sa part, Nantes est une ville pleine de vitalité, avec d'excellents musées, de grands espaces verts, des restaurants, bars et boutiques de luxe.

Le théâtre néo-classique de la place Graslin

À la découverte de Nantes
Le **quartier Graslin** est l'endroit le plus élégant de la ville. Construit entre 1780 et 1900, il a pour centre la place Graslin, avec son théâtre néo-classique auquel on accède par une volée d'escalier monumentale. Elle a été dessinée par son architecte, Mathurin Crucy, en forme de rectangle dans un demi-cercle, avec huit rues rayonnantes. La façade du théâtre comporte huit colonnes corinthiennes surmontées de huit muses. Derrière les colonnes, le mur en verre permet à la lumière d'inonder le foyer pendant la journée.

La salle à manger Art nouveau de La Cigale, brasserie de Nantes

Autres exemples de l'architecture élégante de Crucy, non loin de là, le cours Cambronne, avenue d'une grande unité de composition construite au début du XIXe, et la place Royale avec sa superbe fontaine où des statues figurent la Loire et ses affluents.

Dans l'ancienne **île Feydeau** - qui a vu naître Jules Verne *(p.193)* - le plan d'urbanisme du XVIIIe siècle et la richesse des classes moyennes commerçantes ont engendré de magnifiques façades néo-classiques (allée Turenne, allée Duguay-Trouin et, en particulier, rue Kervégan où l'architecte Pierre Rousseau occupa le n° 30). Des balcons de fer forgé s'appuient, en composition pyramidale, sur une surabondance de sculptures.

Place du Commerce, l'ancienne Bourse, élégant édifice du XVIIIe siècle, est devenue l'office du tourisme.

La Cigale
4, pl. Graslin. ☎ *02 51 84 94 94.*
○ *t.l.j. Voir* ***Restaurants*** *p.219.*
Face au théâtre, en un éblouissant contrepoint, se trouve La Cigale, célèbre brasserie inaugurée le 1er avril 1895. Cette fantaisie fin de siècle a été conçue et en grande partie exécutée par Émile Libaudière. Le bâtiment regorge de motifs Art nouveau, parmi lesquels la cigale qui lui a donné son nom. Les bleus profonds des tuiles italiennes, les arabesques des fers forgés, les fenêtres et les miroirs biseautés, les plafonds peints et sculptés ont fait de ce restaurant le rendez-vous favori, depuis un siècle, des esthètes et des gastronomes.

Passage Pommeraye
○ *t.l.j.*
La rue Crébillon, à l'est de la place Graslin, est la rue commerçante la plus élégante de Nantes. Elle rejoint la rue de la Fosse par un remarquable passage couvert, inauguré en 1843, qui porte le

L'élégant passage Pommeraye et sa superbe verrière

nom de l'homme de loi qui finança sa construction : le passage Pommeraye. Ses 66 boutiques durent faire alors grande impression sur le public.

Les trois galeries en arcades occupent différents niveaux et sont reliées entre elles par un bel escalier de bois, bordé de lampes et de statues. Le décor est surchargé. De charmants enfants sculptés contemplent, plus bas, les galeries avec leurs cortèges de boutiques, leurs bustes, bas-reliefs et autres motifs de pierre ou de métal, à l'abri de la verrière d'origine.

Musée Dobrée

18, rue Voltaire *02 40 71 03 50.*
mar. au dim. *vac. scol.*

Fils d'un riche armateur et industriel, Thomas Dobrée (1810-1895) a passé presque toute sa vie à réunir peintures, dessins, sculptures, tapisseries, meubles, porcelaines, armures, art religieux, timbres, livres, lettres et manuscrits. Le palais qu'il fit construire pour son musée s'inspirait d'un plan de Viollet-le-Duc, l'architecte de la renaissance gothique. Parmi les objets

Détail des sculptures en albâtre de l'autel du musée Dobrée

remarquables de la collection se trouve un reliquaire en or surmonté d'une couronne, contenant le cœur d'Anne de Bretagne déposé à l'origine dans la tombe de ses parents,

MODE D'EMPLOI

Carte routière B3.
500 000. *12 km Nantes-Atlantique.* *bd Stalingrad.*
allée Baco. *pl. du Commerce (02 40 20 60 00).*
mardi au dimanche
Printemps des Arts (mai à juin) ; Festival d'Été (musique, juil.) ; Les Rendez-vous de l'Erdre (jazz, septembre); Festival des Trois Continents (cinéma, novembre).

dans l'ancienne église des Carmes. Autre trésor, un autel du XVe siècle de Nottingham (Angleterre), intact et sculpté de statues d'albâtre.

La deuxième partie de ce complexe, le manoir de la Touche, est consacrée au soulèvement de la Vendée. On peut y voir le masque mortuaire de François de Charette, meneur royaliste et charismatique, emprisonné et fusillé à Nantes en mars 1796. À côté, le Musée archéologique expose des antiquités grecques et égyptiennes, ainsi que des objets gallo-romains, trouvés dans la région.

LE CENTRE DE NANTES

Cathédrale Saint-Pierre-et-Saint-Paul ④
Château des Ducs de Bretagne ⑤
Jardin des Plantes ⑦
Musée des Beaux-Arts ⑥
Musée Dobrée ①
Place Graslin ②
Tour de Bretagne ③

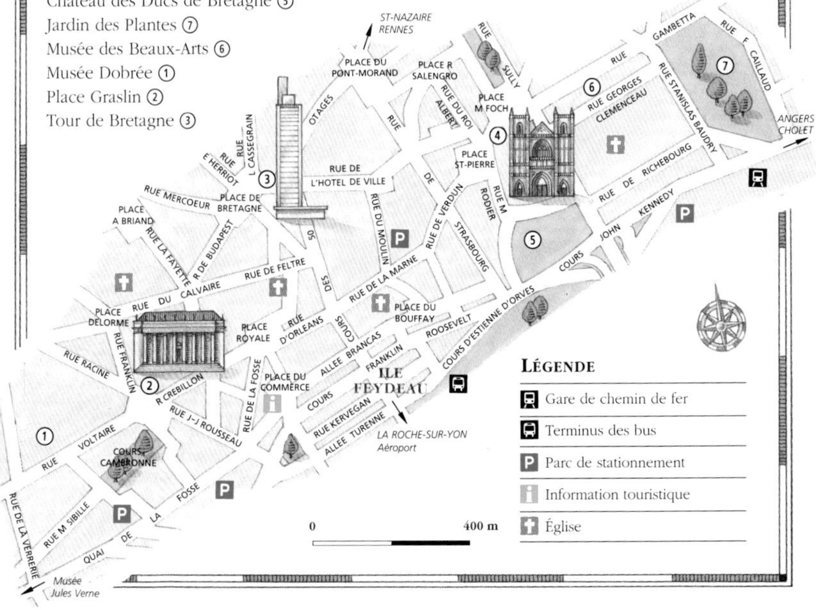

LÉGENDE

- Gare de chemin de fer
- Terminus des bus
- Parc de stationnement
- Information touristique
- Église

Les alentours du château

La tour de Bretagne – gratte-ciel de 1976 qui domine Nantes – divise le centre de la ville : à l'ouest, la place du Commerce et la place Graslin, à l'est le vieux quartier autour du château et de la cathédrale. Du sommet de cette tour, la vue est sensationnelle. On y entre (gratuitement) par le cours des Cinquante-Otages qui traverse le centre là où, naguère, coulait le canal de l'Erdre. À l'extrémité de cette avenue animée, place du Pont-Morand, un mémorial a été élevé à ces 50 otages. Leur exécution par les nazis, en 1941, en représailles de l'assassinat du commandant militaire de la ville, aliéna de nombreux Nantais au gouvernement de Vichy.

La façade de la cathédrale Saint-Pierre-et-Saint-Paul

Château des Ducs de Bretagne

4, pl. Marc-Elder. *02 40 41 56 56.* *mer. à lun.* *sauf le dim.*

Entouré aujourd'hui d'une douve, le château a de solides murs-rideaux et des bastions circulaires assez semblables à ceux d'Angers *(p. 74-75)*. C'est là que naquit Anne de Bretagne, devenue duchesse à 11 ans, qui épousa à 14 ans, en 1491, Charles VIII de France. Charles mourut à Amboise en 1498 et l'année suivante Anne épousait son successeur, Louis XII, dans la chapelle du château. Anne poursuivit la construction du château qui avait été entreprise par son père François II.

On remarque les mansardes et les loggias du **Grand Logis**, à droite de l'entrée, gracieux mélange de styles flamboyant et Renaissance. Un logis royal plus petit se trouve aussi à l'ouest de celui-ci. C'est là, dans ce bastion catholique de Bretagne, qu'Henri IV signa, en 1598, l'édit de Nantes qui assurait à tous les protestants la liberté de culte. Dans le château, un musée temporaire expose la culture bretonne et l'histoire maritime de Nantes.

Cathédrale Saint-Pierre-et-Saint-Paul

Place St-Pierre. *t.l.j.*

De toutes les cathédrales de la Loire, celle de Nantes a été la plus sujette aux catastrophes. Sa crypte est un vivant résumé de l'histoire de sa construction et de ses destructions à travers les siècles. Tout récemment encore, le 28 janvier 1972, elle a été accidentellement incendiée et son toit soufflé par une explosion. Un important programme de restauration – aujourd'hui achevé – a suivi, et elle en est sortie plus légère et plus harmonieuse que jamais.

Le magnifique tombeau en marbre noir et blanc de François II, père d'Anne de Bretagne, et de ses deux épouses, sculpté par Michel Colombe *(p. 116-117)* entre 1500 et 1507, est un des premiers exemples en France du style Renaissance.

Musée des Beaux-Arts

10, rue Georges-Clemenceau. *02 40 41 65 65.* *mer. à lun.* *vac. scol.* *sauf le dim.*

La splendeur de ce musée et de ses collections est à la mesure de la fierté civique et de la richesse des Nantais au début du XIXe siècle. Ses galeries entourent, sur deux niveaux, un grand patio voûté dont les lignes nettes conviennent particulièrement bien à l'exposition d'œuvres contemporaines. Bien qu'il possède quelques sculptures, ce musée est surtout connu

Courbet : *Les Cribleuses de blé* (1854), musée des Beaux-Arts

Le Jardin des Plantes, jardin botanique de Nantes

pour ses tableaux, principalement pour ceux qui représentent les grands mouvements de la peinture du XVe au XXe siècle.

Parmi les œuvres italiennes notables du XIVe siècle, citons *La Madone aux quatre saints* (v.1340) de Bernardo Daddi. Elle vient de la collection des frères Cacault qui ont restauré Clisson *(p.189)*, de même que le fragment d'un élégant retable du Pérugin : *Saint Sébastien et un saint franciscain* (v.1475).

Un robuste et typique Rubens, *Le Triomphe de Judas Macchabée* (1635), vient en contrepoint des natures mortes ou des paisibles paysages hollandais et flamands. Quelques-unes des œuvres majeures du maître de la lumière, Georges de La Tour, dominent la section française du XVIIe siècle : *Le Joueur de vielle, Le Songe de saint Joseph* et *Le Reniement de saint Pierre*, toutes trois des années 1620.

Le XIXe et le début du XXe sont bien représentés, à commencer par Ingres, avec le portrait de *Madame de Senonnes* (1814). D'excellents peintres locaux, tels que James Tissot de Nantes et Paul Baudry de La Roche-sur-Yon, coexistent avec Delacroix, Courbet, Monet et Kandinsky. Le tableau le plus célèbre du musée est sans doute *Les Cribleuses de Blé* (1853) de Courbet.

Musée Jules Verne

3, rue de l'Hermitage. *02 40 69 72 52.* *mer. au sam., dim. matin au lun.* *vac. scol.* *sauf dim.*

Il offre un panorama remarquable et très complet de la vie, de l'œuvre et du monde de Jules Verne (1828-1905), à commencer par des meubles de sa maison d'Amiens, là où il écrivit la plupart de ses livres. Le musée rassemble souvenirs, reliures, dessins humoristiques, cartes, lanternes magiques et maquettes.

Jardin des Plantes

Bd Stalingrad. *t.l.j.*

Les collections de plantes médicinales et exotiques du XVIIIe siècle sont devenues au fil du temps un jardin botanique de 7 hectares. Un décret royal faisait en effet obligation aux capitaines de vaisseaux de rapporter plantes et graines de leurs voyages, et c'est ainsi que les premiers spécimens arrivèrent à Nantes.

Au milieu du XIXe siècle, inspiré par une visite qu'il fit à Kew Gardens (Londres), son directeur, le Dr Écorchard, apporta au jardin d'importants changements. Il le fit modifier dans le style anglais, avec pièces d'eau et chemins sinueux, le transformant en un parc ravissant. On peut y voir le plus vieux magnolia d'Europe, de même que quelques camélias exceptionnels.

LE MONDE DE JULES VERNE

En 1839, les bateaux s'alignaient le long du tronçon abandonné du quai qui se trouve juste après le pont Anne-de-Bretagne. C'est ici que Jules Verne, à 11 ans, désireux de découvrir le monde, se glissa à bord d'un navire. Son père le rattrapa non loin de là, à Paimbœuf. Plus tard, étudiant en droit, Jules Verne commença à publier des pièces et des livrets d'opérettes. Ses romans d'anticipation, *Voyage au centre de la Terre* (1864), *Vingt Mille Lieues sous les mers* (1870) et *Le Tour du monde en quatre-vingts jours* (1873), ont eu un immense succès, et il est parmi les auteurs les plus lus et les plus traduits dans le monde.

Jules Verne, buste (1906) d'Albert Roze

LE DUKE Ellington
LE DUKE Ellington

Les bonnes adresses

Hébergement

Le charme des hôtels de la vallée de la Loire est à l'image de celui de la région. Des auberges à caractère familial confortables aux établissements prestigieux des *Relais et Châteaux* aux chambres élégantes, en passant par les gîtes ruraux et les chambres d'hôtes proposant des repas partagés autour de la table familiale, la vallée de la Loire offre une grande diversité de possibilités d'hébergement. Une des plus tentantes consiste à s'arrêter dans un château ou un manoir accueillant des hôtes payants *(p.200-201)*. Nous vous proposons en pages 202 à 207 une série d'établissements sélectionnés dans l'ensemble de la région, toutes catégories de prix et tous styles confondus.

Portier d'hôtel

N'oubliez pas que les formules d'hébergement se couplent souvent avantageusement avec la restauration, ce qui vous permet de profiter directement de l'abondance des produits frais de la région fournis par les marchés.

Les grands hôtels urbains

Dans le centre-ville des principales agglomérations qui se succèdent sur les rives de la Loire se trouvent des grands hôtels, souvent installés dans des bâtiments anciens et spacieux rénovés et modernisés. Leur aspect étant très variable, vous pouvez demander à voir les chambres si vous n'avez pas réservé à l'avance. Au moment de réserver, n'oubliez pas de préciser si vous voulez une chambre calme, la plupart de ces hôtels possédant en effet des chambres donnant sur cour. Les restaurants de ces établissements proposent plus souvent une cuisine standard que des spécialités régionales.

Les châteaux-hôtels

Un certain nombre de châteaux et de manoirs de la vallée de la Loire, datant aussi bien de la Renaissance que du XIXe siècle, ont été convertis en hôtels de luxe. Souvent entourés d'un vaste parc bien entretenu, ils proposent une table souvent exceptionnelle. L'association **Relais et Châteaux**, à laquelle la plupart d'entre eux sont affiliés, publie chaque année une brochure qui les recense.

Ces établissements offrent des chambres spacieuses et élégantes ainsi que des suites. Certains de ces châteaux proposent en outre un type d'hébergement plus modeste et moins onéreux, dans des édifices annexes ou dans des bungalows construits dans le parc. Si vous tenez à être logé dans l'édifice principal, spécifiez-le au moment de la réservation. Quoi qu'il en soit, il est impératif de réserver.

L'élégant hôtel Domaine des Hauts-de-Loire à Onzain *(p.205)*

Les hôtels familiaux traditionnels

Présents dans la plupart des villages, ces hôtels-restaurants d'une dizaine de chambres à gestion familiale constituent une solution idéale pour les voyageurs disposant d'un petit budget. L'accueil rencontré y est très souvent chaleureux et les propriétaires fournissent volontiers des dépliants et autres informations touristiques.

En général, ces établissements possèdent juste quelques chambres, plutôt vastes et agréablement décorées et meublées. Toutefois, bien que beaucoup d'hôtels aient tenu à moderniser leurs salles de bains, les installations restent parfois modestes. Enfin, les chambres pour une personne sont assez rares en milieu

Le grand escalier de l'hôtel de l'Univers à Tours ***(p.203)***

rural et plus fréquentes dans les villes.

Beaucoup de ces hôtels adhèrent à l'association **Logis de France**, dont le catalogue en recense chaque année plus de 4 000 dans toute la France. Ainsi, on peut rencontrer des fermes délicieuses et des hôtels très bon marché, ainsi que des Relais du Silence qu'abritent des maisons de caractère hors des sentiers battus. D'ordinaire, leurs restaurants sont tournés vers la cuisine régionale.

Beaucoup d'hôtels familiaux sont fermés pendant l'après-midi, mais ils fournissent une clé aux clients. Leurs restaurants ont également au moins un jour de fermeture hebdomadaire (sauf parfois au cours de la saison touristique).

Logo de l'association Logis de France

Les chaînes hôtelières

Ces chaînes, de plus en plus nombreuses, sont installées le plus souvent à la périphérie des villes ou à proximité des autoroutes.

Les motels très simples, à une étoile, comme **Formule 1**, plus économiques, et les chaînes deux étoiles **Climat de France**, **Campanile**, **Interhôtel** et **Ibis/Arcade** sont plutôt destinés à ceux qui ont un petit budget et circulent en voiture. Avec trois étoiles, **Novotel** et **Mercure/Altéa** offrent plus de confort. Toutes sont conçues pour une clientèle familiale ; les enfants peuvent parfois dormir gratuitement dans la chambre de leurs parents et en général leurs restaurants proposent des menus pour les enfants.

Les restaurants louant des chambres

Quelques-uns des restaurants les plus renommés de la vallée de la Loire offrent également quelques chambres. Certaines peuvent être aussi chic que le restaurant, mais d'autres sont parfois des chambres très modestes, datant de l'époque où le restaurant n'attirait pas encore les gourmets. Cela permet parfois de passer une nuit à bon marché pour compenser un repas particulièrement onéreux. Les restaurants qui louent des chambres sont indiqués pages 214-219.

Les repas et autres services

Peu d'hôtels offrent la pension complète. Si vous restez plus de trois nuits au même endroit, on peut vous proposer la pension ou la demi-pension. Mais attention : la demi-pension peut comprendre uniquement le repas de midi, solution qui n'est pas idéale si l'on se déplace dans la journée, et le menu des pensionnaires est parfois moins intéressant que les menus à prix fixe. Enfin, pensez à demander si le petit déjeuner est compris dans le prix de la chambre.

Traditionnellement, les petits hôtels sont équipés de lits à deux places, mais dans les villes et les chaînes d'hôtel on trouve également des lits jumeaux. Les prix concernent la chambre, mais on consent parfois une réduction aux personnes seules. Les chambres avec douche sont moins chères que celles avec bain, et celles équipées d'un cabinet de toilette sont les plus économiques.

Les catégories et les prix

Les hôtels sont classés en cinq catégories : une, deux, trois, quatre étoiles, et quatre étoiles luxe. Ce classement dépend du confort offert (salle de bains, téléphone, télévision), mais ne présage en rien la qualité du cadre ni du service. Quelques rares hôtels ne sont pas classés.

Les chambres peuvent différer à l'intérieur du même hôtel et il n'est donc pas simple de définir les établissements uniquement en fonction de leurs prix. Le prix de base d'une chambre pour deux personnes sans petit déjeuner se situe aux alentours de 140 F, alors qu'il peut être de 1 000 F dans un château-hôtel. Parfois une taxe de séjour locale vient s'ajouter à la note, mais le service est toujours compris. L'usage est de laisser un pourboire à la femme de chambre.

Le manoir du Colombier à Châteauroux ***(p.206)***

Le Domaine des Hautes Roches à Rochecorbon *(p.203)*

Les réservations

Il est vivement conseillé de réserver sa chambre longtemps à l'avance à proximité des lieux les plus touristiques et pendant la haute saison (juillet et août). Les offices du tourisme de la région peuvent vous fournir une liste d'hôtels, vous indiquer les commodités qu'ils offrent et, si vous le désirez, se charger de vous réserver une chambre (au moins une semaine à l'avance).

Les chambres d'hôtes

Quand des particuliers ouvrent leur ferme, leur manoir ou leur château, les chambres d'hôtes deviennent le mode d'hébergement le plus adapté pour découvrir une région. Elles sont de plus en plus nombreuses, et les offices du tourisme locaux détiennent une liste des familles accueillant des hôtes payants. Les **Gîtes de France** contrôlent un grand nombre de ces chambres d'hôtes, qui sont indiquées par des pancartes vertes et jaunes.

Une autre organisation, **Café-Couette**, gère un ensemble de chambres d'hôtes implantées aussi bien à la campagne qu'en ville ; on peut les réserver par l'intermédiaire d'un bureau central en payant un droit d'inscription annuel relativement peu élevé.

Les locations

Le plus connu des organismes de location, les **Gîtes de France**, anciennement dénommé *Gîtes ruraux*, édite un catalogue général ainsi que des fascicules décrivant les gîtes département par département. Dans la vallée de la Loire, les Gîtes de France proposent avant tout des locations situées en milieu rural, de la simple maison campagnarde à toute l'aile d'un château. Il est conseillé de réserver au moins deux mois à l'avance, même par Minitel. Les gîtes les plus économiques n'offrent pas un grand confort, mais ce genre d'hébergement permet de découvrir la vie authentique de la région.

Carnet d'adresses

Hôtels

Campanile
☎ *01 64 62 46 46.*
Minitel *3615 CAMPANILE.*

Climat de France
☎ *01 64 46 01 23.*
Minitel *3615 CLIM.*

Interhôtel
☎ *01 42 06 46 46.*
Minitel *3615 INTERHOTEL.*

Formule 1
Pas de réservation centrale.
Minitel *3615 FORMULE 1.*

Ibis/Arcade, Novotel, Mercure/Altéa
☎ *01 60 77 27 27.*
Minitel *3615 IBIS, 3615 NOVOTEL, 3615 MERCURE*

Relais et Châteaux
15, rue Galvani, 75017 Paris.
☎ *01 45 72 90 00.*

Logis de France
83, av. d'Italie, 75013 Paris.
☎ *01 45 84 70 00.*

Chambres d'hôtes

Café-Couette
8, rue d'Isly, 75008 Paris.
☎ *01 42 94 92 00.*
FAX *01 42 94 93 12.*
Minitel *3615 CAFECOUETT.*

Locations

Gîtes de France Paris
59, rue Saint-Lazare, 75009 Paris.
☎ *01 49 70 75 75.*
Minitel *3615 GITESDEFRANCE.*

Gîtes de France/ Cléconfort
ARART, B.P. 139, 38, rue A.-Fresnel, 37171 Chambray-les-Tours.
☎ *02 47 48 37 13.*
FAX *02 47 48 13 39.*

Camping

Fédération française de camping et caravaning
78, rue de Rivoli, 75009 Paris.
☎ *01 42 72 84 08.*

Castels et Camping Caravaning
BP301, 56008 Vannes.
☎ *02 97 42 55 83.*
FAX *02 97 47 50 72.*

Auberges de jeunesse

CROUS
39, av. G-Bernanos, 75231 Paris.
☎ *01 40 51 36 00.*

Fédération Unie des Auberges de Jeunesse
27, rue Pajol, 75018 Paris.
☎ *01 44 89 87 27.*

Voyageurs handicapés

CNFLRH
236 bis, rue de Tolbiac, 75013 Paris.
☎ *01 53 80 66 66.*
Minitel *3614 HANDITEL.*

Association des Paralysés de France
17, bd Auguste-Blanqui, 75013 Paris.
☎ *01 40 78 69 00.*

Association Valentin Haüy
5, rue Duroc, 75007 Paris.
☎ *01 44 49 27 27.*

France H
9, rue Luce-de-Lancival, 77340 Pontault-Combault
☎ *01 60 28 50 12.*

Informations touristiques

En France, informations touristiques par Minitel : 3615 VALDELOIRE.

En Belgique, en Suisse ou au Canada ces informations sont disponibles auprès des Maisons de la France (voir p. 231)

Le camping

Les offices du tourisme départementaux peuvent fournir des listes qui recensent les terrains de camping. De plus, la Fédération française de camping et de caravaning publie un guide officiel des terrains homologués. Ils sont classés par étoiles en quatre catégories ; les étoiles garantissent que les campings sont bien équipés de sanitaires, de téléphones publics et de l'eau courante. Les campings de catégorie supérieure sont remarquablement bien équipés. Il convient souvent de réserver un emplacement à l'avance.

L'organisation **Gîtes de France** édite un guide qui rassemble les possibilités de camper dans les fermes (Camping à la ferme). Pour faire du camping sauvage, il faut d'abord demander l'autorisation au propriétaire du terrain. L'association **Castels et Camping Caravaning** propose des sites exceptionnels, dans les parcs de châteaux et de manoirs.

Les auberges de jeunesse

Les auberges de jeunesse offrent un hébergement bon marché. Pour séjourner dans une auberge de jeunesse, vous devez être en possession de la carte de la **Fédération Unie des Auberges de Jeunesse** que vous pouvez vous procurer avant de partir ou sur place, dans n'importe quelle auberge de jeunesse. Les **Gîtes de France** sont également une excellente source de renseignements car ils peuvent vous fournir un guide des Gîtes d'étape, qui indique les hébergements en dortoir dans des fermes, destinés à ceux qui voyagent à pied, à cheval ou à vélo. Quant aux étudiants, le **CROUS** (Centre Régional des Œuvres Universitaires) les oriente vers les chambres en résidences universitaires disponibles pendant les vacances d'été.

Logo des Gîtes de France

Voyageurs handicapés

Le **CNFLHR** (Comité National Français de Liaison pour la Réadaptation des Handicapés) fournit des informations sur les hôtels, auberges de jeunesse et locations accessibles aux personnes en fauteuil roulant. L'**Association des Paralysés de France** et ses délégations départementales tiennent également à jour des listes d'établissements possédant des équipements pour les voyageurs handicapés. Enfin, les Gîtes de France éditent un guide des gîtes accessibles à tous.

Où s'informer

Les **offices du tourisme français** à Bruxelles, Genève et Montréal fournissent des listes d'hôtels pour toute la France, ainsi que les catalogues et brochures des **Logis de France** pour les hôtels, de **Café-Couette** et d'autres organismes pour les chambres d'hôtes, et des **Gîtes de France** pour divers types d'hébergements. En France, les différents **Comités Régionaux du Tourisme** disposent également de listes d'hôtels, d'auberges de jeunesse, de campings et de locations. Les centres régionaux **Loisirs Accueil** et les Comités Départementaux du Tourisme sont également d'utiles sources d'information. Sur place, les offices du tourisme locaux *(p.231)* pourront aussi vous fournir une liste d'hôtels et vous indiquer les familles proposant des chambres d'hôtes.

Camping dans une forêt de la vallée de la Loire

Légendes des tableaux

Les hôtels figurant p. 202-207 sont classés par région en fonction de leur prix. Les symboles indiquent les services offerts

- toutes chambres avec bain ou douche sauf mention contraire
- 24 service en chambre 24h/24
- TV télévision dans toute les chambres
- chambres avec vue
- climatisation dans toutes les chambres
- piscine ou plage privée
- équipements pour enfants
- accès fauteuil roulant
- ascenseur
- P parking privé
- jardin ou terrasse
- restaurant
- ★ vivement recommandé
- cartes bancaires acceptées :

AE American Express
MC Mastercard
DC Diners Club
V Visa

Catégories de prix pour une chambre avec douche pour deux personnes, taxes et services compris mais sans le petit déjeuner.

Ⓕ Moins de 200 F
ⒻⒻ de 200 à 400 F
ⒻⒻⒻ de 400 à 600 F
ⒻⒻⒻⒻ de 600 à 1 000 F
ⒻⒻⒻⒻⒻ plus de 1 000 F.

Loger dans un château

Les établissements figurant ici ont été sélectionnés parmi ceux recommandés pages 202-207. Ils vous offrent l'occasion de découvrir le style de vie dans un château privé et de passer la nuit dans des murs chargés d'histoire tout en bénéficiant en général de tout le confort d'un hôtel moderne. Vous serez reçu comme un invité et tout sera fait pour vous traiter comme un ami de la famille – qui habite parfois le château depuis plusieurs générations. Vous pouvez également dîner avec les propriétaires, dans une atmosphère feutrée de réception privée ; il faut alors réserver et payer à l'avance.

Château de Blanville
Proche de Chartres, au milieu d'un beau jardin classique, le château de Blanville, qui appartient à la même famille depuis plus de 250 ans, dispose d'une piscine et d'un gymnase (p.206).

Château des Briottières
*Ce château du XVIII*e *siècle au mobilier d'époque appartient à la même famille depuis six générations. Il possède un beau parc et une piscine chauffée* (p.202).

Château de la Millière
*Non loin des Sables-d'Olonne, ce château du XIX*e *siècle est entouré d'un vaste parc qui abrite une piscine* (p.207).

Château des Réaux
*Ce joli château du XV*e *siècle aux murs de brique et de pierre offre un accueil très chaleureux et des chambres agréables* (p.202).

La campagne environnant le château du Plessis-Beauregard, non loin d'Orléans, lui offre un cadre bucolique.

Château de la Verrerie
Le château entouré d'une épaisse forêt se reflète avec grâce dans le lac. Ses grandes chambres sont très confortables et son parc abrite un restaurant (p.205).

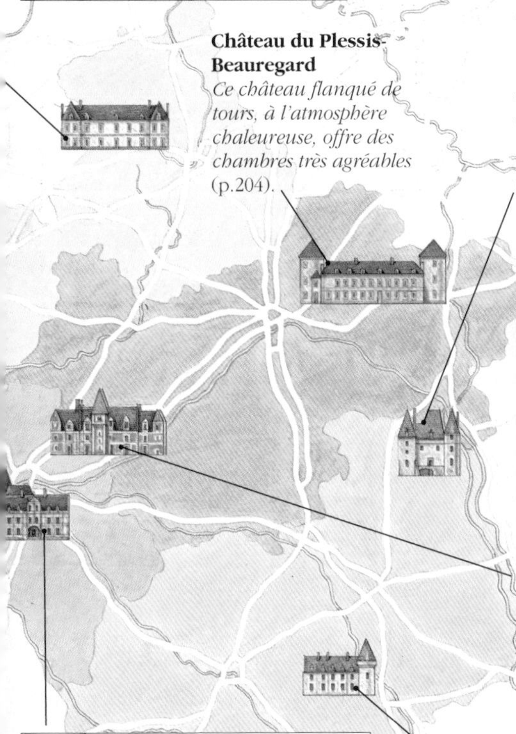

Château du Plessis-Beauregard
Ce château flanqué de tours, à l'atmosphère chaleureuse, offre des chambres très agréables (p.204).

Château de Jallanges
Un couple énergique a converti cette demeure de pierre et de brique de la Renaissance et son jardin d'époque en un hôtel de charme (p.204).

Château de la Bourdaisière
Un accueil princier vous est réservé par l'un des princes de Broglie dans ce château merveilleusement réaménagé où est née Gabrielle d'Estrées (p.203).

Château de la Commanderie
Appartenant à la même famille depuis quatre générations, ce manoir du XIIe siècle était autrefois une commanderie des Templiers. Le château est un ajout du XIXe siècle (p.206).

L'ANJOU

ANGERS

Hôtel Continental

Carte routière C3. 12, rue Louis-de-Romain, 49000. *02 41 86 94 94.* *02 41 86 96 60.* ***Chambres :*** *25.* *AE, DC, V.* ⒻⒻ

Cet hôtel rénové, à l'intérieur orné de couleurs vives, est situé dans une paisible voie latérale, non loin du quartier commerçant. Ses chambres, toutes insonorisées, ont des balcons abondamment fleuris. On peut se garer à proximité.

Hôtel du Mail

Carte routière C3. 8, rue Ursules, 49000. *02 41 88 56 22.* *02 41 86 91 20.* ***Chambres :*** *27.* *AE, MC, DC, V.* ⒻⒻ

Cet hôtel à l'ancienne est aménagé dans un couvent édifié en 1643 et les chambres du premier étage sont particulièrement hautes de plafond. Très central, il est calme et dispose d'un parking. Le petit déjeuner est compris.

BRIOLLAY

Château de Noirieux

Carte routière C3. 26, rte du Moulin, 49125. *02 41 42 50 05.* *02 41 37 91 00.* ***Chambres :*** *19.* *AE, MC, DC, V.* ⒻⒻⒻⒻⒻ

Dominant la Loire et la Sarthe, l'hôtel se compose d'un château du XVe siècle, d'un manoir et d'une chapelle. Chaque chambre est décorée dans un style différent, du Louis XIII au moderne. Son restaurant offre des interprétations de plats classiques et un menu gastronomique de sept plats.

CHÂTEAUNEUF-SUR-SARTHE

Château des Briottières

Carte routière C3. Champigné 49330. *02 41 42 00 02.* *02 41 42 01 55.* ***Chambres :*** *10.* ★ *AE, MC, DC, V.* ⒻⒻⒻⒻ

Ce château du XVIIIe siècle, à mi-chemin d'Angers et de l'abbaye de Solesmes, possède un grand parc où l'on peut faire du vélo, pêcher et nager. Les visiteurs peuvent dîner aux chandelles avec leurs hôtes. Il est indispensable de réserver.

FONTEVRAUD-L'ABBAYE

Hôtellerie Prieuré Saint-Lazare

Carte routière C3. Abbaye de Fontevraud, 49590. *02 41 51 73 16.* *02 41 51 75 50.* ***Chambres :*** *52.* *AE, MC, V.* ⒻⒻⒻ

Appartenant au complexe abbatial *(p.86-87)*, l'ancien Prieuré Saint-Lazare a été transformé en un hôtel très confortable. Les chambres se trouvent dans l'aile datant du XIXe siècle. Le restaurant, qui occupe l'ancienne salle capitulaire, investit le cloître en été.

GENNES

Hôtel le Prieuré

Carte routière C3. Chênehutte-les-Tuffeaux, 49350. *02 41 67 90 14.* *02 41 67 92 24.* ***Chambres :*** *34.* *AE, MC, DC, V.* ⒻⒻⒻⒻⒻ

Les chambres de ce manoir de la Renaissance affilié aux *Relais et Châteaux* sont décorées en style Louis XIII et certaines donnent sur la Loire. Son parc de 15 ha abrite une piscine et des courts de tennis. Quand il fait beau, le restaurant s'étend jusque sur la terrasse.

MONTREUIL-BELLAY

Splendid Hôtel

Carte routière C4. 139, rue Docteur-Gaudrez, 49260. *02 41 53 10 00.* *02 41 52 45 17.* ***Chambres :*** *60.* *MC, DC, V.* ⒻⒻ

Une partie de l'hôtel est logée dans une maison restaurée du centre de la ville. Il possède aussi une annexe du XVIe siècle, le Relais du Bellay, auquel on a adjoint 22 nouvelles chambres. Son restaurant propose une excellente cuisine régionale.

SAUMUR

Hôtel Saint-Pierre

Carte routière C3. Rue Haute-Saint-Pierre, 49400. *02 41 50 33 00.* *02 41 50 38 68.* ***Chambres :*** *14.* *AE, DC, MC, V.* ⒻⒻⒻⒻ

Situé dans une petite rue, derrière la place Saint-Pierre, cet hôtel élégant est d'ordinaire paisible, sauf quand on joue de l'orgue dans l'église voisine. Ses chambres ont été rénovées avec élégance. L'un de ses deux salons possède une grande cheminée du XVIIe siècle.

LA TOURAINE

AMBOISE

Le Lion d'Or

Carte routière D3. 17, quai Charles-Guinot, 37400. *02 47 57 00 23.* *02 47 23 22 49.* ***Chambres :*** *22.* *MC, V.* ⒻⒻ

Agréablement situé au bord de la Loire, cet hôtel caractéristique de la province française est très accueillant. Il possède des chambres confortables et un restaurant.

AZAY-LE-RIDEAU

Hôtel de Biencourt

Carte routière D3. 7, rue Balzac, 37190. *02 47 45 20 75.* ***Chambres :*** *18.* *AE, MC, V.* ⒻⒻ

Situé à quelques pas de l'un des plus beaux châteaux de la Loire, ce petit hôtel occupe une maison du XVIIIe siècle. Ses chambres sont calmes et agréables, certaines donnant sur un jardin. On trouve plusieurs restaurants à proximité.

Le Grand Monarque

Carte routière D3. 3, pl. de la République, 37190. *02 47 45 40 08.* *02 47 45 46 25.* ***Chambres :*** *26.* *AE, MC, DC, V.* ⒻⒻⒻ

Cet hôtel familial propose des chambres confortables agréablement meublées et un service chaleureux. Son restaurant sert des spécialités régionales ; en été, on peut les déguster dans le petit jardin.

BOURGUEIL

Château des Réaux

Carte routière C3. Le Port Boulet, 37140. *02 47 95 14 40.* *02 47 95 18 34.* ***Chambres :*** *12.* ★ *AE, MC, DC, V.* ⒻⒻⒻⒻ

Ce château Renaissance appartient à la famille Goupil de Bouillé depuis plus d'un siècle. Il dispose de chambres et de suites élégantes, dont quatre dans une chaumière située dans le parc. On peut prendre ses repas à la table d'hôte.

Chenonceaux

Hôtel du Bon Laboureur et du Château

Carte routière D3. 6, rue du Docteur-Bretonneau, 37150. *02 47 23 90 02.* FAX *02 47 23 82 01.* ***Chambres :*** *33.* *AE, MC, DC, V.* ⒻⒻⒻ

Situé à quelques pas du château, cet hôtel qui présente l'apparence d'une auberge douillette possède une piscine en plein air chauffée jouxtée d'un bar et son restaurant jouit d'une excellente réputation.

Chinon

La Boule d'Or

Carte routière D3. 66, quai Jeanne-d'Arc, 37500. *02 47 93 03 13.* FAX *02 47 93 24 25.* ***Chambres :*** *15.* *AE, MC, DC, V.* ⒻⒻ

Cet hôtel accueillant occupant un ancien relais de poste au bord de la Vienne possède de belles chambres. Son restaurant sert à l'extérieur quand il fait beau.

Château de Marçay

Carte routière D3. Marçay, 37500. *02 47 93 03 47.* FAX *02 47 93 45 33.* ***Chambres :*** *38.* *AE, MC, DC, V.* ⒻⒻⒻⒻⒻ

Ce château médiéval à tourelles, situé à 9 km de Chinon, est bâti en tuf blanc traditionnel. Son parc abrite des courts de tennis, une piscine et un héliport. Son restaurant et sa cave sont renommés.

Langeais

Hôtel l'Hosten

Carte routière D3. 2, rue Gambetta, 37130. *02 47 96 82 12.* FAX *02 47 96 56 72.* ***Chambres :*** *11.* *AE, MC, DC, V.* ⒻⒻⒻ

Cet hôtel familial traditionnel est proche du château. Certaines de ses chambres donnent sur une jolie terrasse. Il possède également un excellent restaurant qui propose des plats très classiques.

Loches

Le George Sand

Carte routière D4. 39, rue Quintefol, 37600. *02 47 59 39 74.* FAX *02 47 91 55 75.* ***Chambres :*** *20.* *MC, V.* ⒻⒻⒻ

Ce *Logis de France* occupe un ancien relais de poste, sous les remparts du château. On accède à certaines chambres par l'escalier d'une tour de guet médiévale. Son restaurant propose des spécialités.

Luynes

Domaine de Beauvois

Carte routière D3. Le Pont Clouet, 37230. *02 47 55 50 11.* FAX *02 47 55 59 62.* ***Chambres :*** *40.* ★ *AE, MC, DC, V.* ⒻⒻⒻⒻⒻ

À 4 km au nord-ouest de Luynes, cet élégant hôtel des *Relais et Châteaux* occupe un manoir des XVe et XVIe siècles. Il dispose d'une piscine en plein air et de tennis.

Montbazon

Château d'Artigny

Carte routière D3. Rte de Monts, 37250. *02 47 26 24 24.* FAX *02 47 65 92 79.* ***Chambres :*** *55.* ★ *AE, MC, DC, V.* ⒻⒻⒻⒻⒻ

Le parfumeur François Coty a fait construire ce château vers 1920, en style XVIIIe siècle. Affilié aux *Relais et Châteaux*, on y organise des week-ends musicaux en hiver. Il dispose de tennis et piscine.

Montlouis-sur-Loire

Château de la Bourdaisière

Carte routière D3. 25, rue de la Bourdaisière, 37270. *02 47 45 16 31.* FAX *02 47 45 09 11.* ***Chambres :*** *12.* ★ *MC, V.* ⒻⒻⒻⒻ

Gabrielle d'Estrées, le grand amour d'Henri IV, naquit dans ce château en 1565. Il a été transformé en hôtel de luxe et propose piscine, courts de tennis et équitation.

Tours

Central Hôtel

Carte routière D3. 21, rue Berthelot, 37000. *02 47 05 46 44.* FAX *02 47 66 10 26.* ***Chambres :*** *41.* *AE, MC, DC, V.* ⒻⒻⒻ

Central, comme son nom l'indique, cet hôtel aux chambres confortables a un petit jardin et un parking bien appréciable.

Hôtel Colbert

Carte routière D3. 78, rue Colbert, 37000. *02 47 66 61 56.* FAX *02 47 66 01 55.* ***Chambres :*** *18.* *AE, MC, DC, V.* ⒻⒻ

Cet hôtel accueillant situé à côté de la cathédrale a été rénové mais conserve son style classique. On trouve de nombreux restaurants à proximité. En été, on sert le petit déjeuner dans le minuscule jardin.

Domaine des Hautes Roches

Carte routière D3. 86, quai de la Loire, Rochecorbon, 37210. *02 47 52 88 88.* FAX *02 47 52 81 30.* ***Chambres :*** *11.* ★ *AE, MC, V.* ⒻⒻⒻⒻⒻ

Cet hôtel très particulier associe un édifice du XVIIIe siècle et des chambres troglodytiques, qui sont aussi confortables qu'originales. Il se trouve à 5 km à peine de Tours.

Hôtel de l'Univers

Carte routière D3. 5, bd. Heurteloup, 37000. *02 47 05 37 12.* FAX *02 47 61 51 80.* ***Chambres :*** *85.* *AE, MC, DC, V.* ⒻⒻⒻⒻ

L'ancien grand hôtel de Tours, récemment remis à neuf, est devenu un hôtel de luxe. Les fresques du hall représentent ses clients célèbres du passé, comme Sarah Bernhardt et Winston Churchill. Ses chambres élégantes sont climatisées.

Veigné

Le Moulin Fleuri

Carte routière D3. Rte de Ripault, 37250. *02 47 26 01 12.* FAX *02 47 34 04 71.* ***Chambres :*** *12.* *AE, V.* ⒻⒻ

Ce charmant hôtel aménagé dans un ancien moulin à eau des bords de l'Indre offre des chambres modestes mais spacieuses et un restaurant.

Villandry

Le Cheval Rouge

Carte routière D3. 9, rue Principale, 37510. *02 47 50 02 07.* FAX *02 47 50 08 77.* ***Chambres :*** *20.* *MC, V.* ⒻⒻ

À quelques minutes à pied du parc du château de Villandry, cet hôtel d'un excellent rapport qualité-prix offre des chambres modernes. Il constitue une base commode pour aller visiter Azay-le-Rideau, Langeais et Ussé.

Légende des symboles *voir p.199*

Vouvray

Château de Jallanges

Carte routière D3. Vernou-sur-Brenne, 37210. 02 47 52 01 71. FAX 02 47 52 11 18. **Chambres :** 5. ★ AE, MC, DC, V. (F)(F)(F)(F)

Une famille extrêmement dynamique accueille des hôtes dans ce château du XVe siècle. Les chambres donnent sur le paisible parc ; on peut y pratiquer l'équitation, se promener en calèche ou en montgolfière ou flâner dans le jardin Renaissance avant de dîner avec les châtelains.

Yzeures-sur-Creuse

Hôtel de la Promenade

Carte routière D4. 1, pl. du 11-Novembre, 37290. 02 47 94 55 21. FAX 02 47 94 46 12. **Chambres :** 17. TV MC, V. (F)(F)

Cet ancien relais de poste se trouve à proximité des sites archéologiques du Grand-Pressigny et de Preuilly-sur-Claise, ainsi que de la réserve naturelle de la Brenne. Il possède des chambres douillettes et une belle salle à manger.

Le Blésois et l'Orléanais

Beaugency

La Sologne

Carte routière E3. 6, pl. Saint-Firmin, 45190. 02 38 44 50 27. FAX 02 38 44 90 19. **Chambres :** 16. TV MC, V. (F)(F)

Ce charmant petit hôtel qui occupe un édifice de pierre de la vieille ville constitue une halte agréable. Ses jolies petites chambres bien aménagées donnent sur un jardin où l'on sert le petit déjeuner. Il est conseillé de réserver à l'avance.

Blois

Hôtel Anne de Bretagne

Carte routière E3. 31, av. Jean-Laigret, 41000. 02 54 78 05 38. FAX 02 54 74 37 79. **Chambres :** 29. TV AE, MC, DC, V. (F)(F)

Cette auberge moderne – un *Logis de France* qui, fait rare, ne possède pas de restaurant – est très prisée des touristes pour son excellent rapport qualité-prix, ses chambres joliment décorées et son ambiance accueillante. Proche du château, il reste toutefois à l'écart des foules estivales, sur une petite place.

Le Médicis

Carte routière E3. 2, allée François-Ier, 41000. 02 54 43 94 04. FAX 02 54 42 04 05. **Chambres :** 12. TV AE, MC, DC, V. (F)(F)(F)

Cet élégant édifice du XIXe siècle est commodément situé, à la fois proche de la gare et à 15 minutes à pied du château. Il propose d'élégantes chambres climatisées, toutes décorées dans un style différent. Son restaurant est très prisé pour sa cuisine classique et sa vaste gamme de menus à prix fixe.

Chambord

Le Grand Saint-Michel

Carte routière E3. Le Village, 41250. 02 54 20 31 31. FAX 02 54 20 36 40. **Chambres :** 40. TV MC, V. (F)(F)(F)

Face au merveilleux château, cet hôtel traditionnel constitue une paisible retraite à la fin de la journée. Certaines de ses chambres confortables jouissent d'une vue splendide sur le château. On peut s'entraîner sur ses courts de tennis avant d'aller s'installer à l'une de ses tables en terrasse pour dîner.

Châteauneuf-sur-Loire

Château du Plessis-Beauregard

Carte routière E2. Vitry-aux-Loges, 45530. 02 38 59 47 24. FAX 02 38 59 47 48. **Chambres :** 3. ★ (F)(F)(F)

Situé dans la forêt d'Orléans, à 6 km de Châteauneuf-sur-Loire, ce château de brique à tourelles offre des chambres claires et une piscine. On peut y dîner si l'on s'y prend suffisamment à l'avance.

Cheverny

Château de Breuil

Carte routière E3. Rte de Fougère-sur-Brièvre, 41700. 02 54 44 20 20. FAX 54 44 30 40. **Chambres :** 18. TV AE, MC, V. (F)(F)(F)

Ce grand château du XVIIIe siècle est entouré d'un vaste parc et les chambres, suites et salons ont un mobilier d'époque. Une chambre unique et un salon ont été aménagés dans une tour du XVe siècle. La salle à manger est luxueuse.

Cour-Cheverny

Le Saint-Hubert

Carte routière E3. Rue Nationale, 41700. 02 54 79 96 60. FAX 02 54 79 21 17. **Chambres :** 20. MC, V. (F)(F)

Cet hôtel familial est très fréquenté durant la saison de chasse. En été, on peut s'y adonner à la pêche à la ligne. Les chambres ont toutes une décoration moderne. Son restaurant propose des plats spéciaux pour les enfants.

Gien

Le Rivage

Carte routière F3. 1, quai de Nice, 45500. 02 38 37 79 00. FAX 02 38 38 10 21. **Chambres :** 19. TV ★ AE, MC, DC, V. (F)(F)(F)

Toutes les chambres de cet élégant hôtel ont un ameublement d'époque et certaines donnent sur le jardin et le fleuve. Son restaurant climatisé marie avec talent la tradition classique et la nouvelle cuisine.

Montrichard

La Tête Noire

Carte routière D3. 24, rue de Tours. 02 54 32 05 55. FAX 02 54 32 78 37. **Chambres :** 38. MC, V. (F)(F)

Cet hôtel traditionnel entouré d'un jardin, au bord du Cher, offre des chambres agréables, dont certaines sont situées dans une annexe.

Nouan-le-Fuzelier

Moulin de Villiers

Carte routière E3. Rte de Chaon, 41600. 02 54 88 72 27. FAX 02 54 88 78 87. **Chambres :** 19. MC, V. (F)(F)

Cet ancien moulin entouré de bois se trouve au bord d'un lac favorable aux pêcheurs et aux ornithologues amateurs. Ses chambres simples sont pleines de charme et son restaurant offre un excellent rapport qualité-prix.

OLIVET

Les Quatre-Saisons

Carte routière E2. 351, rue de la Reine-Blanche, 45160. *02 38 66 40 30.* FAX *02 38 66 78 59.* ***Chambres :*** *10.* TV P *AE, MC, V.* ⒻⒻ

Cet hôtel confortable possède des chambres claires et décorées de meubles anciens, dont beaucoup donnent sur le Loiret, ainsi que la charmante salle à manger.

ONZAIN

Domaine des Hauts-de-Loire

Carte routière D3. Rte d'Herbault, 41150. *02 54 20 72 57.* FAX *02 54 20 77 32.* ***Chambres :*** *35.* TV P ★ *AE, MC, DC, V.* ⒻⒻⒻⒻⒻ *Voir également* **Restaurants**, *p. 216.*

Cet ancien pavillon de chasse est aujourd'hui membre des *Relais et Châteaux*. On peut nager, jouer au tennis ou même faire une promenade en montgolfière dans le parc.

ORLÉANS

Hôtel Jackotel

Carte routière E2. 18, Cloître Saint-Aignan, 45000. *02 38 54 48 48.* FAX *02 38 77 17 59.* ***Chambres :*** *42.* TV P *AE, MC, DC, V.* ⒻⒻ

Il occupe un ancien cloître, à côté de la rue de Bourgogne aux nombreux restaurants. Certaines chambres donnent sur les traditionnels toits d'ardoises de la ville et sur les tours de la cathédrale.

ROMORANTIN-LANTHENAY

Grand Hôtel du Lion d'Or

Carte routière E3. 69, rue Georges-Clemenceau, 41200. *02 54 94 15 15.* FAX *02 54 88 24 87.* ***Chambres :*** *16.* TV P ★ *AE, MC, DC, V.* ⒻⒻⒻⒻⒻ

Ce manoir Renaissance est un hôtel depuis 1774. Membre des *Relais et Châteaux*, il possède des chambres plaisantes, un petit jardin inspiré des jardins d'herboristes médiévaux et un excellent restaurant.

SALBRIS

Le Parc

Carte routière E3. 8, av. d'Orléans, 41300. *02 54 97 18 53.* FAX *02 54 97 24 34.* ***Chambres :*** *27.* P *AE, MC, DC, V.* ⒻⒻⒻ

Situé au cœur de la Sologne, il est entouré d'un parc et ses chambres élégantes (certaines avec terrasse) sont toujours abondamment fleuries. Excellent restaurant.

VENDÔME

Hôtel Vendôme

Carte routière D3. 15, faubourg Chartran, 41100. *02 54 77 02 88.* FAX *02 54 73 90 71.* ***Chambres :*** *35.* TV P *MC, V.* ⒻⒻ

Cet hôtel agréable, proche du centre historique, est très provincial. Ses chambres sont élégantes, de même que son restaurant. Il a été construit sur l'emplacement d'une auberge médiévale où les pèlerins de Compostelle faisaient halte.

LE BERRY

ARGENT-SUR-SAULDRE

Relais de la Poste

Carte routière F3. 3, rue Nationale, 18410. *02 48 73 60 25.* FAX *02 48 73 30 62.* ***Chambres :*** *10.* TV P *MC, V.* ⒻⒻ

Cette auberge abondamment fleurie, aux poutres apparentes, typique de la Sologne, a l'air d'une maison rurale traditionnelle. En automne, son restaurant propose de délicieux plats de gibier et de champignons.

ARGENTON-SUR-CREUSE

Le Manoir de Boisvillers

Carte routière E4. 11, rue du Moulin-de-Bord, 36200. *02 54 24 13 88.* FAX *54 24 27 83.* ***Chambres :*** *14.* TV P *AE, MC, V.* ⒻⒻ

Un paisible manoir du XVIIIe au cœur de la ville. Son beau jardin fermé d'une grille en fer forgé s'ordonne autour de la piscine en plein air. Ses chambres sont spacieuses et confortables.

AUBIGNY-SUR-NÈRE

Auberge de la Fontaine

Carte routière F3. 2, av. du Général-Leclerc, 18700. *02 48 58 34 41.* FAX *02 48 58 36 80.* ***Chambres :*** *16.* TV P *AE, MC, DC, V.* ⒻⒻ.

Cet accueillant hôtel moderne se trouve à quelques pas du château et de son musée. Les chambres en façade donnent sur un parc agréable, alors que celles de derrière ont vue sur un joli jardin. Son restaurant propose un menu spécial enfant.

Château de la Verrerie

Carte routière F3. Oizon, 18700. *02 48 58 06 91.* FAX *02 48 58 21 25.* ***Chambres :*** *12.* P ★ *AE, MC, V.* ⒻⒻⒻⒻⒻ

Ce château du début de la Renaissance qui se mire romantiquement dans un lac appartient au comte et à la comtesse de Vogüé. Les hôtes peuvent dîner en privé dans leurs chambres spacieuses et magnifiquement meublées ; il y a également un restaurant rustique dans le parc.

LE BLANC

Domaine de l'Étape

Carte routière D4. Rte de Bélâbre, 36300. *02 54 37 18 02.* FAX *02 54 37 75 59.* ***Chambres :*** *35.* TV P *AE, MC, DC, V.* ⒻⒻ

Lieu idéal pour passer des vacances en plein air, ce paisible hôtel entouré d'un vaste parc abritant un lac privé et des écuries allie à merveille ameublement ancien et confort moderne. On peut s'y adonner à la pêche à la ligne, au canotage ou aux randonnées équestres dans la campagne environnante.

BOURGES

Hôtel de Bourbon

Carte routière F4. Bd. de la République, 18000. *02 48 70 70 00.* FAX *02 48 70 21 22.* ***Chambres :*** *59.* TV P *AE, MC, DC, V.* ⒻⒻⒻⒻ *Voir également* **Restaurants**, *p. 217*

Cet hôtel aménagé dans une ancienne abbaye de la Renaissance possède des chambres modernes insonorisées et des salons élégants. Son restaurant, situé dans l'ancienne chapelle, jouit d'un cadre splendide.

Légende des symboles *voir p.199*

Hôtel d'Angleterre

Carte routière F4. 1, pl. des Quatre-Piliers, 18000. *02 48 24 68 51.* FAX *02 48 65 21 41.* ***Chambres :*** *31.* *AE, MC, DC, V.* ⒻⒻⒻ

Cet hôtel renommé est situé au cœur de Bourges, tout près du palais de Jacques Cœur. Bien qu'il ait été modernisé, il a conservé son esprit traditionnel extrêmement courtois.

BRINON-SUR-SAULDRE

La Solognote

Carte routière F3. Le Village, 18410. *02 48 58 50 29.* FAX *02 48 58 56 00.* ***Chambres :*** *13.* ★ *MC, V.* ⒻⒻ

Ce charmant *Logis de France* est une auberge typique de la Sologne, à l'ameublement ancien. Ses chambres donnent sur un paisible petit jardin interne. Très fréquenté au moment de la chasse, cet hôtel possède également un excellent restaurant.

CHÂTEAUROUX

Le Manoir du Colombier

Carte routière E4. 232, rue de Châtellerault, 36000. *02 54 29 30 01.* FAX *02 54 27 70 90.* ***Chambres :*** *11.* *AE, MC, DC, V.* ⒻⒻⒻ

L'Indre traverse le parc qui entoure cet hôtel aménagé dans un manoir de la fin du XVIIIe siècle. Certaines chambres, de style moderne, donnent sur la rivière. Son restaurant au cadre agréable sert des spécialités régionales.

LA CHÂTRE

Château de la Vallée Bleue

Carte routière E4. Rte de Verneuil, 36400. *02 54 31 01 91.* FAX *02 54 31 04 48.* ***Chambres :*** *13.* *MC, V.* ⒻⒻⒻ

Cet élégant château du XIXe siècle fut la demeure du médecin de George Sand, qui avait l'habitude de se rendre à Nohant à pied pour rendre visite à son illustre patiente. C'est désormais un hôtel entouré d'un grand parc, avec une piscine en plein air et un terrain de golf. On trouve d'ailleurs deux autres très bons terrains de golf à 18 km de l'hôtel, l'un à Pouligny-Notre-Dame et l'autre à Issoudun.

SAINT-AMAND-MONTROND

Hôtel de la Poste

Carte routière F4. 9, rue du Docteur-Vallet, 18200. *02 48 96 27 14.* FAX *02 48 96 97 74.* ***Chambres :*** *20.* *AE, MC, V.* ⒻⒻ

Cet hôtel a commencé sa carrière en 1584 : c'était alors une auberge destinée aux pèlerins. Il constitue une base confortable pour visiter l'abbaye de Noirlac et les châteaux d'Ainay-le-Vieil, de Culan et de Meillant. Son restaurant est très prisé.

Château de la Commanderie

Carte routière F4. Farges-Allichamps, 18200. *02 48 61 04 19.* FAX *02 48 61 01 84.* ***Chambres :*** *7.* ★ *AE, MC, V.* ⒻⒻⒻⒻⒻ

Ce charmant manoir du XIIe siècle, qui fut autrefois une commanderie des Templiers, appartient à la même famille depuis le XVIIe siècle. Le comte et la comtesse de Jouffroy-Gonsans y accueillent des hôtes, ainsi qu'au château construit au XIXe siècle, et organisent des dîners aux chandelles.

SANCERRE

Hôtel Panoramic

Carte routière F3. Rempart des Augustins, 18300. *02 48 54 22 44.* FAX *02 48 54 39 55.* ***Chambres :*** *57.* *AE, MC, V.* ⒻⒻ

La plupart des chambres de cet hôtel moderne donnent sur le vignoble de Sancerre. L'hôtel possède son propre parking – qui est bien commode dans cette ville aux rues étroites et sinueuses –, un jardin avec une piscine et un restaurant agréable.

VALENÇAY

Hôtel d'Espagne

Carte routière : E4. 9, rue du Château, 36600. *02 54 00 00 02.* FAX *02 54 00 12 63.* ***Chambres :*** *16.* ★ *AE, MC, DC, V.* ⒻⒻⒻ

Calme et élégant, ce membre des *Relais et Châteaux* est géré par la même famille depuis 1875. Il est renommé pour son service courtois, ses chambres confortables et sa cuisine classique.

LE MAINE ET L'EURE-ET-LOIR

CHARTRES

Hôtel de la Poste

Carte routière E2. 3, rue du Général-Koënig, 28000. *02 37 21 04 27.* FAX *02 37 36 42 17.* ***Chambres :*** *57.* *AE, MC, DC, V.* ⒻⒻ

Cet hôtel agréable est proche de la cathédrale. Ses chambres sont de style moderne, sauf une au mobilier ancien breton. Deux d'entre elles ont vue sur la cathédrale. Son restaurant propose des menus enfant à prix réduits.

Le Grand Monarque

Carte routière E2. 22, pl. des Épars, 28000. *02 37 21 00 72.* FAX *02 37 36 34 18.* ***Chambres :*** *54.* *AE, MC, DC, V.* ⒻⒻⒻⒻ *Voir également* **Restaurants**, *p. 218.*

Ancien relais de poste du XVIIIe siècle, cet hôtel est connu depuis longtemps par les touristes venant à Chartres. Rénové, il est géré avec efficacité. Certaines de ses chambres confortables donnent sur un petit jardin et il possède également un élégant restaurant.

COURVILLE-SUR-EURE

Château de Blanville

Carte routière E2. St-Luperce, 28190. *02 37 26 77 36.* FAX *02 37 26 78 02.* ***Chambres :*** *5.* ★ *AE, MC, V.* ⒻⒻⒻⒻ

La famille Cossé-Brissac possède cet élégant château, situé à 15 km de Chartres, depuis 250 ans. On peut y dîner aux chandelles après avoir passé la journée à pêcher à la ligne, à nager ou à faire du vélo dans le parc, à parcourir le jardin classique ou à se promener dans la forêt voisine.

LA FLÈCHE

Le Relais Cicéro

Carte routière C3. 18, bd d'Alger, 72200. *02 43 94 14 14.* FAX *02 43 45 98 96.* ***Chambres :*** *21.* *AE, MC, DC, V.* ⒻⒻⒻ

Ce paisible hôtel situé près du Prytanée militaire occupe un manoir du XVIIe siècle assez vaste. Les chambres sont élégamment ornées de meubles anciens.

Fresnay-sur-Sarthe

Hôtel Ronsin

Carte routière C2. 5, av. Charles-de-Gaulle, 72130. 02 43 97 20 10. FAX 02 43 33 50 47. **Chambres :** 12. AE, MC, DC, V. ⒻⒻ

C'est un hôtel traditionnel aux chambres ordinaires mais bien conçues. Son restaurant propose une large gamme de menus à prix fixe.

Laval

Hôtel des Blés d'Or

Carte routière B2. 83, rue Victor-Boissel, 53000. 02 43 53 14 10. FAX 02 43 49 02 84. **Chambres :** 8. AE, MC, V. ⒻⒻⒻ

Cette auberge accueillante est située sur la place de l'ancien marché au blé, non loin de la Mayenne. Il possède un excellent restaurant au décor rustique.

Le Mans

Hôtel Chantecler

Carte routière C2. 50, rue de la Pelouse, 72000. 02 43 24 58 53. FAX 02 43 77 16 28. **Chambres :** 35. AE, MC, V. ⒻⒻ

Cet hôtel moderne, à quelques pas de la vieille ville, offre des chambres confortables, ainsi qu'un bar et des salons agréables.

St-Léonard-des-Bois

Touring Hôtel

Carte routière C2. Le Village, 72590. 02 43 97 28 03. FAX 02 43 97 07 72. **Chambres :** 35. AE, MC, DC, V. ⒻⒻⒻ

Cet hôtel moderne est bien situé pour visiter les Alpes mancelles. Ses chambres donnent sur les collines ou sur un jardin. Il a une piscine et un bon restaurant.

Solesmes

Grand Hôtel de Solesmes

Carte routière C2. 16, pl. Dom-Guéranger, 72300. 02 43 95 45 10. FAX 02 43 95 22 26. **Chambres :** 34. AE, MC, DC, V. ⒻⒻⒻ *Voir également* **Restaurants**, *p. 219.*

Face à l'abbaye, cet hôtel offre de grandes chambres, un centre de fitness, une galerie d'art et un excellent restaurant.

La Loire-Atlantique et la Vendée

Île d'Yeu

Flux Hôtel

Carte routière A4. 27, rue Pierre-Henry, Port-Joinville, 85350. 02 51 58 36 25. FAX 02 51 59 44 57. **Chambres :** 16. MC, V. ⒻⒻ *Voir également* **Restaurants**, *p. 219.*

Si vous désirez un balcon, demandez une chambre à l'annexe. Le chef peut vous servir au dîner votre prise de l'après-midi.

Nantes

Hôtel de la Duchesse Anne

Carte routière B3. 3–4, pl. de la Duchesse-Anne, 44000. 02 40 74 30 29. FAX 02 40 74 60 20. **Chambres :** 70. AE, MC, DC, V. ⒻⒻ

Occupant un édifice du XIXe siècle, l'hôtel offre des chambres rénovées et d'autres moins modernes à un prix inférieur, dont certaines sont charmantes. Beaucoup donnent sur la cathédrale et le château.

Hôtel La Pérouse

Carte routière B3. 3, allée Duquesne, 44000. 02 40 89 75 00. FAX 02 40 89 76 00. **Chambres :** 46. AE, MC, DC, V. ⒻⒻⒻ

Cet édifice de style minimaliste a remporté plusieurs prix dans des concours d'architecture. Situé en plein centre, il est assez calme pour un hôtel urbain. On trouve un parking gratuit non loin de là.

Noirmoutier-en-l'Isle

Hôtel du Général d'Elbée

Carte routière A4. Pl. du Château, 85330. 02 51 39 10 29. FAX 02 51 39 08 23. **Chambres :** 29. AE, MC, DC, V. ⒻⒻⒻⒻ

Il porte le nom du général vendéen qui mourut sur cette place et occupe un édifice ancien, construit au bord d'un canal. Il possède un jardin clos d'un mur, avec une piscine.

La Roche-sur-Yon

Logis de la Couperie

Carte routière B4. D80, La Roche-sur-Yon, 85000. 02 51 37 21 19. FAX 02 51 47 71 08. **Chambres :** 7. AE, MC, V. ⒻⒻⒻ

Résidence ducale du XIVe siècle à 1789, la Couperie est toujours entourée d'un parc avec un lac, à cinq minutes du centre-ville en voiture. Ses chambres possèdent un mobilier d'époque et un feu de bois brûle dans la cheminée du salon.

Les Sables-d'Olonne

Les Roches Noires

Carte routière A4. 12, promenade Georges-Clemenceau, 85100. 02 51 32 01 71. FAX 02 51 21 61 00. **Chambres :** 37. AE, MC, DC, V. ⒻⒻ

Cet hôtel est assez bon marché si l'on considère qu'il donne sur la plage, mais il est un peu éloigné du centre-ville. Certaines chambres ont vue sur la mer.

Château de la Millière

Carte routière A4. Saint-Mathurin, 85100. 02 51 36 13 08. FAX 02 51 22 73 29. **Chambres :** 5. ★ V. ⒻⒻⒻ

Situé à 8 km de la ville, ce château du XIXe siècle possède un parc de 18 ha. On peut donc faire de belles promenades à pied, s'adonner à la pêche ou nager dans la piscine. Si vous désirez dîner au château, il faut le signaler avant midi.

Saint-Lyphard

Auberge de Kerhinet

Carte routière A3. Kerhinet, 44410. 02 40 61 91 46. FAX 02 40 61 97 57. **Chambres :** 7. AE, MC, DC, V. ⒻⒻ *Voir également* **Restaurants**, *p. 219.*

C'est une belle chaumière en pierre crème de la région et au toit de chaume, située dans les marais salants de la Grande Brière *(p.180)*. De style rustique, elle est décorée de vieilles photographies. Son restaurant sert essentiellement des plats de poissons.

Légende des symboles *voir p.199*

Restaurants, cafés et bars

Des poissons tout juste pêchés encore ruisselants d'eau de mer, des asperges soigneusement cultivées dans les jardins maraîchers des bords de la Loire, des pommes des vergers de Touraine, le crottin de Chavignol ou le saint-maure..., l'abondance et la qualité des productions du « Jardin de la France » donnent lieu à une gastronomie de très haut niveau. Du Pays nantais au Berry, en passant par l'Anjou et la Touraine, les spécialités culinaires sont aussi variées que les paysages. Les restaurants présentés pages 214 à 219 ont été sélectionnés toutes catégories de prix confondues en fonction de la qualité de leur cuisine, de leur cadre et de leur ambiance. Ils servent à déjeuner à partir de midi et à dîner à partir de 20 h, mais cafés et brasseries ont des horaires plus souples.

Enseigne de café, Berry

À la terrasse d'un café dans le centre de Richelieu

Les types de restaurants

Dans les régions rurales et les petites villes, les restaurants des hôtels proposent en général une cuisine de qualité, notamment s'ils appartiennent à l'association des **Logis de France** dont l'une des ambitions est en particulier de fournir une honnête cuisine régionale d'un bon rapport qualité-prix. Ce sont donc les lieux les plus intéressants pour découvrir la cuisine du terroir. Naturellement, les villes plus importantes offrent une vaste gamme d'établissements où l'on peut se restaurer, des simples crêperies et pizzerias à des restaurants à la mode pour gourmets, en passant par les cafés et les brasseries.

Enfin, les villes de la vallée de la Loire, comme partout ailleurs, voient se multiplier les restaurants « exotiques ».

Les menus

La majorité des restaurants proposent au moins un menu à prix fixe ; d'ailleurs, à la campagne, certains n'ont pas de carte et s'en tiennent au menu unique. Souvent, ils vous en offrent plusieurs, dont un plus cher que les autres baptisé menu gastronomique. Certains menus du terroir ou menus régionaux sont très intéressants car ils proposent une sélection de spécialités régionales.

Les produits du terroir

La douceur du climat de la vallée de la Loire permet de cultiver une grande variété de légumes et de fruits : asperges, artichauts, haricots blancs et verts, champignons de couche, choux-fleurs, melons, fraises, prunes, poires, pommes, pêches, cassis, framboises, abricots, cerises ; François Ier y fit planter des orangers, et de nos jours on y cultive même des ignames... À cela s'ajoutent les volailles (gélines noires de Touraine, dindes, poulardes du Mans, canards et poulets de Loué), les nombreux poissons de rivière (saumon, brochet, alose, goujon, sandre, mulet, anguille, brème), le gibier abondant, sans oublier la charcuterie variée, ni les fromages, surtout des chèvres,... et les grands vins.

La gastronomie traditionnelle

La cuisine traditionnelle de la vallée de la Loire tire parti, en général avec une grande simplicité mais avec talent, des ressources naturelles de la région. Traditionnellement, elle emploie l'huile de noix, notamment en Touraine et en

Terrasse de restaurant caractéristique de la vallée de la Loire

Anjou. Parmi les spécialités les plus célèbres, citons le cul-de-veau à l'angevine (un quasi de veau entier, rôti avant de mijoter pendant deux heures avec des carottes et des oignons), la fricassée de poulet (morceaux de poulet revenus dans du beurre ou de l'huile de noix et mijotés dans une sauce au vin blanc et à la crème, avec des champignons et des petits oignons), le pâté aux biquions (mélange de viande de veau, de porc et de chevreau haché avec des oignons et du persil, dans une pâte feuilletée préparée avec du beurre

Auberge du Moulin de Chaméron à Bannegon, Berry *(p.217)*

malaxé à du fromage de Valençay), le pâté aux anguilles et les nombreuses terrines de poissons (brochet, saumon, sandre, anguille), ou le caneton glacé à l'orange sauce Cointreau, plus sophistiqué.

Mais il ne faut pas oublier les mets simples comme les fouées ou fouaces, des galettes de froment servies chaudes et garnies de mogettes (haricots blancs), de rillettes, de fromage de chèvre, de beurre salé – Gargantua, probablement comme Rabelais, en raffolait –, ni les galipettes, des champignons presque aussi gros qu'une assiette, garnis de fines herbes, de fromage de chèvre, de rillettes, doucement cuits et gratinés au four. On peut notamment déguster ces deux spécialités dans certains restaurants installés dans des habitations troglodytiques ou des champignonnières.

L'auberge rustique de la Petite Fadette à Nohant *(p.217)*

Nouvelle cuisine

Avec le développement du tourisme, la gastronomie a évolué. Les chefs de la région innovent volontiers, en faisant toujours appel aux richesses du terroir, proposant des plats tels que le magret de canard aux poires et au coulis de Chinon, la poêlée de langoustine aux tagliatelles de carottes, le tournedos aux morilles et au vin de Bourgueil ou les médaillons de lotte aux myrtilles.

Restaurants mode d'emploi

Pendant la saison touristique, de Pâques à fin septembre, il est toujours conseillé de réserver sa table dans les établissements proches des châteaux les plus fréquentés. Dans les petits restaurants, pensez à ne pas vous présenter trop tard, car vous risqueriez de ne pas être servi.

Enfin, n'oubliez pas qu'à la campagne les restaurants sont souvent fermés le dimanche soir, sans compter qu'ils ont presque toujours un jour de fermeture hebdomadaire.

Les enfants

Les enfants sont bien acceptés dans toute la région, mais il est préférable de les empêcher de quitter leur place et de courir dans toute la salle. Rares sont les établissements qui disposent de chaises hautes pour les tout-petits. En revanche, certains restaurants proposent des menus spéciaux enfants à prix réduit.

Accès en fauteuil roulant

Peu de restaurants ont pris les dispositions permettant un accès facile aux personnes en fauteuil roulant. Quand vous réservez, il est donc prudent de signaler au restaurateur qu'il faut, pour vous ou une personne vous accompagnant, prévoir suffisamment d'espace pour un fauteuil roulant. Vous trouverez page 198 les noms et les adresses d'organismes en mesure de renseigner les voyageurs handicapés.

Légendes des tableaux

Symboles utilisés pages 214 à 219

- heures et jours d'ouverture
- menu(s) à prix fixe
- menu enfant
- spécialités végétariennes
- terrasse ou jardin
- accès fauteuil roulant
- tenue de ville exigée
- espace non-fumeur
- bonne cave
- ★ vivement recommandé
- cartes bancaires acceptées

AE American Express
MC Mastercard
DC Diners Club
V Visa

Catégories de prix pour un repas avec entrée et dessert, demi-bouteille de vin de la maison, taxes et service compris :

Ⓕ Moins de 150 F
ⒻⒻ de 150 à 250 F
ⒻⒻⒻ de 250 à 350 F
ⒻⒻⒻⒻ de 350 à 500 F
ⒻⒻⒻⒻⒻ plus de 500 F.

Que manger en vallée de Loire ?

Fraises d'Orléans

La cuisine de la vallée de la Loire est assez simple et basée sur les produits du terroir. L'alose, le brochet, le sandre et le saumon de la Loire sont accommodés au beurre blanc ou avec une sauce à l'oseille, et vers l'estuaire du fleuve on sert couramment des langoustines, des crevettes et des huîtres. Grâce à son climat doux et à son sol fertile, la vallée de la Loire est une région productrice de primeurs ; le sol sablonneux des bords de Loire convient parfaitement à la culture des asperges. À l'automne, les arbres sont chargés de pommes et de poires et les forêts du Berry regorgent de gibier que l'on sert avec des ceps, des morilles ou des champignons de Paris cultivés dans des caves de tuf, près de Saumur.

Les rillons de Tours *sont de gros morceaux de poitrine de porc cuits lentement dans leur propre graisse jusqu'à ce qu'ils deviennent croustillants.*

La noisette de porc aux pruneaux *est un filet de porc doucement mijoté dans du vouvray et servi avec des pruneaux également trempés dans du vouvray et une sauce onctueuse aux groseilles rouges et à la crème.*

Le caneton de Nantes aux jeunes navets *est un plat traditionnel nantais.*

Les célèbres rillettes du Mans *sont élaborées avec de la viande de porc ou parfois d'oie ou de lapin, hachée et mise en conserve.*

Le poulet en barbouille *est une spécialité du Berry : c'est un poulet bien dodu braisé avec des carottes et des oignons dans du cognac et du vin et servi avec une sauce à base de sang de poulet.*

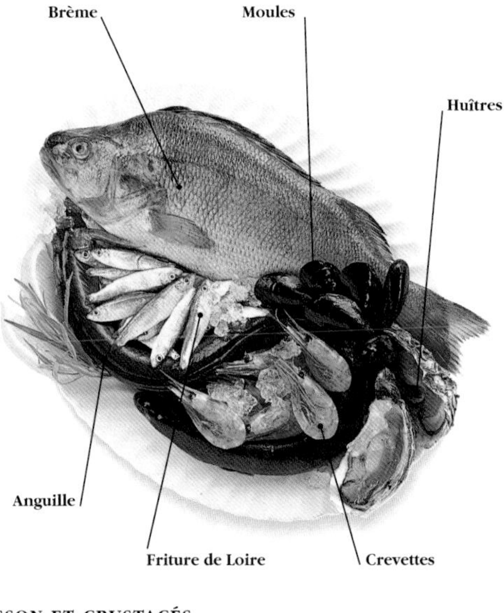

POISSON ET CRUSTACÉS
On sert du poisson et des fruits de mer du terroir dans toute la région. D'ordinaire, le poisson est préparé d'une façon simple et servi avec une sauce qui met sa saveur en valeur.

L'alose à l'oseille *est grillée et servie avec une sauce crémeuse à l'oseille.*

Le chapon du Mans à la broche *est une recette traditionnelle de la Sarthe.*

Friture de la Loire : *petits poissons de rivière rapidement frits, servis avec une rondelle de citron ; ce plat est souvent proposé par les restaurants de la région.*

Le sandre au beurre blanc *est l'une des spécialités les plus renommées de la région, avec sa délicieuse sauce au beurre fondu aromatisée aux échalotes et au vinaigre de vin.*

Matelote d'anguilles : *morceaux d'anguilles, champignons de Paris et petits oignons cuits dans du vin rouge de Chinon.*

Pithiviers : *ce gâteau de pâte feuilletée aux amandes porte le nom de son lieu d'origine.*

Crémets d'Anjou : *délicieuses friandises à base de crème fouettée et de blancs d'œufs.*

Tarte Tatin : *tarte aux pommes caramélisée cuite à l'envers inventée par les sœurs Tatin, qui tenaient une auberge en Sologne.*

Valençay

Crottins de Chavignol

Sainte-Maure de Touraine

Selles-sur-Cher

Les fromages

Les meilleurs fromages sont des chèvres : crottins de Chavignol, ronds de Sancerre, Sainte-Maure de Touraine, avec une paille à l'intérieur et souvent cendré, et Valençay en forme de pyramide tronquée. L'olivet est un fromage de lait de vache, assez proche du brie.

Poirat : *tarte aux poires parfumée à l'alcool de poire, souvent servi avec un verre de rosé (spécialité du Berry).*

Que boire en vallée de Loire ?

La vallée de la Loire est une région vinicole *(p.30-31)* qui met un point d'honneur à entretenir cette tradition. On boit les rosés légers, comme ceux d'Anjou ou de Touraine, bien frais, soit dans l'après-midi, avec une tranche de gâteau, soit en apéritif. En novembre, les bars et les cafés servent la *bernache*, le jus vert légèrement fermenté qui demeure après que l'on a pressé le raisin pour faire le vin. On trouve également une grande variété d'autres boissons alcoolisées comme les eaux-de-vie élaborées à l'aide de fruits du terroir et des liqueurs dont la plus célèbre est le Cointreau.

À l'heure de l'apéritif

Sancerre blanc

Bourgueil rouge

Vin mousseux

Le vin et les crus

La législation française classe les vins en quatre catégories de qualité croissante : les Vins de table - que l'on ne trouve pas dans les bons restaurants - les Vins de Pays, les Vins Délimités de Qualité Supérieure (VDQS) et enfin les Appellations d'Origine Contrôlée (AOC).

Du Sancerrois au Pays Nantais, la vallée de la Loire produit un grand nombre de crus : pouilly et pouilly fumé blancs secs et élégants, sancerre blanc fruité ou rouge à boire jeune, châteaumeillant gris du Berry, côtes-de-giens rouges et blancs agréables et sans prétention, vins rouges légers mais aussi blancs et rosés de Touraine, vouvray blanc pétillant ou « tranquille », dont la devise est « Je resjois les cuers » (je réjouis les cœurs), montlouis, assez semblable au vouvray, chinon rouge à la robe rubis et au bouquet subtil célébré par Rabelais, bourgueil rouge à la saveur fruitée, vins d'Anjou chantés par Ronsard, surtout des rosés, dont le plus célèbre est le cabernet, mais aussi rouges et blancs, saumur blanc mousseux, saumur-champigny rouge à l'arôme de framboise, de cassis et de cerise, bonnezeaux et quarts-de-chaume moelleux des coteaux du Layon, et enfin les blancs fruités du Maine-et-Loire qui accompagnent à merveille les huîtres : coteaux-d'ancenis, muscadet et gros plant du Pays Nantais.

Comment lire une étiquette de vin

Même la plus simple des étiquettes permet de se faire une idée de la qualité d'un vin. Elle fournit son nom et celui de son producteur, parfois son millésime, et elle indique s'il provient d'une zone strictement définie (*Appellation contrôlée* ou VDQS) ou s'il s'agit d'un vin de pays ou même d'un vin de table. La forme et la couleur de la bouteille sont également des indices. La plupart des vins de qualités sont contenus dans des bouteilles de verre opaque qui les protège de la lumière.

LES MAISONS DU VIN

Maison du Vin de Touraine
19, square Prosper-Mérimée,
37000 Tours
☎ *02 47 05 40 01.*

Maison du Vin d'Anjou
5 bis, place Kennedy,
49100 Angers
☎ *02 41 88 81 13.*

Maison du Vin de Saumur
25, rue Beaurepaire,
49400 Saumur
☎ *02 41 51 16 40.*

Maison du Vin de Nantes
« Bellevue »,
44690 La Haye-Fouassière
☎ *02 40 36 90 10.*

Espace Cointreau
Carrefour Molière,
49124 Saint-Barthélémy-d'Anjou
☎ *02 41 43 25 21.*

Le traditionnel café crème, à consommer au comptoir

OÙ PRENDRE UN VERRE ?

Dans tous les villages, on rencontre encore de pittoresques buvettes traditionnelles avec leur clientèle d'habitués accoudés au bar. Mais le café populaire de village ou de quartier, où l'heure de l'apéritif est le temps fort de la journée, est de plus en plus remplacé dans les villes importantes par des bars à vin plus modernes. Ceux-ci proposent des vins de qualité servis au verre et accompagnés de légers en-cas comme des assiettes de charcuterie ou de fromage. Les cafés restent de traditionnels lieux de rencontre, où l'on s'installe pour regarder le spectacle de la rue devant un expresso ou une bière. La plupart d'entre-eux préparent des sandwiches et servent à toute heure des plats peu élaborés, croque-monsieur, hot-dogs, omelettes ou salades. En ville, aux beaux jours, les places en terrasse sont très recherchées, et particulièrement dans les centres universitaires que sont Angers (rue Saint-Laud, rue des Poêliers), Nantes (quartier Graslin), Orléans (autour de la place du Martoi) ou Tours (place Plumereau). Les cafés sont en effet au cœur de la vie étudiante.

Bar d'hôtel traditionnel en Touraine

APÉRITIFS ET DIGESTIFS

Un verre de vin pétillant de la région - vouvray, montlouis, saumur, crémant de Loire - peut toujours constituer un excellent apéritif ou accompagner agréablement le dessert.

Le kir, le célèbre apéritif d'origine bourguignonne, connaît d'ailleurs dans la vallée de la Loire des variantes locales à base de liqueur de framboise ou de pêche et de mousseux du terroir.

Et pour seconder la digestion après le repas, le Jardin de la France vous propose un délicieux choix d'eaux-de-vie de pomme et de poire (notamment de poire Williams), de framboise et de prune, ainsi que d'excellents marcs.

La région a aussi donné le jour à des liqueurs originales : le guignolet, un apéritif sucré élaboré à partir de griottes, ou guignes noires, macérées dans l'alcool, créé en 1632 par une communauté de bénédictines d'Angers – c'est la plus ancienne liqueur connue – ; le Cointreau, une liqueur à base d'écorces d'oranges douces et amères macérées, réputée dans le monde entier, également conçue à Angers, en 1849 par les frères Cointreau (on peut visiter musée et distillerie à l'Espace Cointrau, *horaires voir p. 73*) ; enfin, la plus « exotique », le kamok, une liqueur à base de café inventée en 1867 par un distilleur de Luçon, en Vendée.

Jus de pomme du terroir

Pause dans un café élégant d'Orléans

L'ANJOU

ANGERS

La Salamandre

Carte routière C3. 1, bd Maréchal-Foch. *02 41 88 99 55.* *du lun. au sam. de 12 h à 14 h et de 19 h 30 à 22 h.* *AE, MC, DC, V.* ⒻⒻ

Le restaurant de l'hôtel d'Anjou, au décor Renaissance, pratique des prix raisonnables et propose une cuisine simple et une excellente carte des vins.

Le Toussaint

Carte routière C3. 7, pl. Kennedy. *02 41 87 46 20.* *de 12 h à 14 h et de 19 h 30 à 21 h 30 du mar. au sam. et de 12 h à 14 h le dim.* *AE, MC, V.* ⒻⒻ

La salle à manger supérieure offre une belle vue du château. Celle d'en bas, moins classique, est tout aussi agréable. Ses spécialités régionales affichent une tendance nouvelle cuisine et sa carte de vins d'Anjou est excellente. Réservez à l'avance.

CHOLET

La Touchetière

Carte routière B4. 41, bd. du Docteur-Roux. *02 41 62 55 03.* *de 12 h à 14 h et de 19 h 30 à 21 h du dim. au ven.* *MC, V.* ⒻⒻ

Aménagé dans une ancienne ferme dont il a conservé la cheminée d'origine, ce restaurant met essentiellement l'accent sur les plats de poisson. Pour le dimanche midi, il est fortement conseillé de réserver.

FONTEVRAUD L'ABBAYE

La Licorne

Carte routière C3. Allée Sainte-Catherine. *02 41 51 72 49.* *de 12 h 15 à 13 h 30 et de 19 h 15 à 21 h 45 du mar. au sam. et de 12 h 15 à 13 h 30 le dim. (en été : t.l.j.).* *AE, MC, DC, V.* ⒻⒻ

On dîne dans un élégant bâtiment du XVIIIe siècle entouré d'un petit jardin. Le menu le plus économique, qui n'est pas servi le dimanche, est très avantageux. Il convient de réserver à l'avance.

GENNES

L'Aubergade

Carte routière C3. 7, av. des Cadets. *02 41 51 81 07.* *de 12 h à 13 h 45 et de 19 h à 21 h du jeu. au lun. (en été : t.l.j.).* *MC, V.* ⒻⒻ

Ce restaurant de qualité occupe un édifice angevin traditionnel. Sa carte met surtout l'accent sur les spécialités régionales que les vins de Touraine et d'Anjou accompagnent à merveille.

LE LION-D'ANGERS

La Table du Meunier

Carte routière C3. Le Moulin, Chenillé-Changé. *02 41 95 10 83 ou 02 41 95 10 98.* *de 12 h à 14 h et de 18 h 30 à 21 h 30 du jeu. au dim. (en été : t.l.j.).* *MC, V.* ⒻⒻ

Cet ancien moulin situé à 10 km du Lion-d'Angers produisait autrefois cette huile de noix qui donnait sa saveur caractéristique à la cuisine de la région. En dehors de quelques touches sophistiquées, sa carte propose essentiellement des plats traditionnels.

MONTSOREAU

Diane de Méridor

Carte routière C3. 12, quai Philippe-de-Commynes. *02 41 51 70 18.* *de 12 h à 14 h 30 et de 19 h à 21 h 30 du mer. au lun.* *MC, V.* ⒻⒻ

Sa belle salle à manger rustique offre une vue splendide sur la Loire et sur le château de Montsoreau. Il prépare beaucoup de poissons d'eau douce, notamment des sandres et des brochets.

LES ROSIERS-SUR-LOIRE

Auberge Jeanne de Laval

Carte routière C3. 54, rue Nationale. *02 41 51 80 17.* *t.l.j. de 12 h à 14 h et de 19 h 30 à 21 h30.* *MC, V.* ⒻⒻ

Ce restaurant à gestion familiale (associé à l'hôtel des Ducs d'Anjou) sert essentiellement de la cuisine traditionnelle, mais le fils de l'ancien chef a introduit quelques innovations dignes d'intérêt, dont des terrines maison.

ST-GEORGES-SUR-LOIRE

Relais d'Anjou

Carte routière B3. 29, rue Nationale. *02 41 39 13 38.* *de 12 h à 14 h, de 19 h 30 à 21 h de mer. à sam.* *AE, MC, V.* ⒻⒻ

Sa cuisine classique et fort honnête est d'un excellent rapport qualité-prix. Le vin d'Anjou entre dans la préparation d'un grand nombre de plats proposés par sa carte.

SAUMUR

Les Caves de Marson

Carte routière C3. Rou-Marson. *02 41 50 50 05.* *de mi-juin à mi-sept. à 20 h du mar. au sam. et à 12 h 30 le dim. et de mi-sept. à mi-juin à 20 h du ven. au sam. et à 12 h 30 le dim.* *MC, V.* ⒻⒻ

Ce restaurant troglodytique mérite le détour. Son menu offrant entrée, plat et dessert propose des fouaces garnies de fromage de chèvre ou de rillettes et des tartes aux fruits maison pour le dessert. Réserver.

Les Chandelles

Carte routière C3. 71, rue Saint-Nicolas. *02 41 67 20 40.* *en juil. – août : de 12 h à 14 h et de 19 h à 22 h t.l.j. ; de sept. à juin : jeu. à mar.* *AE, MC, DC, V.* ⒻⒻ

Ce restaurant évoque toujours la boutique qu'il fut autrefois. Le saumur entre dans la préparation de certains de ses plats comme les anguilles de Loire au vin rouge.

Les Ménestrels

Carte routière C3. 11, rue Raspail. *02 41 67 71 10.* *1 de 12 h 15 à 13 h 30 et de 19 h 15 à 21 h 30 du lun. au sam.* *AE, MC, DC, V.* ⒻⒻⒻ

La carte de cette annexe de l'Hôtel Anne d'Anjou propose une cuisine classique à connotation régionale.

LA TOURAINE

AMBOISE

Le Choiseul

Carte routière D3. 36, quai Charles-Guinot. *02 47 30 45 45.* *t.l.j. de 12 h à 13 h 30 et de 19 h à 21 h.* ★ *AE, MC, DC, V.* ⒻⒻⒻⒻ

Cet élégant restaurant situé au bord de la Loire mijote surtout des plats de poisson avec des sauces à base de vins du terroir.

Le Manoir St-Thomas

Carte routière D3. Pl. Richelieu. ☎ *02 47 57 22 52.* ○ *de 12 h à 14 h 30, de 19 h à 21 h 30 du mar. au dim.* *AE, MC, DC, V.* ⒻⒻⒻ

Avec son cadre baroque, son chef talentueux et son exceptionnelle cave à vin, c'est un endroit incontournable. Citons son canard laqué médiéval à la canelle et au gingembre, une recette ancienne remise au goût du jour.

Azay-le-Rideau

L'Aigle d'Or

Carte routière C3. 10, rue Adélaïde-Riché. ☎ *02 47 45 24 58.* ○ *de juil. à sept. : de 12 h à 14 h de jeu. à mar., de 19 h à 21 h lun., mar. et jeu. à sam.* ★ *MC, V.* ⒻⒻⒻ

Cet excellent restaurant proche du château sert des produits du terroir comme des sandres de rivière ou du lapin à la sauce au vin de Chinon. Le menu proposé le midi est d'un excellent rapport qualité-prix.

Bléré

Le Cheval Blanc

Carte routière D3. Pl. C.-Bidault. ☎ *02 47 30 30 14.* ○ *juil. - août : 12 h à 14 h, 17 h 30 à 21 h 15 t.l.j. (sept. à juin : de mar. à dim.).* ★ *AE, MC, DC, V.* ⒻⒻⒻ

Situé non loin de Chenonceaux, c'est l'un des meilleurs restaurants de la Touraine. Sa délicieuse escalope de sandre, avec une sauce au crabe et au beurre blanc, est l'une de ses créations les plus originales. Les prix sont très raisonnables pour la qualité et l'ambiance est agréable.

Chenonceaux

Au Gâteau Breton

Carte routière D3. 16, rue du Docteur-Bretonneau. ☎ *02 47 23 90 14.* ○ *t.l.j. de 12 h à 14 h 30, de jeu. à mar., de 19 h à 22 h, de jeu. à lun.* *MC, V.* Ⓕ

Cet endroit avenant, à quelques pas du château, sert une honnête cuisine traditionnelle et ses menus offrent un bon rapport qualité-prix. En été, on peut manger dans le jardin.

Chinon

Hostellerie Gargantua

Carte routière D3. 73, rue Voltaire. ☎ *02 47 93 04 71.* ○ *de 12 h à 14 h de ven. à mer., de 19 h à 21 h, de ven. à mar.* *MC, V.* Ⓕ

Restaurant au décor médiéval logé dans un manoir du XVe siècle, au cœur de la vieille ville. Le week-end, le personnel revêt des costumes d'époque. Les portions sont aussi copieuses que Gargantua l'eût souhaité.

Au Plaisir Gourmand

Carte routière C3. 2, rue Parmentier. ☎ *02 47 93 20 48.* ○ *de 12 h à 13 h 30 et de 19 h à 21 h 30 du mar. au sam. et de 12 h à 13 h 30 le dim.* ★ *AE, MC, V.* ⒻⒻⒻ

Le meilleur restaurant de Chinon occupe un édifice des XVIe et XVIIe siècles en tuf blanc de la région. Sa cuisine est délicieuse et son menu de spécialités régionales vous permet de découvrir la gastronomie tourangelle. La carte des vins - du terroir - est de très haut niveau. En été, réservez une table dans le jardin situé sur le quai.

Cormery

L'Auberge du Mail

Carte routière D3. 2, pl. du Mail. ☎ *02 47 43 40 32.* ○ *de 12 h à 13 h 45 et de 19 h 30 à 21 h du dim. au ven.* *MC, V.* Ⓕ

Ce charmant restaurant se trouve à mi-chemin entre Tours et Loches, dans un paisible village de la vallée de l'Indre célèbre pour ses biscuits *(p.222)*. Son excellente cuisine et son ambiance chaleureuse ne manquent pas de séduire.

Le Petit-Pressigny

La Promenade

Carte routière D4. Le Village. ☎ *02 47 94 93 52.* ○ *de 12 h à 14 h et de 19 h 30 à 21 h 30 du mar. au sam. et de 12 h à 14 h le dim.* ★ *V.* ⒻⒻⒻⒻ

Autrefois une modeste auberge, ce restaurant a été repris par Jacques Dallais, un ancien élève du célèbre chef parisien Joël Robuchon. Si vous avez un penchant pour les sucreries, goûtez son feuilleté de cacao au chocolat épicé servi avec une couche de crème glacée à la vanille.

Saché

Auberge du XIIe Siècle

Carte routière D3. Rue Principale. ☎ *02 47 26 88 77.* ○ *de 12 h à 14 h et de 19 h à 21 h du jeu. au lun.* *AE, MC, V.* ⒻⒻ

Cette charmante auberge à colombage possède une vaste salle à manger avec de vieilles poutres et une superbe cheminée et une autre plus petite et plus intime. Son éventail de menus à prix fixes comporte des spécialités régionales comme les savoureuses poules connues sous le nom de gélines de Touraine.

Tours

Le Charolais

Carte routière D3. 123, rue Colbert. ☎ *02 47 20 80 20.* ○ *de 12 h à 14 h et de 19 h 30 à 22 h du mar. au sam. et de 19 h 30 à 22 h le lun.* *AE, MC, V.* ⒻⒻ

Ce restaurant-bar à vin à l'ambiance très animée est fort apprécié par la clientèle locale. Son propriétaire est un ancien sommelier qui a conçu une carte assez réduite de plats traditionnels pour accompagner l'excellent choix de vins de sa cave. Il sert également le vin au verre.

La Ruche

Carte routière D3. 105, rue Colbert. ☎ *02 47 66 69 83.* ○ *de 12 h à 14 h et de 19 h à 22 h du mar. au sam. et de 12 h à 13 h 30 le dim.* *MC, V.* ⒻⒻ

Cet charmant petit restaurant a une clientèle d'habitués qui apprécie sa manière de préparer d'excellents plats, régionaux pour la plupart, et de les présenter dans une vaisselle élégante. Ses prix sont tout à fait raisonnables.

Jean Bardet

Carte routière D3. 57, rue Groison. ☎ *02 47 41 41 11.* ○ *de 12 h à 14 h du mar. au dim., de 19 h 30 à 22 h t.l.j. (oct. à mars : du mar. au sam.).* ★ *AE, MC, DC, V.* ⒻⒻⒻⒻⒻ

L'un des meilleurs chefs de France, Jean Bardet, et son épouse ont aménagé dans un manoir du XIXe siècle un restaurant agréable et un hôtel spacieux. Après avoir savouré ses plats préparés avec art, vous pouvez faire une promenade dans le jardin et admirer le potager : ce sont ses herbes aromatiques et ses légumes qui confèrent une saveur caractéristique aux mets.

Légende des symboles *voir p.209*

VILLANDRY

Domaine de la Giraudière

Carte routière D3. Rte de Druye. *02 47 50 08 60.* *t.l.j. de 12 h à 13 h et de 19 h 30 à 21 h 30.* Ⓕ

Dans cette ferme en activité que l'on peut visiter, on sert des repas rustiques à base de pâtés, de quiches et d'omelettes. La plupart des ingrédients sont produits sur place ou dans le voisinage.

VOUVRAY

Au Virage Gastronomique

Carte routière D3. 25, av. Brûlé. *02 47 52 70 02.* *de 12 h à 14 h 30 et de 19 h à 21 h 45 du jeu. au mar.* *AE, MC, V.* Ⓕ

Après avoir goûté le vouvray et visité Hardouin, la meilleure charcuterie de la région, on peut manger dans cet honnête restaurant de province aux portions copieuses, au service courtois et aux menus d'un excellent rapport qualité-prix.

LE BLÉSOIS ET L'ORLÉANAIS

LES BÉZARDS

Auberge des Templiers

Carte routière F3. Boismorand. *02 38 31 80 01.* *t.l.j. de 12 h à 14 h 45 et de 19 h 45 à 21 h 45.* ★ *AE, MC, DC, V.* ⒻⒻⒻⒻⒻ

Cette ancienne auberge revêtue de plantes grimpantes est affiliée aux *Relais et Châteaux*. Sa cuisine marie agréablement le classicisme et l'innovation, avec du gibier de Sologne en saison.

BLOIS

La Péniche

Carte routière E3. Promenade du Mail. *02 54 74 37 23.* *de 12 h à 14 h 30 et de 19 h 30 à 22 h du lun. au sam.* *AE, MC, DC, V.* ⒻⒻ

Dîner dans une péniche climatisée amarrée sur la Loire constitue une expérience originale. On y sert surtout des plats de poisson tout simples.

Au Rendez-Vous des Pêcheurs

Carte routière E3. 27, rue du Foix. *02 54 74 67 48.* *de 12 h à 14 h et de 19 h 30 à 22 h du mar. au sam. et de 19 h 30 à 22 h le lun.* ★ *MC, V.* ⒻⒻ

Ce bistro animé, aménagé dans une ancienne épicerie-buvette, sert l'une des meilleures cuisines de la ville. Il est impératif de réserver.

BRACIEUX

Bernard Robin

Carte routière E3. 1, av. de Chambord. *02 54 46 41 22.* *de 12 h 15 à 13 h 30 et de 19 h 30 à 21 h du jeu. au lun. et de 12 h 15 à 13 h 30 le mar.* ★ *AE, MC, V.* ⒻⒻⒻⒻⒻ

Entre Chambord et Cheverny, Bernard Robin, l'un des plus grands chefs de France mitonne de délicieuses spécialités régionales. Le gibier tient une place importante sur sa carte : notez le lièvre à la Royale, servi avec une sauce au foie gras. Il est indispensable de réserver.

CHAUMONT-SUR-THARONNE

La Croix Blanche

Carte routière E3. Pl. de l'Église. *02 54 88 55 12.* *t.l.j. de 12 h à 14 h 30 et de 19 h 30 à 21 h 30.* *AE, MC, DC, V.* ⒻⒻⒻ

Ancienne abbaye convertie en auberge dès le XVe siècle ; depuis 1779, son chef a toujours été une femme et son personnel entièrement féminin. Pour atteindre la salle à manger lambrissée, on passe par la cuisine. Sa carte propose une combinaison de plats de la Sologne et du Sud-Ouest.

COMBREUX

L'Auberge de Combreux

Carte routière F2. 34, rue du Gâtinais. *02 38 59 47 63.* *de 12 h 15 à 14 h et de 19 h 15 à 21 h 30 t.l.j.* *MC, V.* ⒻⒻ

Cette auberge pleine de charme, aux murs revêtus de plantes grimpantes, aux fenêtres à pignon et aux meubles anciens sert une bonne cuisine bourgeoise traditionnelle.

GIEN

Côté Jardin

Carte routière F3. 14, rte de Bourges. *02 38 38 24 67.* *de 12 h à 14 h et de 19 h 30 à 22 h du mar. au dim. et de 12 h à 14 h le lun.* *MC, DC, V.* ⒻⒻ

Sa carte, d'un excellent rapport qualité-prix, offre un grand choix de plats de poisson et de fruits de mer et se renouvelle tous les deux mois pour tirer profit des produits de saison.

MONTOIRE-SUR-LE-LOIR

Le Cheval Rouge

Carte routière D3. Pl. Foch. *02 54 85 07 05.* *de 12 h à 14 h sam. à jeu., 19 h 30 à 22 h ven. à lun.* *AE, MC, V.* ⒻⒻ

Situé entre Trôo et Lavardin, ce restaurant sert des mets classiques accommodés d'une façon légère. Il propose toute une gamme de menus à prix fixe et dispose également de 15 chambres assez modestes.

OLIVET

Le Rivage

Carte routière E2. 635, rue de la Reine-Blanche. *02 38 66 02 93.* *t.l.j. de 12 h à 14 h et de 19 h 15 21 h 30.* *AE, MC, DC, V.* ⒻⒻⒻ

Il offre l'une des cuisines les plus raffinées de la région. L'été, l'idéal est de dîner sur la terrasse, au bord du Loiret. Mais en hiver, la salle à manger claire et aérée donne toujours l'impression de se trouver au bord de la rivière.

ONZAIN

Domaine des Hauts-de-Loire

Carte routière D3. Route de Herbault. *02 54 20 72 57.* *de 12 h 30 à 14 h, de 19 h 30 à 21 h, de mar. à dim.* *AE, MC, DC, V.* ⒻⒻⒻⒻ *Voir aussi* **Hébergement**, *p. 205.*

Le restaurant de cet hôtel affilié aux *Relais et Châteaux* est très réputé. Sa carte comporte des délices tels que le filet de bœuf poché au vin de Montlouis, l'un des meilleurs vins de la vallée de la Loire.

ORLÉANS

Les Antiquaires

Carte routière E2. 2–4, rue au Lin. *02 38 53 52 35. de 12 h à 14 h et de 19 h 30 à 22 h du lun. au sam.* *AE, MC, DC, V.* ⒻⒻ

Ce restaurant est très prisé des gens du cru pour sa cuisine inventive. Pendant la saison de la chasse, il propose du gibier de Sologne et la spécialité de la maison, les noisettes de biche sauce poivrade.

La Chancellerie

Carte routière E2. Pl. Martroi. *02 38 53 57 54. de 12 h à 15 h et de 19 h à 24 h du lun. au sam.* *AE, MC, V.* ⒻⒻ

Cette brasserie-bar à vin animée, aménagée dans un édifice du XVIIIe siècle situé sur une place très fréquentée proche de la cathédrale, propose des plats originaux pour accompagner ses excellents vins. Au moment de la chasse, son faisan aux champignons et son lièvre aux airelles sont très demandés.

SOUVIGNY-EN-SOLOGNE

La Perdrix Rouge

Carte routière E3. 22, rue du Gâtinais. *02 54 88 41 05. de 12 h à 13 h 30 et de 19 h 30 à 21 h 30 de mer. à dim. et de 12 h à 13 h 30 le lun.* *AE, MC, V.* ⒻⒻⒻ

Cette auberge à colombage typique de la Sologne est très fréquentée pendant la chasse, car elle sert de l'excellent gibier, notamment des perdrix. Le reste de l'année, elle tire parti des autres produits locaux.

SULLY-SUR-LOIRE

Hostellerie Le Grand Sully

Carte routière F3. 10, bd du Champ-de-Foire. *02 38 36 27 56. t.l.j. de 12 h à 14 h et de 19 h 30 à 21 h du lun. au sam.* *AE, MC, DC, V.* ⒻⒻ

Il s'agit d'un restaurant assez sophistiqué, très commode si vous visitez l'abbaye de Saint-Benoît-sur-Loire. Le chef porte une extrême attention aux détails, qu'il s'agisse de plats classiques ou de créations. La carte des vins est très intéressante : nous vous recommandons son délicieux ménetou-salon pour accompagner le poisson.

BERRY

ARGENTON-SUR-CREUSE

Moulin des Eaux-Vives

Carte routière E4. Tendu. *02 54 24 12 25. de 12 h 15 à 13 h 30 et de 19 h 30 à 21 h du mer. au dim. et de 12 h 15 à 13 h 30 le lun.* *AE, MC, V.* ⒻⒻ

Cet ancien moulin à eau est situé 8 km au nord d'Argenton-sur-Creuse. Sa carte change au gré des saisons et peut proposer, en fonction du moment, des côtes de sanglier au vinaigre de framboise et un sorbet baptisé coupe de vignes. Les plats sont d'un excellent rapport qualité-prix mais le vin est onéreux.

AUBIGNY-SUR-NÈRE

Le Bien-Aller

Carte routière F3. Les Naudins. *02 48 58 03 92. de 12 h à 14 h et de 19 h à minuit du jeu. au lun.* *AE, MC, V.* Ⓕ

Ce restaurant se trouve à 1 km à peine du château de la Verrerie. Sa carte comporte un grand nombre de créations originales, comme sa crème brûlée au thym.

BANNEGON

Auberge du Moulin de Chaméron

Carte routière F4. Le Village. *02 48 61 83 80. de 12 h 15 à 13 h 45 et de 19 h 30 à 21 h du mer. au lun. (t.l.j. en été).* *AE, MC, V.* ⒻⒻ

Ce charmant moulin à eau du XVIIIe siècle est désormais un hôtel-restaurant accueillant. Il sert une excellente cuisine en grande partie d'influence régionale.

BOURGES

Le d'Antan Sancerrois

Carte routière F4. 50, rue Bourbonnoux. *02 48 65 96 26. de 12 h à 14 h et de 19 h à 22 h 30 du mer. au dim. et de 19 h à 22 h 30 le mar.* *AE, MC, V.* ⒻⒻ

Les gens du cru se pressent dans ce restaurant installé dans un édifice médiéval aux poutres apparentes. Sa cuisine est élaborée avec art et sa carte des vins est excellente.

Le Jardin Gourmand

Carte routière F4. 15, bis av. Ernest Renan. *02 48 21 35 91. de 12 h à 14 h et de 19 h 30 à 21 h 30 du mar. au sam. et de 12 h à 14 h le dim.* *AE, MC, DC, V.* ⒻⒻ

Cet élégant restaurant propose des plats de poisson et de fruits de mer, de l'agneau au curry, de la volaille et du gibier en saison.

Abbaye St-Ambroix

Carte routière F4. Bd de la République. *02 48 70 70 00. de 12 h à 14 h du dim. au ven. et de 19 h 30 à 22 h t.l.j.* *AE, MC, DC, V.* ⒻⒻⒻ *Voir aussi* **Hébergement**, *p. 205.*

Le restaurant occupe l'ancienne chapelle de l'abbaye. Sa cuisine utilise des produits choisis. Les desserts sont préparés sur commande. Les menus à prix fixe offrent un bon rapport qualité-prix.

BRUÈRE-ALLICHAMPS

Auberge de l'Abbaye de Noirlac

Carte routière F4. Le Village. *02 48 96 22 58. de 12 h à 14 h 30 et de 19 h à 21 h 30 t.l.j.* *MC, V.* ⒻⒻ

Le cadre est rustique et la cuisine très honnête. Si vous êtes pressé, l'auberge sert des en-cas légers.

CHÂTEAUMEILLANT

Au Piet-à-Terre

Carte routière F4. Rue du Château. *02 48 61 41 74. de 12 h à 13 h 30 et de 19 h 30 à 21 h du mar. au sam. et de 12 h à 13 h 30 le dim.* *MC, V.* ⒻⒻ

Ce restaurant prisé propose une excellente cuisine. Parmi ses spécialités, citons la poulette braisée farcie au foie gras. Le menu de midi, servi en semaine, offre un très bon rapport qualité-prix.

NOHANT

Auberge de la Petite Fadette

Carte routière E4. Le Village. *02 54 31 01 48. t.l.j. de 12 h à 14 h et de 19 h à 21 h 30.* *MC, V.* ⒻⒻ

La spécialité de cette auberge est un plat berrichon, le poulet en barbouille *(p.210)*

Légende des symboles *voir p.209*

Montrond

La Croix d'Or

Carte routière F4. 28, rue du 14-juillet. *02 48 96 09 41.* *t.l.j. de 12 h à 14 h et de 19 h à 21 h 30 de sam. à jeu.* AE, MC, V. ⒻⒻⒻ

La spécialité de ce restaurant est la viande de bœuf du Charolais accompagnée d'un bon sancerre. La salle à manger spacieuse au beau plafond voûté regorge de plantes.

Sancerre

La Tour

Carte routière F3. 31, pl. de la Halle. *02 48 54 00 81.* *t.l.j. de 12 h à 14 h et de 19 h 30 à 22 h.* AE, MC, V. ⒻⒻⒻ

Donnant sur la tour qui lui donne son nom, cet excellent restaurant possède deux salles à manger. Sa carte propose des plats régionaux ; nous vous conseillons le sandre à la sauce au sancerre rouge.

Vierzon

Le Prieuré

Carte routière E3. 2, rte de Saint-Laurent, Vignoux-sur-Barangeon. *02 48 51 58 80.* *de 12 h à 13 h 30 et de 19 h 30 à 21 h du jeu. au lun. et de 12 h à 13 h 30 le mar.* AE, MC, DC, V. ⒻⒻ

Ce restaurant est effectivement aménagé dans un ancien prieuré. Sa carte inventive propose des plats tels que le pigeon du Berry à la truffe. Pour le dessert, nous vous conseillons la terrine de crêpes à la sauce à l'orange.

LE MAINE ET L'EURE-ET-LOIR

Arnage

Auberge des Matfeux

Carte routière C2. 289, av. Nationale. *02 43 21 10 71.* *de 12 h à 14 h et de 19 h à 21 h du mar. au sam. et de 12 h à 14 h le dim.* AE. MC, DC, V. ⒻⒻⒻ

Cette vieille auberge située à 9 km du Mans propose une cuisine légère utilisant les légumes et les herbes aromatiques de son potager. Sa salle à manger communique avec une serre.

Chartres

Le Buisson Ardent

Carte routière E2. 10, rue au Lait. *02 37 34 04 66.* *de 12 h à 14 h t.l.j. et de 19 h 30 à 21 h 30 du lun. au sam.* MC, V. ⒻⒻ

On peut y déjeuner vite et bien ou y dîner plus calmement. Sa cuisine offre un excellent rapport qualité-prix et il propose un menu enfant.

Le Grand Monarque

Carte routière E2. 22, pl. des Épars. *02 37 21 00 72.* *t.l.j. de 12 h à 14 h 30 et de 19 h 30 à 22 h.* AE, MC, DC, V. ⒻⒻⒻ

Voir aussi **Hébergement**, *p. 206.*

Le restaurant de cet hôtel sert à la fois des plats classiques et des spécialités régionales. Sa cave offre une des plus larges sélections de vins de la vallée de la Loire en France.

Châteaudun

L'Arnaudière

Carte routière E2. 4, rue Saint-Lubin. *02 37 45 98 98.* *de 12 h à 14 h et de 19 h 30 à 21 h 30 t.l.j.* AE, V. ⒻⒻ

Occupant un édifice Renaissance de la vieille ville, ce restaurant à la cuisine exquise possède un petit jardin où l'on peut manger en été. Ses menus à prix fixe offrent un excellent rapport qualité-prix.

La Flèche

La Fesse d'Ange

Carte routière C3. Pl. du 8 mai 1945. *02 43 94 73 60.* *de 12 h à 13 h 30 et de 19 h 15 à 21 h 30 du mar. au sam. et de 12 h à 13 h 30 le dim. (fermé en août)* MC, V. ⒻⒻ

Sa cuisine basée sur l'utilisation des produits de saison est très prisée par une clientèle largement locale. N'oubliez pas de goûter les fameux poulets et canards de Loué qui figurent souvent sur sa carte.

Laval

Bistro de Paris

Carte routière B2. 67, rue du Val-de-Mayenne. *02 43 56 98 29.* *de 12 h à 14 h et de 19 h à 22 h du lun. au ven. et de 19 h à 22 h le sam.* ★ V. ⒻⒻⒻ

Au bord de la Mayenne, non loin du château, ce bistro sert des plats savoureux préparés avec soin et d'un excellent rapport qualité-prix. Ses vins sont très abordables également. Il convient de réserver.

Malicorne-sur-Sarthe

La Petite Auberge

Carte routière C3. Au Pont. *02 43 94 80 52.* *t.l.j. de 12 h à 14 h et de 19 h à 21 h, de mars à mai et d'oct. à nov. ; de 12 h à 14 h et de 19 h à 21 h du mer. au sam. et de 12 h à 14 h le mar. et dim, de déc. à fév, de 12 h à 14 h du mar. au dim. et de 19 h à 21 h le ven. et sam.* AE, V. ⒻⒻ

Ce petit restaurant situé à côté du port de plaisance, non loin de la célèbre manufacture de faïence, est l'endroit idéal pour déjeuner dans la vallée de la Sarthe.

Le Mans

Le Grenier à Sel

Carte routière C2. 26, pl. de l'Éperon. *02 43 23 26 30.* *de 12 h à 14 h 15 et de 19 h à 22 h du mar. au sam. et de 12 h à 14 h 15 le dim.* AE, MC, V. ⒻⒻ

Bien situé dans la vieille ville, ce restaurant occupe un édifice où les collecteurs d'impôts amassaient autrefois leurs recettes. Le chef prépare surtout des plats de poisson servis avec des sauces délicates à base d'herbes aromatiques.

La Vie en Rose

Carte routière C2. 55, Grande-Rue. *02 43 23 27 37.* *1de 11 h 30 à 14 h et de 19 h à 22 h (en été 23 h) du lun. au sam.* AE, MC, DC, V. ⒻⒻ

Cet édifice a été le premier théâtre du Mans. Le restaurant s'est tourné vers la nouvelle cuisine. Ses plats de fruits de mer sont magnifiquement présentés.

St-Denis-d'Anjou

Auberge du Roi-René

Carte routière C3. 4, Grande-Rue. *02 43 70 52 30.* *t.l.j. de 12 h à 13 h et de 19 h à 22 h.* AE, MC, DC, V. ⒻⒻⒻ

La salle à manger est installée dans un édifice médiéval. Ce restaurant propose une cuisine légère. Certains de ses plats, marient des saveurs salées et sucrées.

SOLESMES

Grand Hôtel de Solesmes

Carte routière C2. 16, pl. Dom-Guéranger. *02 43 95 45 10.* *de 12 à 14 h t.l.j. et de 19 h 30 à 21 h 30 t.l.j. (fermé de nov. à mars).* AE, MC, DC, V. ⒻⒻⒻ *Voir aussi* **Hébergement**, *p. 207.*

Cet hôtel possède un excellent restaurant dont la cuisine repose sur les plats de poisson, comme le sandre à la mousse d'oseille.

LA LOIRE-ATLANTIQUE ET LA VENDÉE

ARÇAIS

L'Auberge de la Venise Verte

Carte routière B4. Route de Damvix. *02 49 35 37 15.* *t.l.j. de 12 h à 14 h et de 19 h à 22 h.* MC, V. ⒻⒻ

Si vous visitez les canaux du Marais poitevin, ce restaurant constitue une halte économique et agréable. Sa carte offre surtout du poisson de la région, notamment de l'anguille.

CLISSON

Bonne Auberge

Carte routière B4. 1, rue Olivier-de-Clisson. *02 40 54 01 90.* *de 12 h à 14 h 30 et de 20 h à 21 h du mar. au sam. et de 12 h à 14 h 30 le dim.* ★ AE, MC, V. ⒻⒻⒻ

La cuisine de ce restaurant tire parti des produits du terroir. Nous vous conseillons le canard vendéen aux figues ou le poisson poché aux épices, sans oublier de goûter ses délicieux desserts.

FONTENAY-LE-COMTE

Auberge de la Rivière

Carte routière B4. Velluire. *02 51 52 32 15.* *1 de 12 h 15 à 14 h et de 20 h à 21 h 30 du mar. au sam. et de 12 h à 14 h le dim. (en été t.l.j.).* MC, V. ⒻⒻ

Cette auberge offre un confort campagnard et une délicieuse cuisine. Plats de poisson et langoustines sont particulièrement savoureux.

ÎLE D'YEU

La Marée

Carte routière A4. 27, rue Pierre-Henry, Port-Joinville. *02 51 58 41 33.* *de 12 h à 14 h de lun. à dim., de 19 h à 21 h de lun. à sam.* V. ⒻⒻ *Voir aussi* **Hébergement**, *p. 207.*

Ce restaurant sert surtout des plats de poisson et de fruits de mer. Pour le dessert, goûtez à la tartilaise, la tarte aux prunes de l'Île d'Yeu.

MAILLEZAIS

Le Collibert

Carte routière B5. Rue Principale. *02 51 87 25 07.* *de 12 h à 13 h et de 19 h 30 à 22 h du mar. au sam. et de 12 h à 13 h le dim. (t.l.j. de Pâques à mi-sept).* AE, MC, DC, V. ⒻⒻ

À l'entrée de la Venise Verte, ce restaurant est très prisé pour son buffet et ses variantes originales de spécialités régionales.

MORTAGNE-SUR-SÈVRE

Hôtel de France

Carte routière B4. Pl. du Docteur-Pichat. *02 51 65 03 37.* *de 12 h 15 à 14 h et de 19 h 30 à 21 h du lun. au ven. et de 12 h 15 à 14 h le dim.* AE, MC, DC, V. Ⓕ

Cet ancien relais de poste abrite deux restaurants, La Taverne, plus classique, et la Petite Auberge, légèrement plus économique, où vous attendent une ambiance animée et une excellente cuisine. Il dispose de quelques chambres.

NANTES

La Taverne de Maître Kanter

Carte routière B3. 1, pl. Royale. *02 40 48 55 28.* *t.l.j. de 12 h à 2 h.* AE, MC, DC, V. Ⓕ

Cette succursale de la célèbre chaîne alsacienne sert de la choucroute, des viandes froides et de la bière, jusqu'à 2 h du matin.

La Cigale

Carte routière B3. 4, pl. Graslin. *02 51 84 94 94.* *t.l.j. de 12 h à 15 h et de 19 h à 0 h 30.* V. ⒻⒻ

L'intérieur de cette brasserie de la Belle Époque est orné de faïences vernies et de dorures. La qualité de sa cuisine, offrant un large choix de poisson et de fruits de mer, est également exceptionnelle.

Torigaï

Carte routière D3. Île de Versailles. *02 40 37 06 37.* *de 12 h à 14 h et de 19 h 30 à 22 h du lun. au sam.* AE, MC, V. ⒻⒻⒻⒻ

Ce restaurant, situé dans une île de l'Erdre, occupe une serre remplie de plantes exotiques. Il propose un cocktail original de cuisine franco-orientale et sert un menu spécial « muscadet ».

OULMES

L'Escargot Vendéen

Carte routière B5. 29, rue Georges-Clemenceau. *02 51 52 49 00.* *de 12 h à 14 h 30 t.l.j. et de 19 h à 22 h du mer. au lun.* MC, V. ⒻⒻ

Cet élégant restaurant occupant un édifice ancien restauré prépare des spécialités régionales : mojettes du marais (haricots blancs servis avec du jambon de pays), escargots cuits au vin rouge et au lard, anguilles, cuisses de grenouilles.

LES SABLES-D'OLONNE

Beau Rivage

Carte routière A4. 40, promenade Georges-Clemenceau. *02 51 32 03 01.* *1de 12 h 30 à 14 h et de 19 h 30 à 21 h 30 du mar. au sam. et de 12 h 30 à 14 h le dim. (de mai à oct., t.l.j. fermé en jan.).* AE, MC, DC, V. ⒻⒻⒻⒻ

Ce charmant restaurant se trouve sur le front de mer. En dînant, on peut voir les voiliers entrer ou sortir du port. Il propose essentiellement des poissons de la région.

SAINT-LYPHARD

Auberge de Kerhinet

Carte routière A3. Kerhinet. *02 40 61 91 46.* *de 12 h à 15 h et de 19 h 30 à 23 h du jeu. au lun. et de 12 h 15 à 13 h le mar. (de juil. à août t.l.j.)* AE, MC, DC, V. ⒻⒻ *Voir aussi* **Hébergement**, *p. 207.*

Cet hôtel-restaurant est décoré de photographies anciennes et d'outils agricoles. Parmi ses spécialités, citons les anguilles au roquefort - pêchées dans le lac de Grand-Lieu.

Légende des symboles *voir p.209*

Boutiques et marchés

On éprouve toujours du plaisir à musarder dans les magasins des grandes et petites villes à la recherche de produits typiques de la vallée de la Loire. Les boutiques d'alimentation et les marchés, couverts ou en plein air, regorgent de produits frais et de spécialités gastronomiques du terroir.

Enseigne à Bourges

À la suite des indications destinées à faciliter vos achats, nous énumérerons en pages 222-223 quelques-unes des productions de la région qui valent la peine d'être rapportées quand on effectue un voyage dans la vallée de la Loire : vins, spécialités alimentaires ou diverses créations de l'artisanat local.

Les chocolats alléchants de la Livre Tournois, une confiserie de Tours

Horaires d'ouverture

Dans la vallée de la Loire, les petits magasins d'alimentation ouvrent souvent tôt, entre 7 h 30 et 8 h et ferment pour le déjeuner, vers 12 h 30, pour rouvrir vers 15 h 30 ou 16 h. Les autres petites boutiques ouvrent en gros de 14 h à 18 h 30 ou 19 h le lundi et de 9 h à 12 h puis de 14 h à 18 h 30 ou 19 h du mardi au samedi. D'ordinaire, les petites supérettes prennent une longue pause-déjeuner, alors que les grands magasins et les supermarchés importants suivent un horaire continu. Les soldes ont généralement lieu fin juin et en janvier.

Les marchés en plein air se tiennent une, deux ou trois matinées par semaine, souvent le dimanche, alors que les grands marchés couverts sont en général ouverts du mardi au samedi, aux mêmes heures que les magasins d'alimentation. Dans ce guide, nous indiquons les jours de marché.

Les magasins spécialisés

Le petit commerce, lié à tout un art de vivre, est encore solidement implanté dans la vallée de la Loire ; faire ses courses demeure souvent un plaisir qui implique tout un ensemble de relations humaines avec le boulanger, l'épicier, le charcutier, le boucher, le crémier. Enfin, les traiteurs, les épiceries fines et les confiseries, dont les vitrines suffisent à faire venir l'eau à la bouche, constituent un élément de choix du tissu social, proposant des produits haut de gamme qui peuvent très bien satisfaire le touriste à la recherche de produits du terroir pour les rapporter en souvenir ou en cadeau.

Dans les petits villages, la seule boutique est parfois une petite alimentation générale fonctionnant éventuellement en libre-service. Mais le pain frais est livré jusqu'au fond des campagnes par des camions-boulangeries, le café du village faisant souvent office de dépôt pour le pain et les journaux.

Comme partout en France, les magasins d'antiquités sont en général des endroits coûteux, mais on trouve dans toute la région de nombreuses brocantes ou des marchés aux puces où l'on peut toujours marchander. Ils ont lieu régulièrement dans de nombreuses villes et d'autres se tiennent durant les vacances d'été dans les zones rurales, dans de petites villes ou même dans certains villages.

Le vin

La vallée de la Loire est renommée pour ses crus de qualité et la région est parsemée de vignobles. Le long des routes on voit donc fréquemment apparaître le panneau « dégustation », au moyen duquel les producteurs invitent les voyageurs à venir goûter leur vin, dans l'espoir qu'ils leur en achèteront quelques bouteilles. À Saumur notamment, on peut faire un circuit des chais, sans que l'on insiste trop pour vous amener à acheter du vin. Si vous désirez mieux connaître les crus de la vallée de la Loire, nous vous recommandons la visite des Maisons du Vin implantées dans certaines grandes villes *(p.213)*. Vous pourrez y obtenir toutes sortes d'informations utiles et intéressantes sur les vins de la région et souvent vous bénéficierez également de dégustations gratuites.

Enseigne de charcuterie

HYPERMARCHÉS ET CHAÎNES DE MAGASINS

La plupart des villes possèdent désormais leur centre commercial regroupant des hypermarchés (qui appartiennent pour la plupart aux chaînes Auchan, Carrefour ou Continent), des jardineries, des stations-service, des centres de bricolage et des fast-foods.

En général, les anciens grands magasins de la région ont été soit reconvertis en une série de boutiques indépendantes, soit repris et modernisés par les Nouvelles Galeries ou le Printemps. Enfin, on trouve dans presque toutes les villes des Monoprix ou des Prisunic.

LES MARCHÉS

Les marchés en plein air constituent l'un des charmes de la vallée de la Loire. La simple vue des monceaux de fruits et légumes frais, des fines herbes, des charcuteries régionales, des divers fromages de chèvre, des volailles appétissantes et du gibier pendant la saison de la chasse font venir l'eau à la bouche. Une grande partie des aliments vendus sur ces marchés est produite directement dans de petits jardins cultivés par les personnes qui les proposent sur les marchés. Ces produits du terroir portent le label de pays. On ne peut manquer d'être séduit par les étals proposant des courges et des potirons aux formes étranges qui apparaissent en automne, des champignons des bois (ceps, bolets, morilles) ou du miel, généralement accompagné de bonbons et de savon au miel.

Une fleuriste et sa cliente au marché villageois de Luynes

Produits frais du terroir au marché de la place Saint-Pierre à Saumur

Sur certains marchés on peut également trouver des créations de l'artisanat local : vanneries de Villaines-les-Rochers, faïences à croisillons de Malicorne-sur-Sarthe, poteries de grès de La Borne-en-Berry mais aussi tissages, verre soufflé, fer forgé, bougies, cuir, soie peinte et meubles peints de Poncé-sur-le-Loir.

REMBOURSEMENT DE LA TVA

En tant que non-ressortissants de l'Union Européenne, les visiteurs venant de Suisse ou du Québec peuvent obtenir le remboursement de la TVA, pour des marchandises d'une valeur minimum de 2 000 F acquises dans un même magasin et exportées dans un délai de moins de six mois. Au moment de l'achat, vous recevrez un imprimé que vous devrez remettre à la douane au moment où vous quitterez la France. En général, vous serez remboursé par virement bancaire. Dans les magasins fréquentés par les touristes, le personnel, en général familiarisé avec ce processus, saura vous guider.

Chèvres de la région au marché d'Amboise

CARNET D'ADRESSES

SPÉCIALITÉS RÉGIONALES

Angers
Pâtisserie La Petite Marquise
22, rue des Lices.
02 41 87 43 01.
Quernons d'ardoise et confiseries.

Bourges
Épicerie en Berry
Îlot Victor Hugo,
41, rue Moyenne.
02 48 70 02 38.
Miel du Berry et forestines.

Guérande
La Maison du Sel
Pradel.
02 40 62 01 25.
Salicornes et sel de Guérande.

Nantes
La Friande
12, rue Paul-Bellamy.
02 40 20 14 68.
Biscuits nantais.

Orléans
La Chocolaterie Royale
5, rue Royale.
02 38 53 93 43.

Tours
La Livre Tournois
6, rue Nationale.
02 47 05 42 00.
Pruneaux fourrés et chocolats.

ARTISANAT

Gien
Faïencerie de Gien
Pl. de la Victoire.
02 38 67 00 05.

Malicorne
Faïenceries Artistiques du Bourg-Joly
16, rue Carnot.
02 43 94 80 10.

Poncé-sur-le-Loir
Centre d'Artisanat d'Art
02 43 44 45 31.
Ateliers et boutique.

Villaines-les-Rochers
Coopérative de Vannerie de Villaines
1, rue de la Cheneillère.
02 47 45 43 03.
Objets en vannerie.

Qu'acheter dans la vallée de la Loire ?

Les produits les plus connus de la vallée de la Loire, ce véritable paradis des gourmets, sont ceux qui séduisent aussi bien l'œil que l'odorat et les papilles. Les producteurs de la région, fiers à juste titre de leurs produits, cherchent à les présenter avec le plus grand soin possible, dans de jolis paniers ou des récipients de céramique. Mais toute la production de la vallée de la Loire n'est pas d'ordre gastronomique. Les faïences de Gien et la dentelle de la Touraine, intimement liées au passé de la région, sont également renommées.

Friandises présentées dans un bel emballage

La confiserie

La vallée de la Loire est renommée pour sa confiserie et rares sont les villes qui ne proposent pas leurs friandises originales : pruneaux fourrés de Tours, forestines de Bourges, cotignac d'Orléans, pralines de Montargis. Souvent joliment présentées et propres à mettre l'eau à la bouche, ce sont toujours des cadeaux appréciés.

Forestines de Bourges

Macarons de Cormery

Pruneaux fourrés à la pâte d'amandes

Chocolats imitant les ardoises

Bonbons aux fruits

Les souvenirs

Les châteaux et musées de la vallée de la Loire possèdent des boutiques proposant de nombreux souvenirs attrayants. En plus des produits classiques tels que livres et affiches, beaucoup vendent des rééditions de cartes à jouer anciennes ou des reproductions de tapisseries. Songez aussi au vin acheté directement chez un producteur local.

Jeu de cartes à figures historiques

Vin produit à Chenonceaux

Les saveurs de la vallée de la Loire

Il est impossible de visiter la vallée de la Loire sans être émerveillé par l'abondance des productions régionales. À proximité des forêts giboyeuses du Berry, on peut acheter des pâtés et des terrines en bocaux et en conserve. Les fromages de chèvre présentent une incroyable variété de formes et les plus compacts voyagent très bien. Parmi les spécialités de la région, citons encore le miel de bruyère des landes du Berry et le vinaigre de vin d'Orléans.

Confiture de vin

Chocolat Poulain fabriqué à Blois

Salicornes marinées

Fromage de chèvre

Le cotignac, la gelée de coings d'Orléans

Sel de Guérande

Le crémant de loire, un vin mousseux

L'artisanat local

L'artisanat traditionnel se maintient dans toute la vallée de la Loire et l'on peut souvent voir des artisans travailler dans leurs ateliers. Certaines créations artisanales sont réputées depuis longtemps, comme les faïences de Malicorne ou Gien, ou la vannerie de Villaines-les-Rochers.

Poterie de La Borne, Berry

Soucoupe en faïence de Gien

Panier en vannerie de Villaines

Assiette en faïence de Gien

Se distraire

La vallée de la Loire permet d'alterner les plaisirs, entre les visites culturelles de ses magnifiques châteaux et la découverte de ses richesses naturelles. Son paysage doucement vallonné et ses forêts invitent à la marche à pied, aux randonnées à cheval ou en VTT, alors que ses cours d'eau omniprésents – pour ne rien dire de la magnifique côte atlantique – donnent envie de se baigner ou de se promener en barque. Nous avons sélectionné ici quelques-unes des nombreuses distractions offertes par la région. Pour de plus amples informations, contactez les bureaux départementaux de *Loisirs-Accueil (p.227)*, qui se consacrent aux activités de loisir, ou, sur place, les offices du tourisme.

Les randonnées pédestres

La vallée de la Loire offre un grand nombre de circuits de randonnées facilement accessibles à pied *(p.26-27)*. Bien que ces itinéraires soient toujours très bien balisés, il est cependant conseillé de prendre avec soi le Topo-Guide correspondant, avec ses cartes, la description de l'itinéraire, diverses informations sur les éléments d'architecture ou les curiosités naturelles croisées en chemin, une estimation de la durée nécessaire pour achever le circuit et l'adresse d'hôtels, de restaurants, d'auberges de jeunesse ou de campings situés à proximité. Ces Topo-Guides coûtent d'ordinaire autour de 100 F. Il existe également un grand Topo-Guide décrivant l'ensemble du GR3 entre Orléans et Guérande. On peut obtenir une liste des circuits de la vallée de la Loire auprès de la **Fédération Française de la Randonnée Pédestre.**

Vous ne vous trouverez jamais à plus d'une journée de marche d'une localité où faire étape. Munissez-vous donc moins de provisions que de bonnes chaussures résistantes.

La bicyclette

Le paysage assez plat de la vallée de la Loire est l'idéal pour les cyclistes. Beaucoup de châteaux étant très proches les uns des autres, il est aisé d'en visiter plusieurs à vélo en quelques jours. Et les amateurs de VTT peuvent emprunter les sentiers bien balisés qui traversent les forêts et les réserves naturelles de la région. Rappelons que votre bicyclette doit posséder deux freins en parfait état, une sonnette, un réflecteur à l'arrière et des réflecteurs jaunes sur les pédales, ainsi qu'un phare blanc à l'avant et un feu rouge à l'arrière pour rouler de nuit. Il est également conseillé de porter un casque et d'avoir quelques pièces de rechange essentielles en cas de panne.

Le vélo est un moyen des plus agréables pour découvrir la vallée de la Loire

On peut louer des bicyclettes et des VTT dans toute la région. Sur place, les divers offices du tourisme pourront vous indiquer les adresses des loueurs. Le service Train et Vélo de la SNCF *(p.242)* permet également de louer des bicyclettes dans certaines gares de la région.

En général, vous pouvez transporter gratuitement votre vélo dans la plupart des trains locaux, alors que sur les grandes lignes vous devez l'enregistrer et acquitter de modestes frais de transport. *Le Guide du Train et du Vélo*, que vous pouvez vous procurer dans les gares et les agences de la SNCF, fournit toutes les informations liées au transport des bicyclettes en train.

Un certain nombre d'offices du tourisme proposent des circuits prévus pour les cyclistes et fournissent une carte indiquant les itinéraires. Dans le centre de la vallée de la Loire, un groupe d'hôteliers et de terrains de camping sont affiliés à *Vélotel-Vélocamp*. Cela signifie qu'ils accueillent chaleureusement les cyclistes et peuvent fournir des vélos de location, imaginer des itinéraires locaux et préparer un panier pique-nique en cas de besoin.

La **Fédération Française de Cyclisme** réunit plus de 2 800 clubs cyclistes dans toute la France. Elle est en mesure de vous fournir des conseils, des adresses locales et de vous proposer un certain nombre d'itinéraires étudiés pour les cyclistes dans la région si vous la contactez suffisamment longtemps avant de partir.

Randonnée équestre au bord de l'eau dans un splendide paysage de la Vendée

Équitation et randonnées équestres

Pour les amateurs de chevaux, une visite de l'École nationale d'Équitation de Saumur s'impose. Le fameux corps du Cadre noir s'y produit régulièrement en public *(p.83)*.

Les forêts de la vallée de la Loire, qui possèdent un réseau de chemins bien entretenus et d'allées cavalières bien balisées, sont particulièrement attirantes pour des cavaliers. Les Topo-Guides leur sont aussi utiles qu'aux marcheurs.

Les cavaliers expérimentés pourront louer des chevaux sans moniteur à l'heure, à la journée ou à la demi-journée dans les nombreux centres d'équitation de la région arborant l'enseigne *Loueur d'Équidés*. Si vous préférez une promenade accompagnée, cherchez une école d'équitation ou un centre équestre.

De nombreux centres d'équitation proposent aussi des randonnées à cheval plus longues, d'un week-end ou d'une semaine, en petits groupes accompagnés d'un guide. On passe en général la nuit dans des gîtes ruraux ou des hôtels très simples. Certains circuits prévoient un hébergement plus luxueux.

Enfin, on peut louer une roulotte pour circuler au rythme tranquille du pas des chevaux de trait ; on passe la nuit dans la roulotte. Cette formule est de plus en plus prisée. Les roulottes les plus petites sont prévues pour quatre adultes ou deux adultes et trois enfants ; les autres pour six à huit personnes. On rencontre également de grands chariots découverts conduits par un guide : quinze excursionnistes peuvent y prendre place.

La pêche

Les cours d'eau de la vallée de la Loire regorgent de poissons : brèmes, aloses, carpes, mulets, perches, chabots, brochets, gardons et sandres. On trouve également des truites dans les affluents de la Loire au cours le plus vif.

Poisson d'eau douce

Pour pêcher dans un lieu public, il faut posséder un permis que l'on peut se procurer dans les boutiques d'équipements de pêche et les offices de tourisme. Il faut par ailleurs être membre d'une association de pêche à la ligne et acquitter une taxe.

Il existe deux types de taxe sur la pêche : la taxe de base vise la pêche dans les rivières où l'on ne trouve pas de truites ; la taxe spéciale concerne la pêche dans tous les cours d'eau, y compris ceux où l'on trouve des truites. On ne peut pas commencer à pêcher plus d'une demi-heure avant le lever du soleil ni arrêter plus d'une demi-heure après le crépuscule. De plus, il faut respecter les saisons de pêche pour certaines espèces et les tailles limites des exemplaires pêchés. On peut pêcher librement dans l'océan tant que l'on n'utilise pas de filets, mais des restrictions touchent l'équipement des bateaux.

Le **Conseil Supérieur de la Pêche** supervise tout ce qui a trait à la pêche en France et se charge de la promouvoir. Il publie et diffuse gratuitement une carte-dépliant intitulée *La Pêche en France*, qui fournit tout un ensemble d'informations très utiles ; on se la procure aussi auprès des associations régionales et départementales.

Pêche à la mouche dans le paisible Loir

Le golf

En parcourant la vallée de la Loire, on peut constater que la pratique du golf est de plus en plus répandue dans la région : on y trouve un grand nombre de terrains superbes et intéressants. Certains, comme le Golf du Val de l'Indre, près de Châteauroux, et celui de la Bretesche, à Missillac sont même aménagés dans le parc d'un château.

Dans le Loiret, quatre terrains proches d'Orléans proposent conjointement un forfait golf qui combine les droits d'entrée sur le green et l'hébergement dans des hôtels voisins à deux ou trois étoiles. Pour plus de détails, contactez les bureaux de *Loisirs-Accueil* et l'office de tourisme du Loiret.

Enfin, l'office du tourisme de Nantes *(p.231)* propose un Passeport Golf : avoir joué sur cinq terrains de Loire-Atlantique donne gratuitement accès à un sixième. Une brochure indique également des hôtels haut de gamme situés à distance raisonnable des terrains.

Le bateau et les sports nautiques

La vallée de la Loire est sillonnée de magnifiques cours d'eau et il est difficile de résister à l'envie de faire au moins une promenade en bateau. La région possède de nombreux ports de plaisance qui proposent un large choix de brèves excursions dans la vallée de la Loire. En général, il n'est pas nécessaire de réserver à l'avance.

En ce qui concerne le Marais poitevin *(p.182-185)*, le meilleur moyen de le découvrir est d'emprunter son réseau de canaux à bord d'une barque traditionnelle à fond plat.

De nombreuses possibilités existent pour visiter la région en bateau en louant un house-boat pour quelques jours ou même pour une semaine ou deux. On trouve des embarcations de tailles et de styles divers, depuis les péniches à l'ancienne jusqu'aux house-boats les plus sophistiqués. Dans la plupart des cas, le prix de la location, pour un voyage aller-retour, comprend la formation, la literie et l'équipement de cuisine. On peut également louer des bicyclettes ou des canoës, ou encore effectuer uniquement le voyage aller. Vous pouvez vous renseigner à ce propos dans la plupart des offices de tourisme.

Si vous cherchez une activité plus sportive, essayez donc le canoë ou le kayak. Il est plus prudent de choisir un circuit guidé proposé par l'un des nombreux clubs basés le long du fleuve. Car, bien que ce dernier semble calme, on rencontre parfois de dangereux courants sous-jacents et des obstacles.

Les nombreuses bases nautiques de la vallée de la Loire louent souvent des pédalos, des canoës et des voiliers ; certaines proposent également de pratiquer le ski nautique. Enfin, de nombreuses stations balnéaires de la côte atlantique louent également des planches à voile.

La prudence commande de ne pas se baigner en dehors des lieux autorisés.

En kayak sur la Mayenne

Pratique de la planche à voile à La Tranche-sur-Mer, sur la côte atlantique

La vallée de la Loire vue du ciel

L'un des moyens les plus originaux de découvrir la vallée de la Loire est certainement la montgolfière. Durant l'été, par beau temps, il existe des vols quotidiens depuis Nantes, Tours et Amboise.

La société **France Montgolfières** propose des excursions combinant un trajet en ballon avec un retour en VTT, une dégustation de vin ou un pique-nique gastronomique.

On peut également survoler la région en hélicoptère ou dans un petit avion de tourisme. Outre les aéroports, de Tours et de Nantes, on trouve en effet un certain nombre de petits terrains d'aviation dans toute la vallée de la Loire. Les offices de tourisme vous fourniront toutes les informations. De nombreux centres dispensent des leçons de vol.

Survol du Plessis-Bourré (Anjou) en montgolfière

Carnet d'adresses

Services Loisirs-Accueil

Cher
5, rue de Séraucourt,
18014 Bourges.
02 48 67 00 18.

Eure-et-Loir
10, rue Maunoury,
28002 Chartres.
02 37 84 01 01.

Indre
1, rue Saint-Martin,
36003 Châteauroux.
02 54 22 91 20.

Indre-et-Loire
38, rue Augustin-Fresnel,
37171 Chambray-lès-Tours.
02 47 48 37 27.

Loire-Atlantique
Comité Départemental du Tourisme (CDT)
2, allée Baco,
44000 Nantes.
02 51 72 95 30.

Loiret
8, rue d'Escures,
45000 Orléans.
02 38 48 04 04.

Loir-et-Cher
5, rue de la Voûte-du-Château, 41005 Blois.
02 54 78 55 50.

Maine-et-Loire
Pl. Kennedy,
49021 Angers.
02 41 23 51 11.

Mayenne
84, av. Robert-Buron,
53018 Laval.
02 43 53 18 18.

Sarthe
Hôtel du Département,
2, rue des Maillets,
72072 Le Mans.
02 43 81 72 72.

Vendée
8, pl. Napoléon,
85006 La Roche-sur-Yon.
02 51 05 45 28.

Randonnée pédestre

Fédération Française de la Randonnée Pédestre
64, rue de Gergovie,
75014 Paris.
01 45 45 31 02.

Cyclo-tourisme

Fédération Française de Cyclisme
5, rue de Rome,
93561 Rosny-sous-Bois Cedex
01 49 35 69 00.

Équitation

Fédération française d'équitation (délégation au tourisme équestre)
30, av. d'Iéna,
75116 Paris.
01 53 67 44 44.

Ligue Équestre du Centre-Vallée de la Loire
1 bis, rue Henri-Roy,
45000 Orléans.
02 38 53 73 11.

Association Régionale de Tourisme Équestre Vallée de la Loire-Océan
Le Moulin-de-la-Bille
44150 Saint-Herblain.
02 40 98 05 76.

Pêche

Conseil Supérieur de la Pêche
134, av. de Malakoff,
75016 Paris.
01 45 00 08 30.

Golf

Fédération Française de Golf
69, av. Victor-Hugo,
75016 Paris.
01 44 17 63 00.

Sports nautiques

Fédération Française de Voile
55, av. Kléber, 75016 Paris.
01 44 05 81 00.

Canoë-Kayak

Ligue Pays de la Loire
Le Bocage-Épire,
49170 Savenières.
02 41 77 14 53.

En ballon

France Montgolfières
La Riboulière,
41400 Monthou-sur-Cher.
02 54 71 75 40.

La Boîte à Pêche
CREPERIE
SALADERIE
PIZZERIA
GLACES
LE SAINT LOUIS
Plongée
Mamie Blue
MILZO

Renseignements pratiques

MODE D'EMPLOI

Dans la vallée de la Loire, comme partout en France, la haute saison se situe entre le 15 juin et la fin du mois d'août. Mais la région est toujours en mesure de satisfaire pleinement les besoins des touristes : elle propose des hébergements très divers – des hôtels haut de gamme et des châteaux-hôtels aux petits terrains de camping –, un vaste choix d'excellents restaurants et un large éventail d'activités sportives et de loisirs propre à contenter tous les goûts.

Logo des offices du tourisme

Compte tenu de l'incroyable richesse du patrimoine architectural – châteaux et cathédrales – et des paysages naturels – des plages balayées par le vent de la côte atlantique aux marais restés à l'état naturel –, il convient que vous déterminiez avant de partir ce que vous désirez voir en priorité et de vérifier que les lieux que vous comptez visiter ne sont pas fermés pour les vacances ou pour cause de restauration. Le service Minitel 3615 Valdeloire et les offices du tourisme régionaux, départementaux et locaux peuvent vous fournir ces informations.

Les indications qui suivent devraient faciliter votre séjour.

Le syndicat d'initiative de Fontenay-le-Comte

LES INFORMATIONS TOURISTIQUES

La plupart des grandes villes possèdent un office du tourisme ou un syndicat d'initiative ; dans les localités de moindre importance, c'est en général la mairie qui en fait office. Nous avons indiqué dans ce guide les adresses et numéros de téléphone des offices de tourisme de toutes les localités présentées. Ces organismes sont généralement en mesure de vous aider à trouver un hébergement et certains peuvent même vous réserver un hôtel. Ils mettent également à disposition des plans de ville, brochures et dépliants sur les curiosités du lieu et peuvent vous renseigner à propos des activités de la région.

LES HORAIRES D'OUVERTURE

En général, la plupart des boutiques et des banques sont ouvertes de 8 h ou 9 h à midi et de 14 h ou 15 h jusqu'à 18 h, du mardi au samedi *(p.220-221 et p.236-237)*. Un grand nombre de magasins et de banques ferment le lundi et à l'heure du déjeuner, alors que les grands magasins, les supermarchés, les offices du tourisme et certains monuments restent parfois ouverts sans interruption. Les restaurants ferment parfois un jour par semaine, et il est préférable de s'informer avant de s'y rendre *(p.208-209)*. Hors saison, les fermetures sont nombreuses. Renseignez-vous quant aux hôtels et restaurants, certains fermant plusieurs mois.

Brochures touristiques

LES MONUMENTS

Dans la vallée de la Loire, nombre de musées ferment pour le déjeuner. Ils ouvrent habituellement de 9 h à midi et de 14 h à 17 h 30 et ont en règle générale un jour de fermeture hebdomadaire : le mardi pour les monuments nationaux et souvent le lundi pour les musées municipaux. Mais ces horaires varient en fonction des

Terrasse de café aux Sables-d'Olonne

Pendant le festival de Luçon

saisons, la plupart des musées restant ouverts plus longtemps de mai à septembre. Quelques-uns ferment durant le mois de novembre.

Les musées perçoivent un droit d'entrée allant de 10 à 40 F. Les billets donnant accès à plusieurs musées ou monuments sont rares.

Les étudiants titulaires de la Carte Internationale d'Étudiant (ISIC) *(p.233)* ou de la Carte Jeune bénéficient en général d'une réduction. Les visiteurs de moins de 18 ans et de plus de 65 ans également. Beaucoup de musées offrent des prix réduits ou la gratuité le dimanche.

Logo indiquant l'accès possible aux handicapés

Les églises et les cathédrales sont ouvertes tous les jours, mais ferment parfois à l'heure du déjeuner. D'ordinaire, l'accès y est gratuit, mais il faut parfois acquitter un droit d'entrée modique pour visiter cloîtres, clochers ou cryptes.

Accès handicapés

Dans certains petits villages médiévaux de la vallée de la Loire, aux rues étroites et sinueuses, il est parfois difficile de se déplacer en fauteuil roulant. Toutefois, dans cette région, on a fait beaucoup d'efforts pour faciliter les déplacements des voyageurs handicapés. Nombre de châteaux et de musées offrent des aménagements spéciaux et le personnel se montre toujours prévenant. Toutefois, il est toujours préférable de vous renseigner à l'avance pour savoir si tel ou tel monument est d'accès commode. De même, de nombreux hôtels et restaurants ont aménagé des rampes pour faciliter les déplacements des personnes à mobilité réduite. On peut obtenir des informations concernant des lieux spécifiques dans les mairies et les offices du tourisme de la région. Pour obtenir avant de partir de plus amples renseignements, contacter le **Comité National de Liaison pour la Réadaptation des Handicapés.**

Billet d'entrée pour Chenonceau

Information spectacles

On peut s'informer des spectacles soit en se procurant les programmes des événements culturels de la saison dans les syndicats d'initiative – on les trouve aussi dans de nombreux hôtels et campings –, soit en achetant des journaux ou des magazines locaux, dans lesquels on peut également trouver des informations sur les festivals et les événements sportifs, plus les prévisions météorologiques.

Enseigne d'un tabac

Carnet d'adresses

Maisons de la France

Belgique
21 av. de la Toison d'Or,
1050 Bruxelles.
☎ *(2) 513 07 62.*
FAX *(2) 221 8682.*

Canada
1981 av. Mc Gill College, Suite 490, Montréal Que H3A2W9.
☎ *(514) 288 42 64.*

Suisse
2 rue Thalberg, 1201 Genève.
☎ *(22) 732 86 10.*

Offices du tourisme de la vallée de la Loire

Angers
Pl. Kennedy.
☎ *02 41 23 51 11.*

Blois
5, rue de la Voûte-du-Château.
☎ *02 54 78 55 50.*

Bourges
21, rue Victor-Hugo.
☎ *02 48 24 75 33.*

Chartres
Pl. de la Cathédrale.
☎ *02 37 21 50 00.*

Le Mans
Rue de l'Étoile.
☎ *02 43 28 17 22.*

Nantes
Pl. du Commerce.
☎ *02 40 47 04 51.*

Orléans
Pl. Albert-Ier.
☎ *02 38 53 05 95.*

Tours
78–82, rue Bernard-Palissy.
☎ *02 47 70 37 37.*

Personnes handicapées

Comité National pour la Réadaptation des Handicapés
236 bis, rue de Tolbiac,
75013 Paris.
☎ *01 53 80 66 66.*
Minitel 3614 HANDITEL.

La douane et l'immigration

Les ressortissants de l'Union Européenne et les citoyens helvétiques et canadiens n'ont pas besoin de visa pour effectuer un séjour touristique de moins de trois mois en France. Toutefois, les mineurs les accompagnant doivent être munis d'une pièce d'identité et, éventuellement, d'une autorisation parentale de sortie du territoire.

Parfum disponible en duty-free

Exonération de la TVA

Les visiteurs n'appartenant pas à l'Union Européenne peuvent demander le remboursement de la TVA pour tout achat d'une valeur supérieure à 2 000 F effectué dans le même magasin et destiné à être exporté dans un délai de six mois. Le magasin, qui doit vous fournir un formulaire de détaxe, vous renseignera sur les formalités à effectuer *(p.221)*.

Certains biens ne donnent pas droit à cette détaxe, tels que les produits alimentaires, les boissons, les médicaments, le tabac, les cigarettes et les cigares, ainsi que les automobiles et les motos (à la différence des bicyclettes).

Franchise douanière

Jusqu'au 31 juin 1999, les ressortissants de l'Union Européenne peuvent importer en France sans frais de douane jusqu'à 5 l de vin et 2,5 l de spiritueux titrant plus de 22°, ou 3 l titrant moins de 22°, 75 g de parfum, 1 kg de café, 200 g de thé et 300 cigarettes.

Pour les autres visiteurs, ces limites sont de 2 l de vin et 1 l de spiritueux ou 2 l titrant moins de 22°, 50 g de parfum, 500 g de café, 100 g de thé et 200 cigarettes. Les mineurs de moins de 17 ans ne sont pas autorisés à importer ni à exporter de l'alcool ou du tabac en franchise douanière, même dans le but de les offrir.

L'importation d'autres produits

Outre les produits cités ci-dessus, peuvent entrer en France sans taxe d'importation tous les biens à usage indubitablement personnel. En cas de doute ou si vous désirez obtenir de plus amples informations, contactez les services de renseignement des douanes. La brochure *Bon Voyage*, disponible dans les **Centres de Renseignements des Douanes**, répond à toutes les questions que vous pouvez vous poser dans ce domaine.

Les étudiants

Les titulaires d'une carte d'étudiant – nationale ou internationale – en cours de validité peuvent bénéficier de réductions de 25 % à 50 % dans les théâtres, musées, cinémas et dans de nombreux monuments. Nantes et Tours sont les deux grandes villes universitaires de la vallée de la Loire, mais d'autres universités sont également implantées au Mans, à Angers, à Laval, à Orléans et à La Roche-sur-Yon.

À Orléans, les bureaux du **Centre Régional d'Information Jeunesse** (CRIJ) fournissent une documentation sur les activités pendant les vacances scolaires, ainsi que des listes d'hébergements bon marché.

Salutations rituelles

Carte internationale d'étudiant

La presse

Tous les grands quotidiens nationaux arrivent le matin ou l'après-midi même chez les marchands de journaux dans toute la vallée de la Loire, mais c'est la presse quotidienne régionale qui compte le plus de lecteurs. *Ouest-France*, le quotidien français au plus fort tirage, couvre toute la région des Pays de Loire. Ces éditions locales sont parfois accompagnées de suppléments. *La Nouvelle République du Centre-Ouest* fait aussi paraître plusieurs éditions locales. On trouve d'autres quotidiens régionaux à diffusion plus réduite, comme *Le Berry Républicain*, *Presse Océan* (Vendée et Loire-Atlantique), *Le Maine libre* (Sarthe), *Le Courrier de l'Ouest* (Maine-et-Loire), et un certain nombre de revues spécialisées, comme *Le Magazine de la Touraine* ou *Le Journal de la Sologne*, qui s'intéressent à l'environnement, à la vie locale et au passé régional.

La télévision et la radio

En zone rurale, la diffusion hertzienne des chaînes dites « généralistes » n'est pas partout parfaitement assurée. Si *TF1, France 2, France 3* et *Canal +* se captent généralement bien, la réception de *M6* et de *La 5/Arte* exige fréquemment l'installation d'une antenne parabolique et un équipement de réception satellite. En ville, certains hôtels proposent, en plus des grandes chaînes, les programmes diffusés par câble.

Les journaux régionaux de *France 3* (à 12 h et 19 h) offrent un aperçu intéressant de l'actualité locale et proposent souvent des reportages sur des personnalités régionales et des sites typiques ou pittoresques.

En ce qui concerne la radio, l'abondance règne à proximité des grandes villes, car de nombreuses radios locales – parmi lesquelles les antennes régionales de *Radio France* – concurrencent les réseaux nationaux.

Les spectacles

Pour être informé des spectacles, les quotidiens régionaux, les radios privées locales, les stations régionales de *Radio France* et les journaux d'information régionaux de *France 3* constituent de bonnes sources de renseignements.

De nombreux magazines et quotidiens nationaux évoquent également les programmes des grands festivals d'été. L'offre est si foisonnante pendant cette saison, jusque dans les plus petits villages, qu'il n'est pas inutile d'examiner les affiches ou de se renseigner auprès des offices du tourisme.

Enfin, rappelons que la *Maison de la France* édite et distribue gratuitement une brochure intitulée « France en Fêtes », qui répertorie, région par région, tous les festivals, son et lumière, spectacles et manifestations diverses (artistiques, traditionnelles, sportives, gastronomiques...), en indiquant les numéros de téléphone à appeler pour obtenir de plus amples informations. On peut se la procurer dans les diverses *Maisons de la France*, à Paris et à l'étranger *(p.231)*.

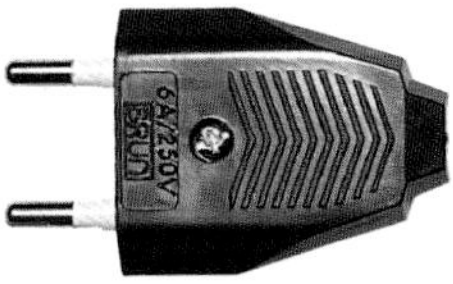

Prise électrique

Électricité

Les prises électriques obéissent en France aux normes européennes (courant alternatif 220 volts), mais elles peuvent parfois poser problèmes aux visiteurs anglo-saxons. C'est pourquoi certains hôtels ont prévu des fiches comportant des adaptateurs incorporés, utiles notamment pour les rasoirs électriques.

Services religieux

Historiquement, la vallée de la Loire est de tradition catholique, mais, comme partout en France, les autres grandes religions monothéistes possèdent aussi leurs lieux de culte, notamment dans les grandes villes.

Carnet d'adresses

Renseignements douaniers

Paris
23 bis, rue de l'Université.
☎ *01 40 24 65 10.*
Orléans
Rte N 20, Saran.
☎ *02 38 73 48 75.*
Nantes
9, bd Saint-Aignan.
☎ *02 40 73 52 15.*

Informations jeunes

Paris
CIDJ
101, quai Branly,
75007 Paris.
☎ *01 44 49 12 00.*
Orléans
CRIJ Région Centre,
5, bd de Verdun.
☎ *02 38 78 91 78.*

Ambassades et consulats

Belgique
Consulat Royal de Belgique,
2, av. Jean-Claude-Bonduelle,
44200 Nantes.
☎ *02 40 12 96 77.*
Canada
35, av. Montaigne,
75008 Paris.
☎ *01 44 43 29 00.*
Suisse
142, rue de Grenelle,
75007 Paris.
☎ *01 49 55 67 00.*

Auberges de jeunesse

Angers
Centre d'Accueil du Lac de Maine,
49, av. du Lac-de-Maine.
☎ *02 41 22 32 10.*
Bourges
Auberge de Jeunesse,
22, rue Henri-Sellier.
☎ *02 48 24 58 09.*
Le Mans
Auberge de Jeunesse,
23, rue Maupertuis.
☎ *02 43 81 27 55.*
Nantes
Résidence Sonacotra Julienne David,
85, pl. Menetrier.
☎ *02 40 93 28 30.*
Orléans
14, fbg Madeleine.
☎ *02 38 62 45 75.*
Tours
Parc Grandmont,
av. d'Arsonval.
☎ *02 47 25 14 45.*

Lieux de culte

Catholique
La cathédrale Saint-Étienne,
Pl. de la Cathédrale,
Bourges.
La cathédrale Notre-Dame,
Pl. de la Cathédrale,
Chartres.
La cathédrale Saint-Gatien,
Pl. de la Cathédrale, Tours.
La cathédrale Saint-Pierre-et-Saint-Paul,
Pl. Saint-Pierre, Nantes.
Protestant
Temple Protestant,
5–7, rue du Musée, Angers.
☎ *02 41 48 06 07.*
Église Protestante,
21, rue de Cheverus, Laval.
☎ *02 43 53 74 90.*
Juif
Synagogue,
4–6, bd Paixhans, Le Mans.
Synagogue,
14, rue Robert-de-Courtenay, Orléans.
☎ *02 38 62 16 62.*
Musulman
Mosquée,
av. Rembrandt, Le Mans.
Grande Mosquée de Tours,
rue Avizo, Tours.
☎ *02 47 66 38 03.*

Santé et sécurité

Dans l'ensemble, la vallée de la Loire est une région somme toute assez paisible, où la délinquance et le vol sont relativement peu répandus.

Si vous tombez malade durant votre séjour, souvenez-vous que les pharmaciens sont toujours prêts à vous donner des conseils. En cas d'urgence, vous pouvez consulter les offices de tourisme, ou appeler les urgences des hôpitaux de la région.

L'assistance

En cas d'accident, d'agression ou de problème de sécurité, pensez immédiatement à regarder autour de vous pour faire appel à d'éventuels témoins, notamment s'il s'agit d'un accident de voiture, puis téléphonez au 17 (police).

En cas de vol, faites une déclaration au commissariat de police, ou à la gendarmerie.
Toute déclaration de perte ou de vol de papiers s'effectue à la mairie qui remet un récépissé. Pour obtenir une nouvelle pièce d'identité, il faut fournir ce récépissé en plus des documents exigés pour une première demande.

Si c'est votre carte bancaire qui disparaît, prévenez aussitôt votre centre de gestion *(p.236)*. En cas de perte ou de vol d'un chéquier, il faut s'adresser à sa propre agence bancaire pour faire opposition. La démarche sera facilitée si vous avez pris la précaution de noter son numéro de téléphone.

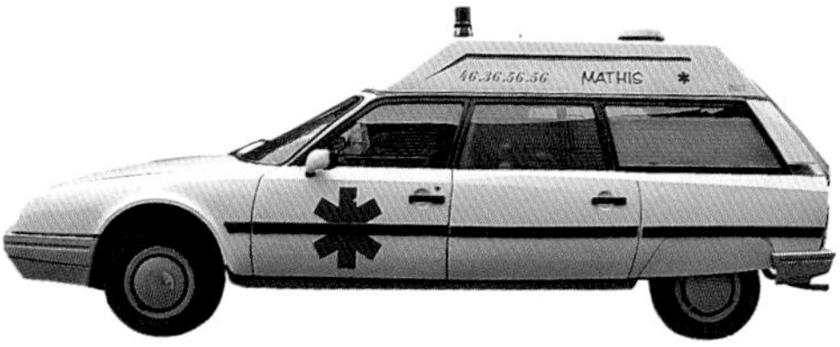

Ambulance

Véhicule de pompiers

Voiture de police

Gendarme **Pompier**

En cas d'accident

En cas d'urgence, appelez le SAMU (Service d'Aide Médicale d'Urgence) par le 15, ou les sapeurs-pompiers par le 18 ; très présents à la campagne, ils sont tout à fait capables de dispenser des soins d'urgence et d'acheminer les blessés vers un établissement spécialisé. Pensez à baliser autant que possible les abords d'un accident, avec un triangle réglementaire ou, à défaut, des branchages. Indiquez immédiatement par téléphone le lieu exact de l'accident et le nombre de blessés.

Sauf danger immédiat (incendie surtout), ne sortez pas un blessé d'un véhicule avant l'arrivée des secours. Évitez de déplacer un accidenté si vous n'avez pas de notions de secourisme ; il est préférable d'arrêter ou de détourner la circulation.

La santé

S'il ne faut pas hésiter à consulter les services d'urgences des hôpitaux en cas de problèmes de santé graves, pour un simple petit bobo le pharmacien saura vous conseiller et vous donner les adresses des médecins des environs. Sinon, vous trouverez dans les Pages Jaunes de l'annuaire (à la rubrique Médecins) la garde départementale des médecins généralistes. Celle des ambulanciers (ATSU) se joint directement ou par le 15 (SAMU). Pendant leurs heures et jours de fermeture, les pharmacies affichent sur un panneau fixé à la porte le nom de l'officine de garde la plus proche.

En plus des problèmes dermiques, le plus souvent des champignons, aux conséquences généralement bénignes, les estivants s'exposent par grande chaleur à deux affections qui peuvent s'avérer beaucoup plus graves et demandent des soins urgents : l'insolation et les phénomènes de déshydratation chez l'enfant, dus à la chaleur. En été, pensez à ne jamais manquer d'eau et à surveiller les nourrissons.

Drapeau vert : baignade surveillée

En plein air

Plus dangereuses que celles de la Méditerranée, les plages de l'Atlantique sont surveillées en été par des garde-côtes. Il existe un certain nombre de plages familiales où la baignade représente moins de risque. De toute façon, mieux vaut se fier aux indications des drapeaux des services de surveillance (vert, baignade autorisée ; orange, baignade dangereuse ; rouge, baignade interdite). Les plages surveillées sont indiquées par des drapeaux. Le vent est à l'origine de la plupart des interventions de sauvetage : matelas pneumatiques ou planches à voile entraînés au large, plaisanciers surpris en mer par un changement climatique brutal. Le drapeau bleu, désormais en usage dans l'Union Européenne, garantit la propreté de l'eau.

Très souvent, la Loire et ses nombreux affluents donnent envie de se baigner, mais il faut être prudent car on y rencontre des courants qui peuvent être assez forts et de nombreux bancs de sable. Optez pour les plages où la baignade est autorisée.

Les toilettes publiques

Les antiques vespasiennes, pittoresques mais insalubres, ont disparu dans les grandes villes. Des toilettes payantes les remplacent, installées le plus souvent sur les trottoirs. Ces sanisettes sont équipées d'un système de nettoyage et de désinfection automatique et ne doivent pas être utilisées par des enfants de moins de dix ans non accompagnés. Dans beaucoup d'agglomérations, la seule autre solution consiste à se servir des toilettes d'un café, mais de plus en plus d'établissements en font payer l'accès.

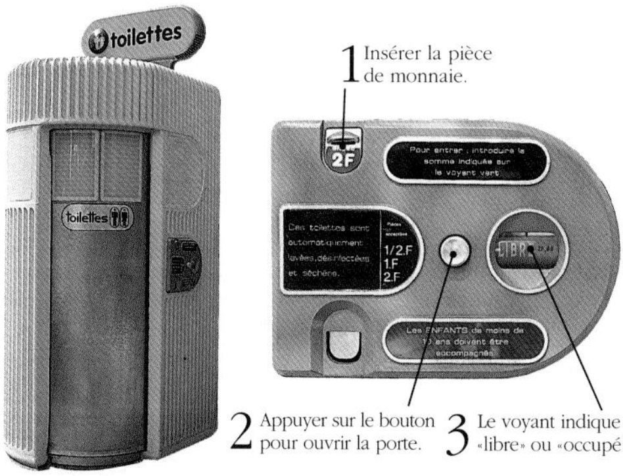

1 Insérer la pièce de monnaie.

2 Appuyer sur le bouton pour ouvrir la porte.

3 Le voyant indique «libre» ou «occupé».

Carnet d'adresses

Numéros de téléphone utiles

Ambulance (SAMU) ☎ *15.*

Sapeurs-Pompiers ☎ *18.*

Police (Gendarmerie) ☎ *17.*

Centre anti-poison, Angers ☎ *02 41 48 21 21.*

Météorologie nationale ☎ *08 36 68 02 xx.*
xx = numéro du département.

Services d'urgence hospitaliers

Angers
Centre Hospitalier,
4, rue Larrey.
☎ *02 41 35 36 37.*

Bourges
Centre Hospitalier,
route de Nevers.
☎ *02 48 48 48 48.*

Chartres
Hôpital,
34, rue du Docteur-Maunoury.
☎ *02 37 30 30 30.*

Châteauroux
Centre Hospitalier,
216, avenue de Verdun.
☎ *02 54 29 60 00.*

Laval-Est
54, quai Béatrix-de-Gâvre.
☎ *02 43 67 11 72.*

Laval-Ouest
62, rue Félix-Faure.
☎ *02 43 56 92 64.*

Le Mans
Centre Hospitalier du Mans,
194, avenue Rubillard.
☎ *02 43 43 43 43.*

Nantes
Centre Hospitalier,
place Alexis-Ricordeau.
☎ *40 08 33 33.*

Orléans
Centre Hospitalier Régional,
14, av. de l'Hôpital.
☎ *02 38 51 44 44.*

Tours
Hôpital Bretonneau,
2, boulevard Tonnellé.
☎ *02 47 47 47 47.*

Banques et monnaie

Les principales banques sont bien représentées dans la vallée de la Loire et possèdent une agence dans chaque ville, voire plusieurs dans les agglomérations importantes. En zone rurale, c'est logiquement le Crédit Agricole qui reste le mieux implanté, mais il a perdu son ancien monopole. Dans les plus petits villages, le guichet de la poste constitue parfois le dernier recours. Mais les distributeurs de billets sont de plus en plus nombreux et, comme partout en France, l'usage de la carte bancaire se substitue toujours davantage à celui des chèques ou des espèces.

LE CHANGE

L'importation de devises étrangères en France n'est soumise à aucune restriction et on trouve des bureaux de change dans les gares et les aéroports ainsi que dans les zones touristiques, en particulier autour des châteaux. Les taux offerts et les commissions prélevées par ces bureaux de change comme par les banques sont variables. Renseignez-vous précisément avant d'effectuer toute transaction.

HORAIRES DES BANQUES

La majorité des banques sont ouvertes du lundi au vendredi ou du mardi au samedi de 8 h 30 ou 9 h jusqu'à 17 h. Dans les grandes villes, elles restent souvent ouvertes entre 12 h et 14 h, tandis que dans les petites localités la pause du déjeuner reste sacrée. Les veilles de jours fériés, la plupart des agences ferment à midi.

Composez votre code !

LES CHÈQUES DE VOYAGE

Émis par American Express, Thomas Cook ou votre banque habituelle, les chèques de voyage constituent un moyen sûr pour transporter de l'argent car ils sont immédiatement remplacés en cas de vol. Ceux de l'American Express sont les plus largement acceptés et cette société ne prélève pas de commission lorsqu'ils sont échangés dans ses bureaux. Les agences à l'étranger du Crédit Lyonnais délivrent des chèques de voyage libellés en francs et offrent généralement le meilleur taux de change à l'étranger.

Logo Eurochèque

LES EUROCHÈQUES

Garantis par la carte Eurochèque (payante), ils permettent, dans les pays de l'Union Européenne, de rédiger dans la monnaie locale des chèques d'un montant maximum de 1 400 F (pour une somme supérieure, il faut en faire plusieurs) ou de retirer de l'argent liquide dans une banque ou une poste.

DISTRIBUTEURS DE BILLETS ET CARTES BANCAIRES

L'implantation des distributeurs automatiques de billets se poursuit, y compris en zone rurale, et, avec une carte bancaire, il est désormais possible de retirer de l'argent liquide 24 h sur 24 dans un grand nombre de bourgs. Ces distributeurs acceptent en général les cartes Visa et Mastercard.

Pour les paiements, c'est la carte Visa qui est la plus répandue, mais les hôtels et restaurants s'adressant à une clientèle étrangère acceptent les cartes American Express et Diner's Club.

En cas de perte ou de vol de carte, faites immédiatement opposition.

CARNET D'ADRESSES

BUREAUX DE CHANGE

Angers
Office de Tourisme,
11, pl. Président-Kennedy.
02 41 23 51 11.

Bourges
La Poste Principale,
rue Mayenne.
02 48 68 82 82.

Le Mans
Crédit Lyonnais,
35, pl. de la République.
02 43 47 33 33.
Société Générale,
43, pl. de la République.
02 43 21 57 00.

Nantes
Change Graslin,
17, rue Jean-Jacques-Rousseau.
02 40 69 24 64.

Orléans
Banque de France,
30, rue de la République.
02 38 77 78 78.
Crédit Lyonnais,
7, pl. du Martroi.
02 38 75 63 78.

Tours
20, pl. Jean-Jaurès
(Change automatique 24 h/24).
Société Générale,
3, bd Heurteloup.
02 47 21 75 75.

AMERICAN EXPRESS

Orléans
American Express,
12, rue du Martroi.
02 38 53 69 49.

EN CAS DE PERTE OU DE VOL

American Express (cartes)
01 47 77 70 00.
American Express (chèques)
08 00 90 86 00.
Visa/Mastercard
01 42 71 11 90.
01 54 42 12 12.
Diner's Club
01 47 62 75 00.
Votre numéro de code est strictement confidentiel : ni votre banque ni votre centre d'opposition ne doivent en être informés.

LES BILLETS DE BANQUE

Une nouvelle génération de billets de banque a été inaugurée en 1993 avec le Saint-Exupéry de 50 F, suivi en 1995 par le Pierre et Marie Curie (500 F). La Banque de France a démontré son savoir-faire en rendant ces billets infalsifiables. De nouveaux billets de 100 F et de 200 F devraient constituer les dernières émissions de la Banque de France avant l'adoption d'une monnaie européenne unique.

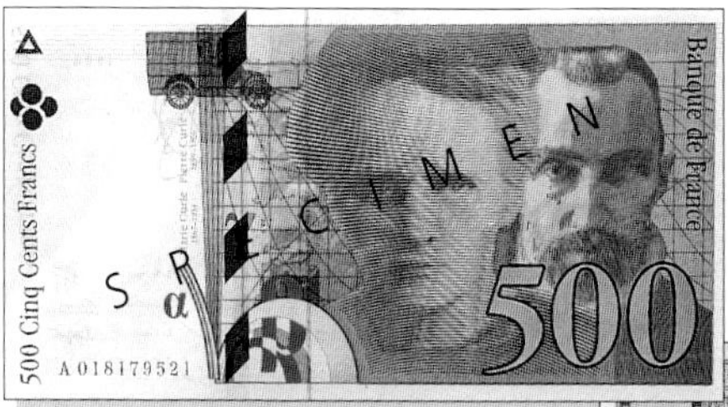

Billet de 500 F

Billet de 200 F

Billet de 100 F

Billet de 50 F

Billet de 20 F

Les pièces de monnaie

Les types gravés sur les pièces de 5, 10, 20 et 50 centimes et de 1 à 5 F ont été dessinés par des artistes célèbres du XIXe siècle. Le Génie de la Bastille et le Mont-Saint-Michel décorent le revers des pièces de 10 et 20 F.

20 F

10 F

5 F

2 F

1 F

50 centimes

20 centimes

10 centimes

5 centimes

Les communications et la Poste

Enseigne des cabines publiques

L'époque où il fallait attendre deux ans l'installation d'une ligne de téléphone appartient définitivement au passé. Une semaine suffit à présent, preuve des progrès considérables effectués dans ce domaine par la France, devenue l'un des pays à l'avant-garde de la téléphonie. Jusque dans les villages, les téléphones publics fonctionnent de plus en plus souvent avec des cartes.

Quant à la Poste, elle a changé de statut en 1991. Obtenant une plus grande autonomie, elle propose de nouveaux services et un nouvel espace d'accueil.

Pour utiliser un publiphone à carte

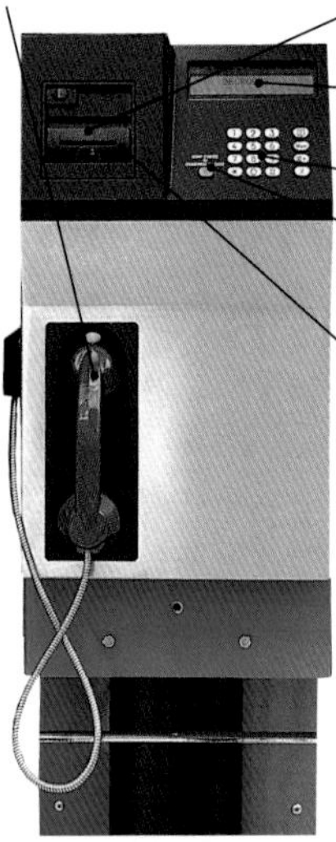

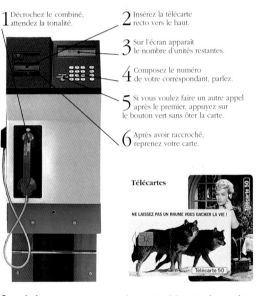

1 Décrochez le combiné, attendez la tonalité.

2 Insérez la télécarte recto vers le haut.

3 Sur l'écran apparaît le nombre d'unités restantes.

4 Composez le numéro de votre correspondant, parlez.

5 Si vous voulez faire un autre appel après le premier, appuyez sur le bouton vert sans ôter la carte.

6 Après avoir raccroché, reprenez votre carte.

Télécartes

Le téléphone

Il existe encore des téléphones publics fonctionnant avec des pièces de 1, 2, 5 et 10 F, mais ils disparaissent peu à peu au profit des publiphones à carte. Ceux-ci acceptent non seulement les télécartes vendues dans les bureaux de tabac et les postes, mais aussi la Carte France Télécom qui permet aux abonnés de régler leurs communications en déplacement en même temps que la facture de leur propre ligne.

On peut contacter gratuitement les services d'urgence (SAMU, police et pompiers) à partir de tous les téléphones publics. Les cabines possèdent un numéro, affiché à l'intérieur, qui permet de se faire rappeler (le PCV n'existe plus en France).

Dans les cafés, les appareils à pièces restent la règle. Tous les bureaux de poste proposent des appareils à pièces, mais offrent en outre la possibilité, en passant par le guichet, de régler les communications après avoir raccroché. Ils mettent également à disposition des minitels permettant de consulter gratuitement l'annuaire électronique. Dans les hôtels, les communications font l'objet d'un supplément.

Ce jaune caractérise les boîtes aux lettres

Si vous possédez un téléphone mobile, il risque de ne pas fonctionner dans certaines zones excentrées.

Une nouvelle numérotation a été mise en place en octobre 1996. Tous les numéros ont désormais dix chiffres, les 8 anciens précédés de 01 pour l'Île-de-France, 02 pour le Nord-Ouest, 03 pour le Nord-Est, 04 pour le Sud-Est et 05 pour le Sud-Ouest.

Le Minitel

Lancé en 1984 après une phase d'expérimentation, ce petit terminal informatique a su s'imposer auprès de millions d'abonnés au téléphone. Certains hôtels et bureaux de poste mettent à disposition des minitels permettant de consulter l'annuaire électronique et de se connecter sur des centres serveurs. Une possibilité bien pratique pour effectuer des réservations, notamment de train ou d'avion *(p.241 et 242)*.

La Poste

Télécommunications et services postaux dépendent désormais de deux organismes indépendants. La Poste, avec ses 17 000 bureaux, assure un service fiable (hors périodes

Les timbres courants, distribués aussi par les buralistes

de grève) : les trois quarts des lettres affranchies au tarif normal (3 F jusqu'à 20 g au 1er mai 1996) arrivent le lendemain à destination sur le territoire métropolitain. Nettement plus coûteux, les services Distingo, Colissimo et Chronopost garantissent des délais d'acheminement précis.

De plus en plus de bureaux de poste sont désormais équipés de distributeurs automatiques de timbres et de machines à affranchir qui évitent l'attente au guichet. N'oubliez pas qu'une lettre de plus de 20 g doit comporter la mention « LETTRE ».

Le courrier en poste restante doit porter en plus du nom du destinataire la mention « POSTE RESTANTE », le nom du bureau de poste, celui de la ville et le code postal. Il faut présenter une pièce d'identité pour retirer le courrier. La réexpédition de son courrier. coûte 110 F et exige environ 4 jours avant de devenir effectif.

Eurochèques et comptes chèques postaux permettent de retirer de l'argent liquide aux guichets de la Poste.

Pour se connecter au Minitel

Pour accéder à l'annuaire électronique, composez le 36 11 (service gratuit pendant les 3 premières minutes) ; pour joindre un autre centre serveur, composez le 3614, 3615, etc., attendez la tonalité, appuyez sur *Connexion/Fin*, raccrochez et tapez le code du service. Le guide des services disponibles se consulte par le 3614 code MGS. Certains ont désormais des numéros à 8 chiffres. Appuyez sur *Connexion/Fin* pour interrompre la consultation et sur *Sommaire* pour connaître le coût de vos communications.

Les codes postaux des départements

Chaque localité dispose d'un code postal à 5 chiffres depuis 1972. Les deux premiers chiffres correspondent au numéro minéralogique du département, les trois autres au bureau distributeur ; le 000 correspond au chef-lieu de département.

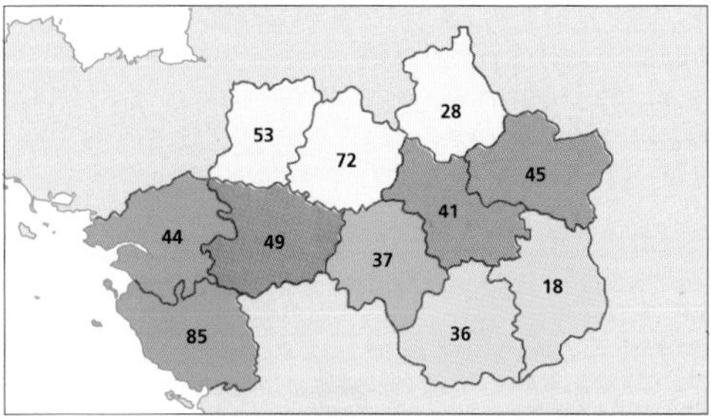

Département	Code postal	Chef-lieu
Cher	18	Bourges
Eure-et-Loir	28	Chartres
Indre	36	Châteauroux
Indre-et-Loire	37	Tours
Loir-et-Cher	41	Blois
Loire-Atlantique	44	Nantes
Loiret	45	Orléans
Maine-et-Loire	49	Angers
Mayenne	53	Laval
Sarthe	72	Le Mans
Vendée	85	La Roche-sur-Yon

Les journaux étrangers

Leur distribution varie selon les régions, mais même en zone rurale les maisons de la presse importantes en proposent. On peut acheter l'*International Herald Tribune*, le *Financial Times* et le *Guardian* le jour même de leur parution, mais, pour la plupart, les autres journaux n'arrivent que le lendemain, en dehors des mois d'été où, vu l'afflux de touristes étrangers, on s'efforce d'y remédier.

La presse étrangère disponible dans la vallée de la Loire

Quelques numéros utiles

- Renseignements pour la France et les DOM : 12.
- Renseignements pour l'étranger et les TOM : 00 33 12 + indicatif du pays.
- Dérangements : 13.
- Pour envoyer un télégramme par téléphone : 36 55 36 56 par Minitel.
- Pour joindre l'horloge parlante : 36 99.
- Pour vous faire réveiller par téléphone : 36 88.
- Indicatifs des pays :
  Belgique 32,
  Canada 31,
  Suisse 41.

SE DÉPLACER

Située à 110 km au sud de Paris, la vallée de la Loire dispose d'un bon réseau autoroutier, bien que son tracé, conçu en fonction d'impératifs nationaux et européens, ne prévoie pas de liaison directe entre les deux métropoles régionales, Orléans et Nantes. La seconde possède un aéroport international dont les vols desservent la majorité des villes européennes. Le TGV traverse maintenant toute la région et le voyage de Paris à Nantes dure 2 h à 2 h 15. Cette solution peut se révéler particulièrement intéressante en été, pour éviter les autoroutes surchargées en cette saison.

Vers l'aéroport

L'AÉROPORT DE NANTES

L'aéroport Nantes-Atlantique, à 50 mn de vol de Paris, est directement relié à la plupart des grandes villes européennes et méditerranéennes, ainsi qu'à Montréal et Toronto. On y trouve des restaurants, des bars, deux hôtels, des kiosques à journaux, une boutique cadeaux, une banque avec un bureau de change (qui observe les heures habituelles d'ouverture des banques, voir *p.236)* et naturellement un bureau d'information qui peut vous réserver un hôtel si vous le désirez.

Les parents qui voyagent avec de jeunes enfants et des bagages peuvent être secondés par le personnel de l'aéroport et trouveront des espaces spécialement aménagés pour y changer les bébés. L'édifice offre également un accès commode aux personnes en fauteuil roulant que l'on aide par ailleurs à embarquer et à débarquer.

Le trajet en taxi entre l'aéroport et le centre de Nantes coûte environ 120 F – il faut naturellement compter plus la nuit ou le dimanche – et le car Air France coûte 36 F. Les autobus qui font la navette entre l'aéroport et le centre sont planifiés pour se trouver sur place au moment où les passagers débarquent en plus grand nombre. On trouvera également à Nantes-Atlantique toute une série de loueurs de voiture : Ada, Avis, Budget, Citer-Eurodollar, Europcar, Eurorent et Hertz. Leur bâtiment est situé à l'extérieur, face à l'aérogare.

Caution pour chariots d'aéroport

LES LIAISONS AÉRIENNES

Air Inter-Europe assure encore en France la majeure partie des vols intérieurs et propose six vols quotidiens entre Paris et Nantes. Mais depuis la récente libéralisation des transports aériens, d'autres compagnies, comme TAT, Air Littoral et AOM, proposent également des liaisons régulières avec Nantes-Atlantique au départ de Paris et, pour certaines, notamment Air Littoral et Regional Airlines, dont les sièges se trouvent à Montpellier et à Rouen, au départ de grandes villes de province.

Si vous envisagez de continuer votre voyage à l'étranger, de nombreux vols directs, assurés notamment par Air France depuis Nice et Marseille, desservent la Méditerranée et l'Afrique ainsi que toutes les grandes capitales européennes. Pour d'autres destinations, il vous faudra probablement effectuer un changement.

L'aéroport Nantes-Atlantique

La compagnie Sabena ne dessert pas Nantes, mais Regional Airlines propose deux allers-retours Bruxelles-Nantes par jour du lundi au vendredi, via Le Havre. Swissair effectue des vols réguliers vers la métropole de la Loire-Atlantique depuis Genève, Bâle/Mulhouse et Zurich, avec une escale à Lyon, Paris ou Bordeaux, et Regional Airlines accomplit deux allers-retours par jour entre Genève et Nantes, via Clermond-Ferrand, du lundi au vendredi, et un le dimanche. En partant de Bruxelles ou de Genève, il faut prévoir environ 2 h 10 de vol jusqu'à Nantes.

Air Club (contrôlé par l'agence de voyages Nouvelles Frontières et Air Transat auquel on a accès par l'intermédiaire des agences de voyages) propose des vols charters entre Nantes et le Canada : le mardi et le jeudi à destination de Montréal, le mardi et le vendredi de Toronto. Le voyage dure environ 7 h 30.

LES TARIFS

La concurrence qui règne désormais sur les lignes intérieures a peu fait baisser les tarifs pleins appliqués aux vols destinés aux hommes d'affaires, en début de matinée et en soirée les jours de semaines, la compétition jouant plutôt sur les services proposés. Pour les autres vols, il existe cependant, selon les heures et les jours de départ, de nombreux autres tarifs, tels les tarifs bleu et blanc d'Air Inter.

En règle générale, sur les lignes régulières, les enfants de moins de deux ans paient 10 % du prix normal (mais ne disposent pas de leur propre siège) et ceux de moins de 12 ans 50 %. Il existe également des réductions pour les jeunes et les personnes âgées ou pour des séjours respectant certaines conditions, comme inclure un week-end. Les tarifs de type APEX, notamment, concernent tout le monde mais imposent des réservations bloquées assez longtemps à l'avance.

Air France et la SNCF proposent des forfaits combinés avion/train très avantageux : on prend l'avion jusqu'à Paris, puis le train pour Angers, Nantes ou Tours. Enfin, certaines compagnies aériennes offrent des forfaits extrêmement intéressants qui comprennent en général le trajet en avion, la mise à disposition d'une voiture de location et l'hébergement. Des agences de voyages vendent également des séjours complets dans la vallée de la Loire, comportant le voyage, l'hébergement et souvent des visites organisées ou des animations particulières. Par précaution vérifiez toujours la situation de l'hôtel proposé par rapport au centre-ville.

Un Boeing 737 de la compagnie Air France

CARNET D'ADRESSES

Aéroport de Nantes-Atlantique
02 40 84 80 00.
Distance de la ville : 12 km.

Aéroport de Tours
02 47 54 19 46.
Distance de la ville : 12 km.

COMPAGNIES AÉRIENNES

Air Canada
Montréal (514) 393 80 48.
Paris 01 44 55 52 00.

Air France
Paris 01 44 08 24 24.
Nantes 02 40 47 12 33.
Bruxelles (2) 220 08 00.
Genève (22) 731 33 30.
Montréal (514) 847 11 06.
Minitel 3615 AIRFRANCE.

Air Inter Europe
Paris 01 45 46 90 00.
Nantes 02 51 88 31 08.
Minitel 3615 AIRINTER.

Air Littoral
Montpellier
04 67 15 88 88.
Nantes 02 40 84 83 10.
Paris 01 40 64 76 76.

AOM
Paris 01 49 79 10 00.
Nantes 02 51 84 81 10.

Regional Airlines
Nantes 02 40 13 53 00.
Bruxelles (02) 751 55 56.
Genève n° vert 155 83 79.
Paris 01 48 24 06 15.
Rouen 02 35 79 41 20.

Swissair
Genève 0848 800 700.
Nantes 02 05 30 21 22.
Paris 01 45 81 11 01.
Minitel 3615, 3616 SWISSAIR.

TAT
Paris 01 42 79 05 05.
Nantes 02 40 84 82.83.
Minitel 3615 TAT.

AGENCES DE VOYAGES

Nouvelles Frontières
Angers 02 41 88 41 41.
Bourges 02 48 24 54 07.
Le Mans 02 43 84 42 96.
Nantes 02 40 20 24 61.
Orléans 02 38 53 75 00.
Tours 02 47 64 64 50.
Paris 01 45 68 70 00.
Minitel : 3615, 3616 NF.

Accueil des Jeunes en France
139, bd Saint-Michel,
75005 Paris.
01 43 54 95 86.

FRAM
120, rue de Rivoli,
75001 Paris.
01 40 26 30 31.

FNAC Voyages
1, rue Pierre-Lescot,
75001 Paris
01 40 41 40 78.

Frantour
7, rue Pablo-Neruda,
92532 Levallois-Perret.
01 45 19 17 17.

Havas-Voyage
3615 HAVASVOYAGE.

USIT Voyages
Billets Bige,
12, rue Vivienne,
75002 Paris.
01 42 44 14 00.

Le train

Billetterie automatique

Dans un pays doté de l'un des meilleurs réseaux ferroviaires du monde, le train demeure l'un des moyens les plus commodes pour se rendre en vacances dans la vallée de la Loire. Le plus rapide reste le TGV qui ne met plus que 1 h entre Paris et Le Mans, 2 h à 2 h 15 entre Paris et Nantes, 1 h 30 entre Paris et Laval et 75 mn entre Paris et Tours. Les nombreuses possibilités de réductions en font un moyen de transport économique.

Les principales gares

À Nantes, deux gares accueillent les trains de grande ligne, la gare du Sud et la gare du Nord, situées à faible distance l'une de l'autre. Les TGV arrivent à la gare du Sud, proche du Palais des Congrès. Les autres trains atteignent la gare du Nord.

À Tours, la plupart des trains arrivent à la gare de Saint-Pierre-des-Corps, d'où une navette conduit les passagers à la gare centrale en 10 minutes.

Une navette de même type fonctionne à Orléans, où beaucoup de trains de grande ligne s'arrêtent à la gare des Aubrais, située à 3 km du centre-ville. Dans les deux cas, le prix de la navette est inclus dans celui du billet et son départ coïncide avec l'arrivée des trains de grande ligne. Attention, l'heure de départ indiquée sur votre billet est celle à laquelle la navette quitte le centre-ville.

Prendre le train

Au départ de Paris, il existe deux solutions pour se rendre dans la vallée de la Loire : pour Nantes, vous aurez le choix entre le TGV ou le train Corail partant de la gare Montparnasse. Mais pour toutes les autres destinations, il vous faudra prendre un Corail à la gare d'Austerlitz.

Le service Train-Auto-Couchettes, qui permet de partir avec sa voiture, ne concerne que la liaison Paris-Nantes et sa fréquence varie au cours de l'année, passant d'un train par semaine en temps normal à un train quotidien durant les mois d'été ; le voyage dure 3 h 40. D'autres possibilités existent pour retrouver son automobile ou sa moto à l'arrivée, y compris pour des voyages de jour. La réservation s'impose, surtout pendant la période d'été. Les tarifs varient en fonction de la distance, de la date du voyage et de la longueur du véhicule. Le Guide « trains autos et motos accompagnées » en fournit la description complète.

Les formules Train + Auto, Train + Vélo et Train + Hôtel incluent la réservation d'une voiture de location, d'une bicyclette ou d'une chambre d'hôtel dans la ville de destination.

Logo de la SNCF

La plupart du temps, les trains de grandes lignes disposent d'une voiture-bar ou d'un wagon-restaurant. En leur absence circule un service minibar vendant sandwiches et boissons.

Dans les gares, les panneaux d'affichage des départs et des arrivées indiquent les horaires des trains, leurs numéros, leurs quais, ainsi que les gares desservies sur la ligne. Des chariots à bagages sont mis à la disposition du public ; il faut y insérer une pièce de 10 F, qui est restituée après utilisation.

Les tarifs

Les tarifs de base de la SNCF sont proportionnels à la distance parcourue, selon la classe choisie (1e ou 2e). Divers suppléments viennent s'y ajouter, pour une réservation, pour la location d'une couchette ou d'un lit, pour le gain de temps apporté par certains trains comme les TGV. La SNCF offre de nombreuses réductions : voyage gratuit pour les enfants de moins de 4 ans, demi-tarif pour ceux de moins de 12 ans ; tarifs de groupe (à partir de 6 personnes) ; tarif Joker sur certains trajets avec réservation à l'avance ; billet séjour (aller-retour de plus de 1 000 km) et tarif Congés Payés. D'autres réductions exigent d'acquérir des cartes payantes : abonnement Modulopass ouvert à tous, dont la rentabilisation exige des trajets

Guichet de la gare de Chartres

fréquents ; carte vermeil pour les personnes de plus de 60 ans ; carte Kiwi pour les enfants, dont les avantages peuvent s'appliquer à 4 adultes les accompagnant ; carte Carrissimo pour les moins de 26 ans.

La carte couple, accessible également aux concubins, et la carte famille nombreuse – si vous avez au moins 3 enfants dont un de moins de 18 ans – confèrent aussi des réductions, souvent variables en fonction du moment de l'année. En effet, le calendrier voyageur de la SNCF distingue des jours rouges, qui correspondent aux périodes de pointes durant lesquelles on ne bénéficie pratiquement d'aucune réduction, des jours blancs et des jours bleus, correspondant aux périodes creuses durant lesquelles les usagers peuvent prétendre aux réductions les plus avantageuses.

La carte InterRail, valable 15 jours ou un mois, donne droit aux moins de 26 ans à des voyages illimités sur les lignes de 25 autres pays d'Europe et, en France, à un trajet demi-tarif jusqu'à la frontière. Un peu plus chère, la carte InterRail-Plus 26 offre le même service aux plus de 26 ans. Il est également possible d'acheter un forfait train valable 10 jours. La carte InterRail achetée en France n'est valable que pour les résidents français. Les réservations obligatoires restent impératives.

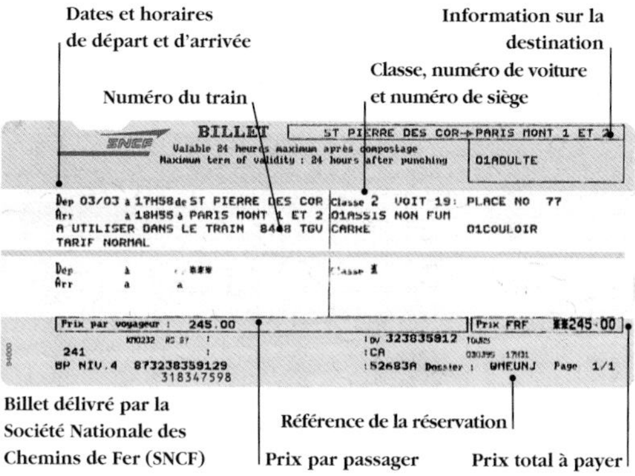

LE TGV

Le Train à Grande Vitesse roule jusqu'à 300 km/h sur les voies spécialement aménagées dans ce but. Les TGV les plus rapides mettent ainsi 2 heures pour atteindre Nantes depuis Paris. La réservation obligatoire pour monter à bord peut servir sur un autre train.

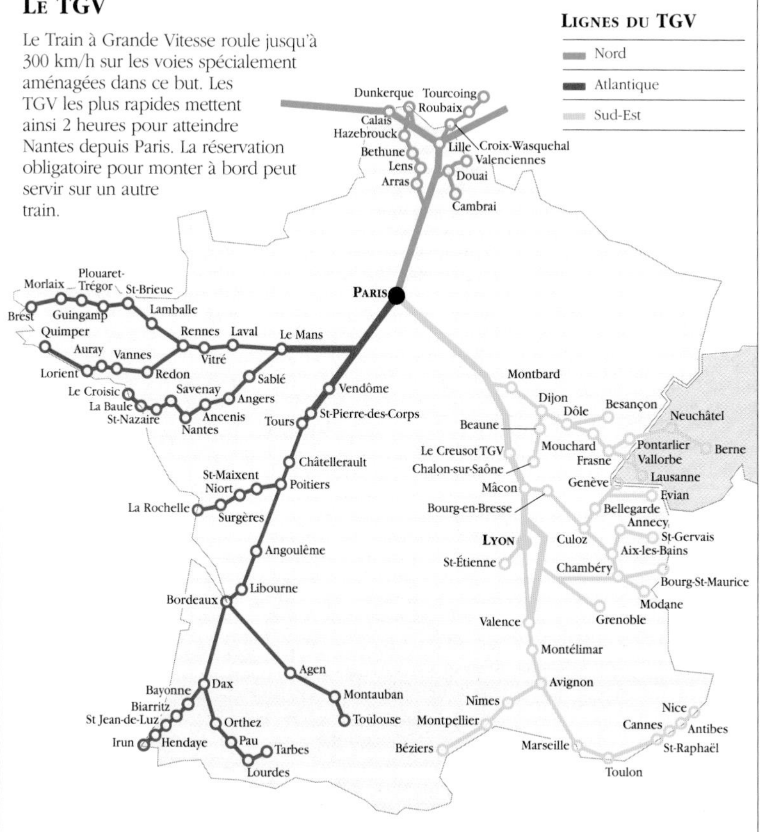

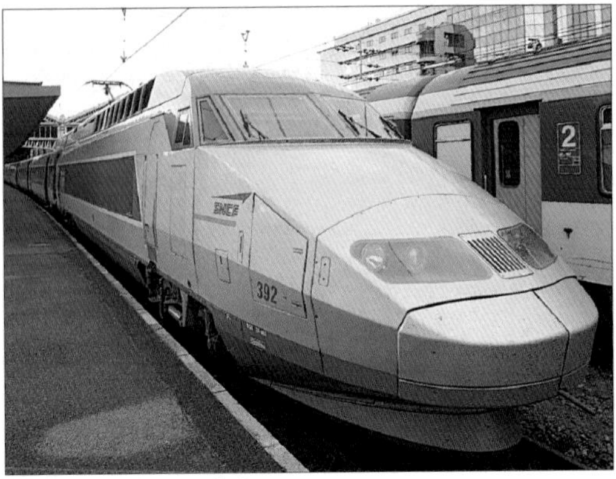

Un TGV arrivant en gare de Tours

Les billets

Fini le temps où le seul moyen d'acheter son billet consistait à faire la queue, en perdant parfois un temps fou au guichet. De plus en plus de gares disposent de billetteries automatiques qui permettent désormais d'effectuer aussi bien des réservations que des achats de titres de transport. Les paiements se font en espèces ou par carte bancaire. Il est également possible de réserver et de payer sa place sans bouger de chez soi, par téléphone auprès d'une gare ou par Minitel *(3615 SNCF)*.

La réservation est obligatoire sur les lignes de TGV – il vous est possible de réserver votre place jusqu'à 5 minutes avant le départ du train, dans la limite des disponibilités – ou pour obtenir une couchette ou une place en wagon-lit. Dans ces derniers cas, s'il dispose de places vacantes, le contrôleur pourra vous en attribuer une à bord du train.

Toutefois, si vous devez effectuer de longs trajets en période de vacances, et en général pour tous les grands départs, y compris les week-ends à partir d'avril, il est vivement conseillé de réserver même pour une simple place assise.

Avant le départ, il ne faut pas oublier de composter votre billet, sinon vous vous exposeriez à payer une amende dans le train. Attention, la SNCF a bâti sa réputation sur la ponctualité de ses trains : ils n'attendent pas !

Les animaux

La présence d'un animal en train est une tolérance et ne peut en aucun cas être imposée aux autres voyageurs. Il est notamment recommandé de museler les chiens.

Les animaux de moins de 6 kg transportés dans un panier ou un sac voyagent gratuitement. Pour les autres, il faut acquitter le prix d'un billet demi-tarif de 2e classe.

À moins de voyager seul dans un compartiment, les animaux sont interdits en voiture-lit.

Emporter sa bicyclette

Sur les horaires, un pictogramme signale les trains, relativement peu nombreux, où il est possible de voyager accompagné de sa bicyclette, mais il existe d'autres solutions décrites dans le *Guide du train et du vélo* édité par la SNCF et disponible dans les gares, en même temps que les fiches horaires.

La gare de Tours

Carnet d'adresses

SNCF, Paris

Informations-réservations générales
☎ *08 36 35 35 35.*
Minitel 3615 SNCF.

TAA (Trains + auto)
(service des renseignements techniques)
☎ *01 40 19 60 11.*

Bureau de vente des documents clientèle
212, rue de Bercy, 75012 Paris.
☎ *01 40 19 68 81.*
FAX *01 40 19 65 90.*

Principales gares de la vallée de la Loire

Angers
☎ *02 40 08 50 50.*

Bourges
☎ *02 47 20 50 50.*

Le Mans
☎ *02 36 35 35 35.*

Nantes
☎ *02 36 35 35 35.*

Orléans
☎ *02 38 53 30 30.*

Tours
☎ *02 47 32 11 00.*

Service clientèle
En cas de contestation, vous pouvez prendre contact avec le service clientèle d'une des Directions régionales de la SNCF, notamment celle de Nantes.

La route

La France possède un excellent réseau routier et la vallée de la Loire ne fait pas exception. Si les autoroutes constituent les voies les plus rapides et les plus sûres pour de longs trajets, les nationales, et plus encore les départementales, offrent la possibilité de découvrir des villages ou des sites peu fréquentés. Certaines, telles les routes longeant la sauvage côte atlantique, traversent des paysages à ne pas manquer.

Circuler en voiture

Évitant collines et montagnes, les autoroutes sont le moyen le plus rapide pour rejoindre les villes principales : l'A 11 va de Nantes à Chartres via Angers, l'A 10 unit Tours à Orléans via Blois et l'A 71 relie Orléans à Bourges. Mais pour visiter les zones plus rurales et découvrir l'intérieur du pays, il s'impose d'emprunter les nationales et départementales. Généralement bien signalées et dotées d'un bon revêtement, elles traversent souvent de superbes paysages, mais sont tout aussi souvent sinueuses. Elles offrent toutefois l'avantage d'être beaucoup moins fréquentées que les autoroutes.

Sur l'autoroute

Plusieurs services Minitel donnent des informations sur les itinéraires (distance, durée, coût du péage), la météo, le trafic, les prix du carburant et les services proposés aux étapes (restaurants, hôtels) ; 3615 Autoroute, 3615 Astrid, 3615 KM, 3615 ITI (en trois langues), 3615 Bisonfuté, 3615 Michelin.

Les autoroutes de la Vallée de la Loire – A 10 entre Tours et Paris, A 11 entre Le Mans et Paris, A 71 entre Vierzon et Paris – appliquent désormais des tarifs modulés le dimanche soir et les jours fériés en direction de Paris : de 9 h à 11 h, un tarif Super Vert : - 35 % ; de 11 h à 14 h, un tarif Vert : - 15 % ; de 0 h à 3 h le lendemain, un tarif Vert : - 15 % ; de 17 h à 21 h, un tarif Rouge : + 25 %.

Le carburant

Sur l'autoroute, des panneaux comparent les tarifs pratiqués par les stations des différentes aires de repos, mais ils varient assez peu et restent plus élevés que ceux des stations hors autoroute – les prix les plus avantageux étant pratiqués dans les stations-service des centres commerciaux situés à la périphérie des grandes villes. Comme partout en France, l'essence ordinaire a disparu des pompes qui ne distribuent plus aujourd'hui que gazole, « super » et « super sans plomb ». Ce dernier n'est souvent disponible qu'à 98 degrés d'octane. Attention, la nuit en zone rurale, on peut très bien parcourir des centaines de kilomètres sans rencontrer la moindre pompe.

Les péages autoroutiers

À l'entrée sur un tronçon autoroutier à péage, une borne délivre un ticket d'entrée qui doit être remis à la barrière de sortie où l'on acquitte un droit proportionnel à la distance parcourue et au type de véhicule.

Panneau signalant un péage autoroutier
Les barrières de péage sont indiquées suffisamment longtemps à l'avance, sur un panneau bleu à lettres blanches, pour avoir le temps de préparer sa monnaie ou sa carte bancaire.

Barrière de péage non automatique
Arrivé à destination, donnez votre ticket au péagiste qui vous indiquera le montant à régler. Le paiement peut s'effectuer en espèces, avec une carte bancaire ou un chèque. Un reçu est délivré sur demande.

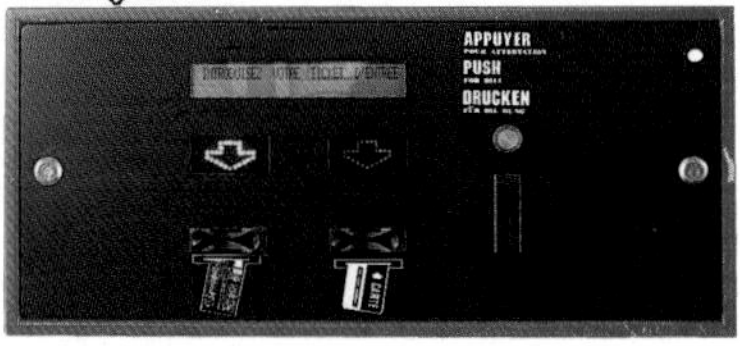

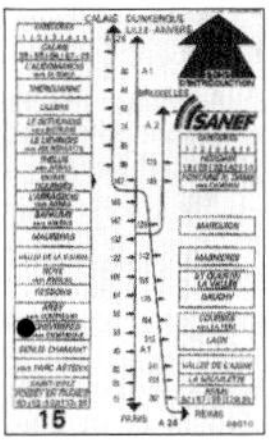

Péage automatique
On peut aussi payer à des machines qui lisent les informations enregistrées sur la carte d'entrée, acceptent les règlements en liquide ou par carte bancaire, rendent la monnaie et délivrent, sur demande, un reçu.

Les locations de voiture

Les compagnies de location de voiture, nationales comme internationales, peuvent pratiquer des tarifs différents suivant la période de la semaine, le kilométrage parcouru et la possibilité de restituer le véhicule à une agence différente de celle d'origine.

Certaines compagnies, en général moins importantes, proposent des formules souvent plus intéressantes. Citons notamment Rual, Valem,

Trois loueurs de voitures présents dans la vallée de la Loire

Century, Citer, Locabest, Axeco, Budget, Rent-a-Car. Beaucoup de ces sociétés possèdent un service de renseignement par Minitel (voir page ci-contre ou rubrique « Location de voitures » sur le 3614 MGS).

Sécurité

Le conducteur de tout véhicule circulant en France doit posséder un kit d'ampoules de rechange et pouvoir poser sur la chaussée un signal de détresse (triangle réflecteur) en cas de besoin. En outre, il est recommandé de disposer d'une trousse de première urgence et d'un extincteur.

Accès interdit à tout véhicule

Voie à sens unique

Sens giratoire

Fin de route prioritaire

L'une des autoroutes de la vallée de la Loire

En ville comme sur route, la ceinture de sécurité est obligatoire non seulement à l'avant mais aussi à l'arrière, où doivent impérativement prendre place les enfants de moins de dix ans, dans un siège spécialement conçu pour eux.

Et la prudence conseille de ne pas conduire plus de deux heures sans se reposer et de ne pas consommer d'alcool avant de prendre le volant.

Pannes

Beaucoup d'assurances automobiles actuelles incluent un service « Assistance » avec une permanence accessible 24 h sur 24 par un numéro vert. Il donne droit, sous certaines conditions, au remboursement de frais comme ceux de remorquage ou de rapatriement. En cas de doute, renseignez-vous avant votre départ auprès de votre compagnie.

Aussi accessibles 24 h sur 24 par un numéro national et gratuit, les constructeurs automobiles proposent des dépannages quel que soit le type du véhicule. Des sociétés agréées, jointes à partir des bornes d'arrêt d'urgence, possèdent le monopole des interventions sur autoroute.

Les vitesses autorisées

Sur les autoroutes : 130 km/h ; 110 km/h par temps de pluie ou de brouillard.

Sur les routes à 2 fois 2 voies : 110 km/h ; 90 à 100 km/h par temps de pluie ou de brouillard.

Sur les autres routes : 90 km/h ; 80 km/h par temps de pluie ou de brouillard.

Dans les agglomérations : 50 km/h maximum. Des panneaux signalent les cas où la limitation de vitesse est inférieure.

Les cartes

Vous trouverez sur le dernier rabat intérieur de ce guide une carte des principaux axes routiers de la région. Pour circuler sans risque sur les départementales, les cartes Michelin s'avèrent en général les plus pratiques.

Quelques exemples de cartes routières

L'I.G.N. (Institut Géographique National) édite par ailleurs des cartes à différentes échelles, dont les plus détaillées se prêtent particulièrement bien à la randonnée. On peut trouver ces cartes dans les stations-service, chez les marchands de journaux ou dans des librairies spécialisées.

Le stationnement

Malgré l'installation partout en ville d'horodateurs

censés faciliter le stationnement en limitant les arrêts de longue durée, il est souvent difficile de trouver à se garer dans les rues. Néanmoins, les grandes agglomérations possèdent des parkings souterrains payants. Les villages où le problème se posait également se sont souvent dotés d'aires de stationnement gratuites, en général proches du centre.

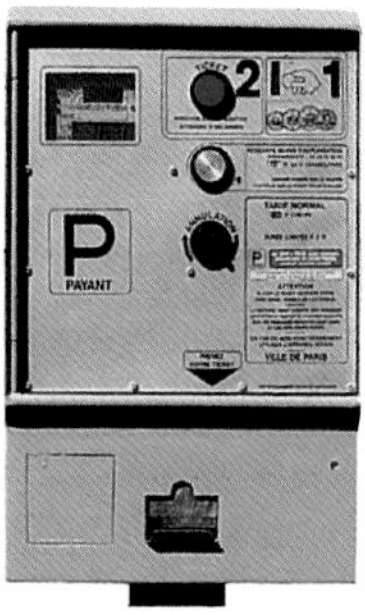

Un horodateur de parking payant

La bicyclette

Même s'il faut de bonnes jambes pour découvrir à vélo une grande partie de la vallée de la Loire, ce moyen reste l'un des plus agréables. Si votre bicyclette n'a pas pu vous accompagner dans le train *(p.244)*, vous pourrez en louer une dans l'une des gares qui proposent ce service ou chez un des nombreux loueurs installés dans toute la région.

Rappelons que dans le centre de la vallée de la Loire, il existe un organisme spécialement conçu pour les cyclistes, Vélotel-Vélocamp *(p.224)*.

Les taxis

Le prix des taxis varie d'un point de la région à l'autre. Les tarifs sont bien entendu plus élevés dans les zones les plus touristiques. Ailleurs, le tarif moyen est de 15 francs pour la prise en charge et de 4 francs par kilomètre parcouru. Un extra sera demandé pour les bagages. Pour de longs parcours, il est possible de négocier un prix forfaitaire avant le départ. À la campagne, les gros villages possèdent généralement au moins un taxi. Il faut le réserver par téléphone.

L'auto-stop

Si vous préférez éviter de vous morfondre au bord de la route, contactez une des associations qui mettent en rapport passagers et conducteurs. Elles perçoivent un droit d'inscription auquel s'ajoute pour le passager une participation aux frais de l'ordre de 20 centimes par km. C'est un moyen de voyager à la fois économique et convivial.

L'autocar

On peut atteindre la vallée de la Loire en autocar de Paris ou de l'étranger, en particulier grâce à la société Eurolines.

Le réseau d'autocar de la vallée de la Loire est très dense.

Dans les villes, on trouve en général des navettes qui conduisent de la gare de chemin de fer au centre-ville et dans les zones rurales les liaisons sont assez

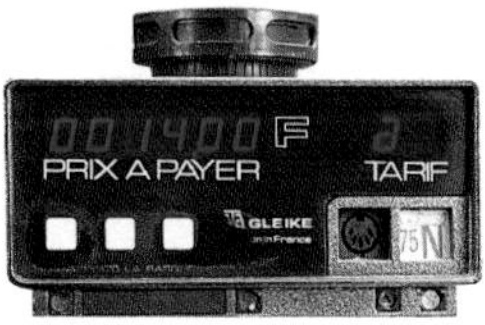

Un compteur de taxi

fréquentes et commodes.

Certains réseaux de cars, comme celui de la Loire-Atlantique, sont dynamiques et performants.

Des services d'autocars desservent également les principaux sites touristiques. Enfin, des sociétés privées d'autocars proposent des excursions d'une journée vers certains châteaux.

On peut se renseigner et se procurer gratuitement les plans des réseaux et les fiches horaires dans les gares routières, les offices du tourisme, les mairies, les bureaux de poste et chez les commerçants affichant le logo « Point Information ».

Carnet d'adresses

Location de voitures

Avis
3615 AVIS.
Nantes aéroport ☎ *02 40 84 81 01.*
Nantes centre ☎ *02 40 74 07 65.*
Orléans ☎ *02 38 62 27 04.*

Budget
3615 BUDGET.

Europcar
3615 EUROPCAR.
Orléans ☎ *02 38 73 00 40.*
Nantes ☎ *02 40 84 81 05.*

Hertz
3615 HERTZ.

Rent-A-Car
3615 RENTACAR.
Paris ☎ *01 46 82 60 60.*
Orléans ☎ *02 38 77 92 92.*
Nantes ☎ *02 51 25 26 27.*

État des routes

Autoroute information
Paris ☎ *01 47 05 90 01.*
Envoi de documents cartographiques gratuits 3615 Autoroute.

Bison Futé
3615 BISONFUTÉ.

Prévention routière
☎ *08 36 70 18 18.*
3615 ITI.

Cartes

Espace IGN
107, rue La Boétie, 75008 Paris.
☎ *01 42 56 06 68.*

Auto-stop

Allostop-Provoya
84, passage Brady, 75010 Paris.
☎ *01 42 46 00 66.*
Minitel 3615 ALLOSTOP.

Compagnies d'autocars

Eurolines Bruxelles
☎ *(2) 203 07 07.*

Eurolines Paris
☎ *01 49 72 51 51.*

Cartour
12, rue Vignon, 75009 Paris.
☎ *01 44 56 30 30.*
(Agence de voyages)

Index

Les numéros de page en **gras** renvoient aux principales entrées.

D

E

F

G

M

Remerciements

L'éditeur remercie les organismes, les institutions et les particuliers dont la contribution a permis la préparation de cet ouvrage.

AUTEUR PRINCIPAL
Jack Tresidder vit en France depuis 1992. Ancien journaliste et critique de théâtre, il a écrit et édité nombre d'ouvrages d'art, de cinéma et de photographie, ainsi que des guides de voyage.

CONSULTANT POUR L'ÉDITION
Vivienne Menkes-Ivry.

AUTRES AUTEURS ET CONSULTANTS
Sara Black, Hannah Bolus, Patrick Delaforce, Thierry Guidet, Jane Tresidder.

PHOTOGRAPHIES D'APPOINT
Clive Streeter.

ILLUSTRATIONS D'APPOINT
Robert Ashby, Graham Bell, Stephen Conlin, Toni Hargreaves, The Maltings Partnership, Lee Peters, Kevin Robinson, Tristan Spaargaren, Ed Stuart, Mike Taylor.

CARTOGRAPHIE
Lovell Johns Ltd, Oxford, Grande-Bretagne.

RECHERCHE CARTOGRAPHIQUE
David Murphy.

LECTURE-CORRECTION
Jacques Schmitt.

INDEX
Brian Amos.

COLLABORATION ARTISTIQUE ET ÉDITORIALE
Poppy Body, Sophie Boyack, John Grain, Richard Hansell, Matt Harris, Ciaran McIntyre, Emma O'Kelly, Zoe Ross, Alison Verity, Ingrid Vienings.

AVEC LE CONCOURS SPECIAL DE :
Mme Barthez, château d'Angers ; M. Sylvain Bellenger, château de Blois ; M. Bertrand Bourdin, France Télécom ; M. et Mme Chaslus, abbaye de Fontevraud ; M. Joël Clavier, Conseil Général du Loiret ; Mme Dominique Féquet, Office de Tourisme, Saumur ; M. Gaston Huet, Vouvray ; Mme Pascale Humbert, Comité Départemental du Tourisme de l'Anjou ; M Alain Irlandes et Mme Guylaine Fisher, Atelier du Patrimoine, Tours ; Mme Sylvie Lacroix et M. Paul Lichtenberg, Comité Régional du Tourisme, Nantes ; M. André Margotin, Comité Départemental du Tourisme du Cher ; M. Jean Méré, Champigny-sur-Veude, Touraine ; Mme Marie-France de Peyronnet, Route Jacques-Cœur, Berry ; M. R. Pinard, École Nationale des Ponts et Chaussées, Paris ; Père Rocher, abbaye de Solesmes ; M. Loïc Rousseau, Rédacteur, *Vallée du Loir* ; M. Pierre Saboureau, Lochois ; M. de Sauvebœuf, Le Plessis-Bourré ; M. Antoine Selosse et M. Franck Artiges, Comité Départemental du Tourisme de Touraine ; Mme Sabine Sévrin, Comité Régional du Tourisme, Orléans ; Mme Tissier de Mallerais, château de Talcy.

AUTORISATION DE PHOTOGRAPHIER
L'éditeur remercie les entreprises, les institutions et les organismes suivants d'avoir accordé leur autorisation de photographier : M. François Bonneau, Conservateur, château de Valençay ; M. Nicolas de Brissac, château de Brissac ; Caisse Nationale des Monuments Historiques et des Sites ; Conseil Général du Cher ; le Marquis et la Marquise de Contades, château de Montgeoffroy ; M. Robert de Goulaine, château de Goulaine ; Mme Jallier, Office de Tourisme, Le Puy-du-Fou ; château de Montsoreau, propriété du département du Maine-et-Loire ; Musée Historique et Archéologique de l'Orléanais ; M. Jean-Pierre Ramboz, Sacristain, cathédrale de Tours ; M. Bernard Voisin, Conservateur, château de Chenonceau ; et tous les autres musées, églises, hôtels, restaurants, magasins et établissements, trop nombreux pour être cités individuellement.

CRÉDITS PHOTOGRAPHIQUES
h = en haut ; hg =en haut, à gauche ; hc = en haut, au centre ; hd = en haut, à droite ; cgh = au centre gauche, en haut ; ch = au centre, en haut ; cdh = au centre droite, en haut ; cg = au centre, à gauche ; c = au centre ; cd = au centre, à droite ; cgb = au centre gauche, en bas ; cb = au centre, en bas ; cdb = au centre droite, en bas ; bg = en bas, à gauche; b = en bas ; bc = en bas, au centre ; bd = en bas, à droite.

Malgré tout le soin que nous avons apporté à dresser la liste des auteurs des photographies, nous demandons à ceux qui auraient été involontairement oubliés ou omis de bien vouloir nous en excuser. Cette erreur serait corrigée à la prochaine édition de l'ouvrage.

Les œuvres d'art ont été reproduites avec l'aimable autorisation des organismes suivants : © ADAGP, Paris et DACS, Londres 1996 : 77cdh, 102hg, 150b ; © DACS, Londres 1996 : 22hd, © DACS, Londres 1996 : 48chg; © DACS, Londres et SPADEM, Paris : 104c

L'éditeur remercie les photographes, les entreprises et les organismes suivants de lui avoir permis de reproduire leurs photographies :

AIR FRANCE : D. Toulorge 241hd ; PHOTO AKG, Londres : 48br, Bibliothèque Nationale *Hugues Capet à Laon* Friz Buchmal 51cdb ; *Catherine de Médicis* anonyme XVIe s. 109hg ; Stefan Diller 49bg ; Galleria dell' Accademia *Saint Louis* Bartolomeo Vivarini 1477 50cg ; Louvre, Paris *Charles VII* Jean Fouquet v.1450 47hg ; Musée Carnavalet, Paris *George Sand* Auguste Charpentier 1839 22c ; Galerie nationale, Prague *Autoportrait* Henri Rousseau 1890 23b ; Samuel H Kress Collection, National Gallery of Art Washington *Le Bain de Diane* François Clouet v.1571 108chg ; ALLSPORT : Pascal Rondeau 59cdb ; ANCIENT ART AND ARCHITECTURE COLLECTION : 22b, 50br, 51hg, 54hd, 55b ; ARCHIVES DÉPARTEMENTALES DU LOIRET : coll. Daniel 58cgb.

Y. BERRIER : 77hg ; BIBLIOTHÈQUE NATIONALE, DIJON : 149b ; BIBLIOTHÈQUE NATIONALE DE FRANCE, PARIS : 52–3c ; BRIDGEMAN ART LIBRARY : Bibliothèque Nationale, Paris 47hc ; British Library, Londres 46br, 52cgb ; Glasgow University Library 49br ; Kunsthistorisches Museum, Vienne 54br ; Louvre, Paris *François Ier* Jean Clouet 44 ; Musée Condé, Chantilly 6, 46bg, 135b ; Prado, Madrid *La Vision de St Hubert* (détail) Jan Brueghel et Pierre Paul Rubens 135h ; Scottish National Portrait Gallery, Édimbourg *Marie, reine d'Écosse* François Clouet v.1510–72 23c ; State Collection, France 54bg ;

Victoria & Albert Museum, Londres 19hd, 54hg ; BRIDGEMAN ART LIBRARY/GIRAUDON : château de Versailles 4br, 47hd 56chg, *Louis XIV en Jupiter victorieux de la La Fronde* anonyme XVIIe s. 134hd ; Galleria degli Uffizi, Florence 54chg ; Louvre, Paris *Henry IV recevant le portrait de Marie de Médicis* Pierre Paul Rubens 55hg, 74b ; Musée des Antiquités Nationales, St-Germain/Lauros-Giraudon 48chg ; Musée des Beaux-Arts, Nantes *Les Cribleuses de blé* Gustave Courbet 192b ; Musée Condé, Chantilly 23h, 47bc, 47bg, 52hg, 93b, *Gabrielle d'Estrées au bain* école française XVIIe s. 96c ; Musée d'Orsay, Paris *Marcel Proust* Jacques-Émile Blanche v.1891–2 22hc ; Musée de la Venerie, Senlis *Diane de Poitiers en Diane chasseresse* École de Fontainebleau XVIe s. 55cdb ; BRITISH MUSEUM : 54–5 ; MICHAEL BUSSELL'S PHOTOGRAPHY : 29hg and br.
CAHIERS CIBA : 77cdb ; CAMERA PRESS : 77hd ; CEPHAS : Stuart Boreham 63bg ; Hervé Champollion 63cdh, 152hd ; Mick Rock 27cdb ; JEAN-LOUP CHARMET, Paris : 45b, 51b, 57cdh ; CHÂTEAU DE CHAMEROLLES : 137cbg ; CHÂTEAU DE MONTGEOFFROY : 71cg ; CHRISTIE'S IMAGES, LONDRES : 53b ; BRUCE COLEMAN : NG Blake : 71bc ; Denis Green 185cd ; Udo Hirsch 185bg ; Hans Reinhard 28br, 184bg ; Uwe Walz 71bg, 71br, 185br ; Gunter Zeisler 184cdb ; COMITÉ DÉPARTEMENTAL DU TOURISME DU CHER : 25cdh ; COMITÉ RÉGIONAL DU TOURISME, NANTES : 226t, 226b, J.-P. Guyonneau 227hg, J. Lesage 225hd ; COMITÉ DU TOURISME DE L'ANJOU : 84b, J.-P. Guyonneau 84c.
DIATOTALE : château de Chenonceau 106h.
ÉDITIONS GAUD : château de Villandry *Jeune Infante* Pantoja de la Cruz 94hg ; C ERRATH : 24br, 182hd, 182chg ; ET ARCHIVE : 50bg, 100br ; MARY EVANS PICTURE LIBRARY : 9 cartouche, 22hg, 53cg, 61 cartouche, 151hg, 195 cartouche, 229 cartouche; EXPLORER : F Jalain 56cg.
FÉDÉRATION NATIONALE DES LOGIS DE FRANCE : 197c ; FONTENAY-LE-COMTE, OFFICE DE TOURISME : 230cg ; ABBAYE DE FONTEVRAUD : 41b, 87b; ABBAYE DE FONTGOMBAULT : Frère Éric Chevreau 147c ; SNCF : Jean-Marc Fabro 58cg.
GARDEN/WILDLIFE MATTERS : 94hd, 95c et bd. TONY GERVIS : 41cd, 78hg et bd, 81ch et cdh, 82h ; GIRAUDON, PARIS: 48hd et bg, 49hg, 52cg, 76hd et c, 135c ; Archives Nationales, Paris 50hg ; Bibliothèque Municipale, Laon 50–51cd ; château de Versailles *Louis XIII – Roi de France et de Navarre* d'après Vouet 47br, 56bg ; Musée Antoine Lécuyer 134b ; Musée Carnavalet, Paris 30hg, *Madame Dupin de Francueil* 109hd ; Musée Condé, Chantilly 52br, 108b ; Musée d'Histoire des Guerres de Vendée, Cholet *Henri de la Rochejaquelein au Combat de Cholet le 17 Octobre 1793* Émile Boutigny 69cg ; Musée de Tessé, Le Mans 166hd ; Musée des Beaux-Arts, Blois 169cdb ; Musée du Vieux Château, Laval 160b (tous droits réservés); Telarci 51chg ; Victoria & Albert Museum, Londres 95hg GÎTES DE FRANCE : 199ct ; LA GOÉLETTE : 82cd ; 106hd ; J.-J. Derennes *Les Trois grâces* Charles-André Van Loo 106bd.
SONIA HALLIDAY PHOTOGRAPHS : 53hg ; ROBERT HARDING PICTURE LIBRARY : 30hd; 37br ; Paolo Koba 17br ; Sheila Terry 102b; D HODGES : 167b; KIT HOUGHTON : 38c ; HULTON-DEUTSCH COLLECTION : 46hd, 111hc, 134chg.
IMAGE BANK : 34cgb ; DAVID W. HAMILTON 32 ; IMAGE DE MARC 14b, 90c, 103b, 117b ; INVENTAIRE GÉNÉRAL Musée du Grand-Pressigny 48chg, 104c.
JERRICAN/BERENGUIER : 11bg.
FRANK LANE PICTURE AGENCY : R Wilmshurst 74h ; JASON LOWE: 36bg, 114hg, 231cgb.
MAIRIE DE BLOIS : J.-P. Thibaut 42b ; MANSELL COLLECTION : 30b; T MEZERETTE : 26h, 27hg, 34br ; MUSÉES D'ANGERS : 16h, 51cgb, 57hg, 77cdh ; COLLECTION MUSÉE D'ART ET D'HISTOIRE DE CHOLET : 57b, Studio Golder, Cholet *Jacques Cathelineau* Anne-Louis Girodet-Trioson 1824 187b ; MUSÉE DES ARTS DÉCORATIFS ET MUSÉE DU CHEVAL, CHÂTEAU DE SAUMUR : 82cd ; MUSÉE DES BEAUX-ARTS DE RENNES : Louis Deschamps *Bal à la Cour des Valois* 109cbd ; MUSÉE DES BEAUX-ARTS, TOURS : *Vue Panoramique de Tours en 1787* Pierre-Antoine Demachy 8–9 ; P. Boyer *Le Christ au jardin des Oliviers* Andrea Mantegna 114b ; MUSÉE DE BLOIS : 127br ; MUSÉES DE BOURGES : Musée des Arts Décoratifs, Hôtel Lallemant *Concert Champêtre Instrumental* École franco-italienne 150h ; MUSÉE DOBRÉE, NANTES : 55cgb, 191h ; COLLECTION MUSÉE ESTÈVE © ADAGP/DACS : Dubout *Samsâra* Maurice Estève 150b ; COURTESY, MUSEUM OF FINE ARTS BOSTON : *Vallée de la Petite Creuse* Claude Monet 1889 legs de David P. Kimball en souvenir de sa femme, Clara Bertram Kimball (© 1995 tous droits réservés) 147br ; MUSÉE HISTORIQUE D'ORLÉANS : 48cgb ; MUSÉES DU MANS : 166c ; MUSÉE DES MARAIS SALANTS, BATZ-LOIRE-ATLANTIQUE : G. Buron 179cd ; COLLECTION DU MUSÉE DE LA MARINE DE LOIRE, CHÂTEAUNEUF-SUR-LOIRE (LOIRET) : 33bc.
NHPA : Manfred Danegger 185cg ; M. Garwod : 79b ; BA Janes 28hg ; Helio & Van Ingen 29bg, 182hg ; Andy Rouse 29cd ; Robert Thompson 29hd ; NATIONAL MOTOR MUSEUM, BEAULIEU : 57cb.
PARC NATUREL RÉGIONAL DU POITEVIN : 185cdh ; JOHN PARKER : 1c, 18bc, 24bg, 25hg, 35cdb, 36cdb, 37chg et cg, 38bg, 51cdh, 54cgb, 55cdh, 58hg, 63br, 72hg, 73c, 75bc, 87hc, 95bc, 106chg, 107cb, 110bg, 111br, 115c, 116hd, 117cd, 121br, 126cg, 127bg, 128hg, 130hg et bg, 131hc et bc, 132hg, cg, cgb et br, 133hc, cd, bc et br, 144hd, 170br, 171br, 220cg ; PHOTOGRAPHERS' LIBRARY : 28chg, 159b, 199b.
RÉUNION DES MUSÉES NATIONAUX, PARIS : château de Versailles *Château de Chambord* P.D. Martin (© Photo RMN) 134cdb ; REX FEATURES/SIPA PRESS : Riclafe 59hd, Tall 58bg ; ROUTE HISTORIQUE JACQUES CŒUR : 16b; DAVID ROWLEY : 83b.
THE SCIENCE MUSEUM/SCIENCE & SOCIETY PICTURE LIBRARY, LONDON : 56br ; SCIENCE PHOTO LIBRARY/CNES : 11hd ; SPECTRUM COLOUR LIBRARY : 137cd ; TONY STONE WORLDWIDE: 63hg and hd, Charlie Waite 154h.
TELEGRAPH COLOUR LIBRARY : Jean-Paul Nacivet 24chg ; TRH PICTURES : 58hd.
VILLE D'AMBOISE : musée de la Poste 33cb ; ROGER-VIOLLET : 52bg, Bibliothèque Nationale 57hd, 137hd, Musée d'Orléans *Entrée de Jeanne d'Arc à Orléans* Jean-Jacques Sherrer 137br.
J WARMINSKI : 79t ; C WATIER: 67t, 70b.
Première page de garde : © Dorling Kindersley.
Couverture : © Dorling Kindersley sauf BRUCE COLEMAN : Uwe Walz front bl.

Carte routière

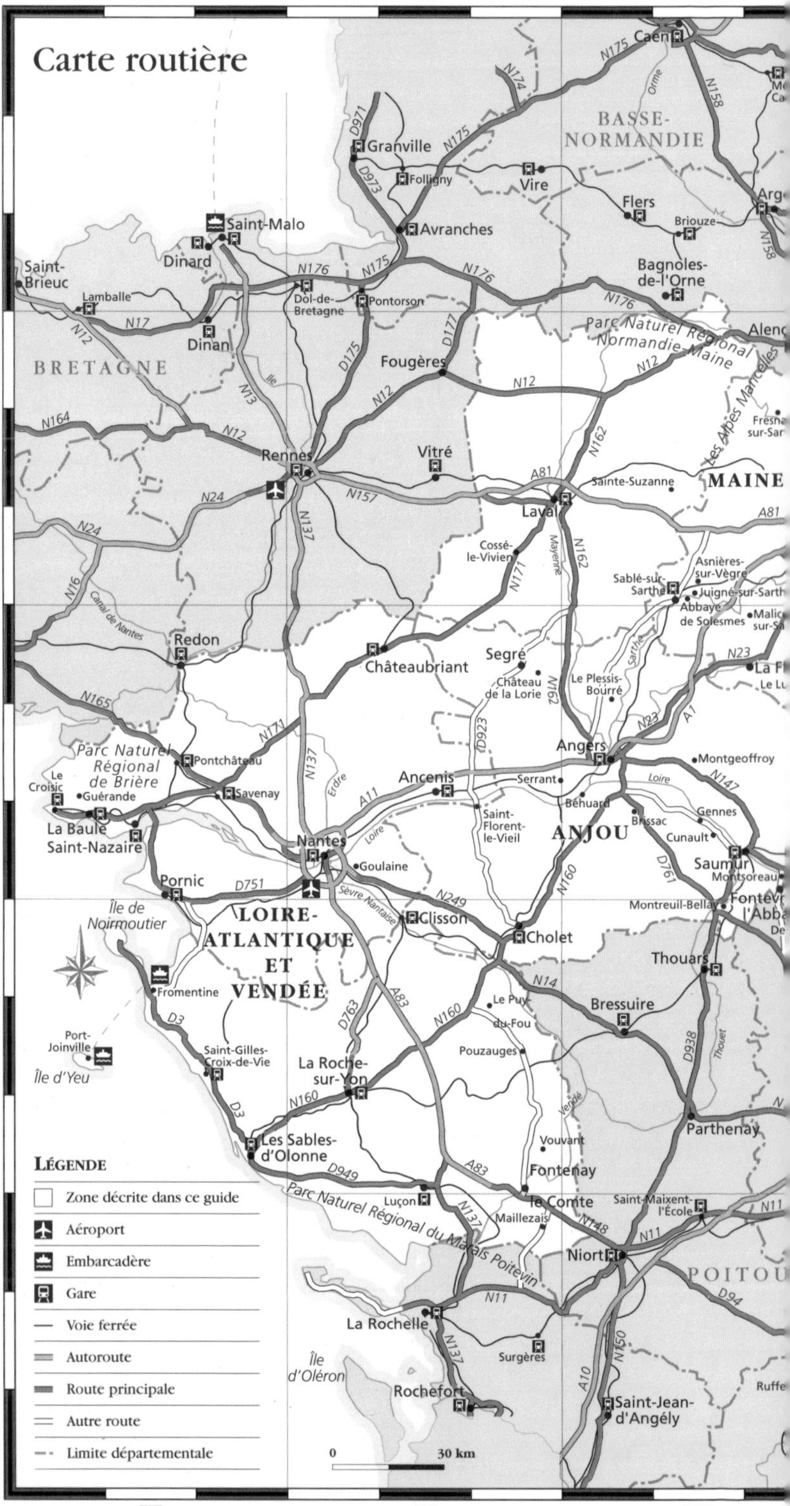